L' amant de l'ombre

Du même auteur
aux Éditions J'ai lu

JUDITH

McNAUGHT

L'amant de l'ombre

Traduit de l'américain
par Martine Fages

Vous souhaitez être informé en avant-première
de nos programmes, nos coups de cœur ou encore
de l'actualité de notre site J'ai lu pour elle ?

Abonnez-vous à notre *Newsletter* en vous connectant
sur **www.jailu.com**

Retrouvez-nous également sur Facebook pour avoir
des informations exclusives :
www.facebook/pages/aventures-et-passions
et sur le profil J'ai lu pour elle.

Titre original
ONCE AND ALWAYS

Éditeur original
Pocket Books, a division of Simon & Schuster Inc., New York

1

Angleterre
1815

— Ah ! Vous voici, Jason, déclara la ravissante jeune femme brune à son mari dont le visage se reflétait dans le miroir de sa coiffeuse.

Il s'approcha, immense, impressionnant et, après lui avoir jeté un regard inquiet, sa femme reporta son attention sur ses bijoux. Son sourire sonnait faux lorsqu'elle lui tendit d'une main mal assurée un magnifique collier en diamants.

— Aidez-moi à le mettre, voulez-vous ?

Son mari contempla avec mépris les colliers de rubis et d'émeraudes qui scintillaient déjà sur l'opulente poitrine que révélait un corsage au décolleté provocant.

— Cet étalage de chair et de bijoux me semble déplacé chez une femme qui essaie de se faire passer pour une lady.

— Qu'en savez-vous ? riposta Melissa Fielding avec dédain. Cette robe est du dernier cri. Le baron Lacroix, lui, la trouve à son goût : il m'a demandé de la porter au bal ce soir.

— Il est certain qu'il n'aura aucun mal à te la retirer.

— Exactement ! Il est français... et fougueux comme un lion.

— Mais il a un gros défaut : il est sans le sou.

— Il me trouve belle, rétorqua Melissa, venimeuse.

— Il a raison.

Sarcastique, Jason Fielding détailla son ravissant visage au teint d'albâtre qu'illuminaient des yeux verts en amande. Il s'attarda sur ses lèvres rouges et charnues puis descendit vers la gorge voluptueuse qui palpitait comme une vivante offrande, au-dessus du décolleté de sa robe en velours pourpre.

— Vous êtes belle, cupide et parfaitement amorale, ma chère... en deux mots : une garce.

Il s'apprêtait à quitter la pièce quand il s'immobilisa et jeta d'une voix coupante :

— Avant de partir, passez dire bonsoir à votre fils ; Jamie est trop petit pour comprendre que sa mère est une garce et vous lui manquez. Je pars pour l'Ecosse dans une heure.

— Jamie ! siffla-t-elle rageusement. Il n'y a que lui qui compte...

Comme son mari s'éloignait sans répondre, Melissa explosa :

— A votre retour d'Ecosse, je ne serai plus là ! menaça-t-elle.

— Tant mieux.

— Salaud ! cracha-t-elle en serrant les poings. Je vais dire à la face du monde qui tu es vraiment, et ensuite je te quitterai pour ne plus revenir. Jamais !

Jason avait déjà la main sur la porte. Il tourna vers sa femme un visage dur, méprisant :

— Tu reviendras, ricana-t-il. Dès que tu n'auras plus d'argent.

La porte se referma derrière lui et un air de triomphe éclaira le ravissant visage de Melissa.

— Tu te trompes, Jason, murmura-t-elle tout haut. Car tu seras obligé de m'en envoyer...

— Bonsoir, monsieur, murmura le majordome d'une voix bizarrement tendue.

— Joyeux Noël, Northrup, répondit machinalement Jason en secouant ses bottes couvertes de neige et en tendant son manteau trempé au domestique.

La scène qui l'avait opposé à Melissa deux semaines auparavant lui revint subitement à l'esprit, mais il chassa ce pénible souvenir.

— Le mauvais temps m'a retardé. Mon fils est-il couché ?

Le maître d'hôtel se figea.

— Jason !

Un homme âgé d'une quarantaine d'années apparut dans l'embrasure de la porte. Son visage buriné de vieux loup de mer était grave et il fit signe à Jason de le rejoindre au salon.

— Mike ? Qu'est-ce que tu fais là ? s'exclama Jason en le regardant refermer la porte derrière eux.

Mike Farrell ne s'embarrassa pas de préambule :

— Jason, Melissa est partie. Elle s'est enfuie avec Lacroix pour la Barbade le lendemain de ton départ.

Il s'interrompit et attendit une réaction qui ne vint pas. Alors il respira profondément et ajouta :

— Ils ont emmené Jamie.

Une lucur sauvage brilla dans les yeux de Jason. Une lueur presque inhumaine.

— Je la tuerai ! (Il se dirigeait déjà vers la porte.) Je vais la retrouver et je la tuerai...

— Il est trop tard, l'interrompit Mike avec une infinie lassitude. Melissa est déjà morte. Leur navire a essuyé une tempête trois jours après leur départ.

Il détourna son regard de Jason dont le visage se crispait douloureusement et ajouta d'une voix atone :

— Il n'y a pas de survivants.

Sans un mot, Jason s'empara d'un flacon de whisky en cristal. Il remplit un verre et le vida d'un trait avant de le remplir à nouveau, le regard vide et fixe.

— Elle t'avait laissé ceci, reprit Mike Farrell en lui tendant deux lettres dont les sceaux étaient brisés.

Comme Jason ne bougeait pas, Mike expliqua avec douceur :

— Je les ai déjà lues. La première lettre est une demande de rançon que Melissa avait déposée dans ta chambre. En échange de cette rançon, elle t'aurait rendu Jamie. La seconde était destinée à perdre ta réputation — elle l'avait confiée à un valet avec l'ordre de la remettre au *Times* après son départ. Mais lorsque Flossie Wilson s'est aperçue de la disparition de Jamie, elle a immédiatement interrogé le personnel. Le domestique qui s'apprêtait à porter la lettre au *Times* lui a remis le pli. Dans l'impossibilité de te joindre, elle m'a fait appeler... Jason, reprit Mike après une pause, je sais que tu adorais cet enfant. Je suis navré. Crénom de nom... vraiment navré.

Fou de douleur, Jason leva lentement les yeux vers le portrait accroché au-dessus de la cheminée dans un cadre doré. Un enfant souriait d'un air angélique en serrant un soldat de bois dans sa menotte...

Le verre qu'il tenait explosa sous la pression de ses doigts mais il ne versa pas une larme. Depuis sa plus tendre enfance, Jason Fielding avait épuisé ses réserves de larmes.

Portage, New York
Noël 1815

La neige crissait sous les petites bottes de Victoria Seaton. Elle s'engagea dans la ruelle et poussa le portillon blanc qui donnait sur un jardinet. C'était ici qu'elle avait vu le jour, quinze ans auparavant. Les joues rosies par le froid et les yeux brillants, elle contempla le ciel étoilé. Elle sourit et fredonna les dernières mesures d'un cantique de Noël qu'elle avait chanté toute la soirée avec les autres choristes. Puis elle remonta l'allée plongée dans l'obscurité jusqu'à la modeste maison.

Elle ouvrit tout doucement la porte pour ne pas réveiller ses parents et sa petite sœur. Elle accrocha son manteau, se retourna et s'immobilisa, pétrifiée. Sur le palier du premier étage baigné par le clair de lune, elle aperçut ses parents devant la porte de la chambre de sa mère. Son père tenait sa mère dans ses bras et celle-ci se débattait en criant :

— Patrick, non ! Je ne veux pas ! Je ne peux pas !

— Katherine, suppliait Patrick Seaton d'une voix rauque. Pour l'amour du Ciel, ne te refuse pas à moi !

— Tu m'avais promis ! éclata Katherine en essayant de se soustraire à son étreinte.

Il voulut l'embrasser, mais elle se détourna et sanglota d'une voix hachée :

— A la naissance de Dorothée, tu m'as juré que ce serait la dernière fois. Tu m'avais donné ta parole.

Victoria, frappée de stupeur se rendit compte dans un brouillard qu'elle n'avait jamais assisté au moindre attouchement physique entre ses parents, que ce fût par jeu ou par tendresse. Pourtant, elle n'avait pas la moindre idée de ce que sa mère refusait à son père.

Patrick relâcha sa femme et laissa retomber ses bras ballants.

— Pardon, déclara-t-il d'une voix glaciale.

Katherine vola dans sa chambre et claqua la porte. Mais au lieu de retourner dans la sienne, Patrick Seaton descendit l'escalier, passant à quelques centimètres de Victoria.

Victoria se plaqua contre le mur et comprit que son petit univers paisible et serein allait être bouleversé par la scène qui venait de se dérouler. Elle craignit de révéler à son père sa présence, de lui montrer qu'elle avait assisté à cette scène humiliante. Elle vit son père s'asseoir sur le canapé et contempler fixement les braises mourantes dans l'âtre. Une bouteille d'alcool qui se trouvait depuis des années sur l'étagère de la cuisine était posée devant lui à côté d'un verre à moitié vide. Il se pencha pour attraper le verre et Victoria en profita pour gravir les premières marches sur la pointe des pieds.

— Victoria, je sais que tu es là, fit son père d'une voix éteinte sans se retourner. Inutile de faire semblant, je sais que tu as tout vu. Viens donc me rejoindre près du feu. Je ne suis pas la brute que tu imagines.

La gorge de Victoria se serra de pitié et elle courut s'asseoir à ses côtés.

— Tu n'es pas une brute, papa. Jamais je ne croirai une chose pareille.

Il but une longue rasade avant de poursuivre :

— Ne va pas t'imaginer non plus que ta mère est fautive...

Sa voix un peu pâteuse indiquait qu'il n'en était pas à son premier verre.

Sous l'effet de l'alcool, il se méprit sur le visage effrayé de sa fille et crut qu'elle avait assisté à la scène depuis le début. Il glissa un bras autour de ses épaules et voulut la consoler : mal lui en prit car ce qu'il lui confia fit tomber en poussière le mythe de bonheur auquel elle s'accrochait désespérément.

— Ce n'est pas la faute de ta mère et ce n'est pas la mienne. Simplement, elle ne m'aime pas et je ne peux m'empêcher de l'aimer.

Victoria bascula brutalement du cocon rassurant de l'enfance dans le monde dur et brutal des adultes. Bouche bée, elle fixait son père avec l'impression affreuse que le sol se dérobait sous elle. Elle secoua la tête, incrédule. Voyons, sa mère aimait forcément son merveilleux papa !

— L'amour ne s'invente pas, insista amèrement Patrick Seaton en fixant son verre. Il ne suffit pas de le désirer pour qu'il arrive. Sinon, ta mère m'aimerait. Quand nous nous sommes mariés, elle croyait qu'elle apprendrait à m'aimer. Moi aussi je le croyais. Nous voulions désespérément le croire. Plus tard, j'ai essayé de me convaincre que cela n'avait pas d'importance et que, même sans amour, un mariage pouvait être heureux. (Il secoua la tête, abattu.) Quelle naïveté ! Aimer sans retour équivaut à l'enfer! N'espère jamais connaître le bonheur avec un homme qui ne t'aimera pas!

— N... non, balbutia Victoria en retenant ses larmes.

— Et n'aime jamais plus que tu n'es aimée, Tory. Ne t'y laisse pas prendre.

— Je... je te le promets, murmura à nouveau Victoria.

Incapable de se retenir plus longtemps, elle éclata en sanglots et approcha sa main du beau visage de son père.

— Quand je me marierai, papa, je choisirai un homme exactement comme toi.

Ces mots lui arrachèrent un sourire attendri mais il ne répondit rien. Un peu plus tard, il ajouta :

— Tout n'est pas si noir, tu sais. Nous vous aimons, toi et Dorothée, et cet amour-là, nous le partageons ta mère et moi.

Le rose de l'aurore colorait à peine le ciel quand Victoria se faufila dehors. Elle avait passé une nuit blanche à fixer le plafond de sa chambre. Ayant enfilé un manteau rouge par-dessus sa tenue de cheval bleu marine, elle sauta à califourchon sur son poney qu'elle venait de sortir de la grange.

Elle chevaucha pendant un bon moment avant d'atteindre le ruisseau qui longeait la grand-route. Là, elle descendit de son poney et esquissa quelques pas prudents sur les berges enneigées. Puis elle se laissa tomber sur une grosse pierre plate. Les genoux relevés sous le menton, elle contempla l'eau grise et lourde qui charriait de gros blocs de glace.

Au-dessus de sa tête, le ciel pâlit et vira au rose, mais elle ne ressentit rien de la joie qu'elle éprouvait toujours en venant admirer le lever du soleil à cet endroit.

Un lapin détala d'un buisson ; dans son dos, elle entendit un hennissement et un pas ferme qui s'approchait. Un léger sourire effleura les lèvres de Victoria ; une fraction de seconde plus tard, elle esquiva une boule de neige qui siffla au-dessus de son épaule.

— Raté, Andrew ! lança-t-elle sans se retourner.

Une paire de bottes marron bien astiquées apparurent à ses côtés.

— Tu es en avance ce matin, dit Andrew en souriant à l'exquise jeune fille assise sur son rocher.

Un peigne en écaille retenait sa chevelure d'un roux éclatant et ses boucles retombaient en cascade d'or liquide sur ses épaules. Ses yeux d'un bleu intense étaient ombragés de longs cils et s'étiraient légèrement sur les tempes. Elle avait un petit nez parfait, un visage à l'ossature délicate et un teint éclatant. Une adorable fossette creusait son menton.

Chaque courbe et chaque ligne du visage de Victoria étaient un signe précurseur de sa beauté. Ses yeux rieurs étaient déjà capables de bouleverser n'importe quel garçon. Ce matin-là pourtant, ses jolis yeux avaient perdu leur éclat.

Victoria se pencha et ramassa une poignée de neige dans ses mitaines. Instinctivement, Andrew s'accroupit mais au lieu de lancer la boule de neige sur son ami — ce qu'elle aurait fait en temps normal —, Victoria la jeta dans le ruisseau.

— Qu'est-ce qui ne va pas, beaux yeux ? la taquina-t-il. Tu as eu peur de me manquer ?

— Bien sûr que non, rétorqua Victoria, maussade.

— Pousse-toi et laisse-moi une petite place.

Victoria obéit et il observa avec inquiétude son petit visage triste.

— Pourquoi cet air morose?

Victoria se demanda si elle pouvait se confier à lui. Andrew était de cinq ans son aîné et d'une sagesse étonnante pour ses vingt ans. C'était le fils unique de la femme la plus riche du village, une veuve à la santé délicate. Possessive, elle s'accrochait à son fils auquel elle avait totalement confié la direction de leur immense domaine.

Andrew lui souleva le menton du bout de son gant et insista gentiment:

— Raconte.

Après tout, Andrew était son ami, songea-t-elle. Quand ils s'étaient connus, il lui avait appris à pêcher, à tirer au pistolet et à tricher aux cartes. C'était elle qui avait réclamé cette dernière leçon pour savoir si oui ou non, lui trichait aux cartes. L'élève avait rapidement dépassé le maître et Victoria savait à présent nager, tirer et tricher mieux que son compagnon.

Comme elle ne pouvait cependant se résoudre à lui parler de ses parents, elle souleva l'autre aspect du problème qui la tourmentait: la mise en garde de son père.

— Andrew, commença-t-elle d'une voix hésitante, comment sait-on si quelqu'un vous aime? Je veux dire... vous aime d'amour.

— Quel est cet amour qui te tracasse?

— Celui de l'homme que j'épouserai.

Avec un peu plus d'expérience et de jugement, Victoria aurait été en mesure d'interpréter la lueur de tendresse qui brilla à cet instant dans les yeux bruns d'Andrew.

— L'homme que tu épouseras t'aimera, déclara-t-il. Je te le garantis.

— Mais il faudra qu'il m'aime comme moi je l'aimerai.

— Ne t'inquiète pas, je te dis.

— Mais comment le saurai-je ?

Andrew scruta attentivement l'ovale exquis de son visage.

— Un garçon du coin a harcelé ton père pour lui demander ta main ? questionna-t-il d'une voix irritée.

— Ne dis pas de bêtises ! Je n'ai que quinze ans et papa tient à ce que j'en aie au moins dix-huit pour être sûr que je sache ce que je veux.

Il contempla son petit menton fier et éclata de rire.

— Si c'est la seule condition posée par le docteur Seaton à ton mariage, il peut te mener à l'autel dès demain. Tu sais toujours ce que tu veux.

— C'est vrai, acquiesça-t-elle en souriant.

Elle laissa s'installer un silence complice avant d'interroger distraitement :

— Et toi, t'es-tu déjà demandé qui tu allais épouser ?

— Non, répondit-il en fixant le ruisseau, un petit sourire énigmatique aux lèvres.

— Pourquoi ?

— Parce que je le sais déjà.

Interdite, Victoria fit volte-face :

— Hein ? Vraiment ? Oh, dis-le-moi ! Je la connais ?

Devant son mutisme, Victoria lui jeta un regard en biais et commença à fabriquer une boule de neige bien compacte.

— Tu as l'intention de me bombarder avec ce machin-là ?

— Mais non, voyons, répliqua-t-elle, les yeux pétillants de malice. Parions. Si je réussis la première à toucher cette pierre en haut du rocher là-bas, tu me dis son nom. D'accord?

— Et si c'est moi qui gagne?

— Alors tu choisiras un gage, concéda-t-elle, magnanime.

— J'aurais mieux fait de me casser une jambe le jour où je t'ai appris à parier, grommela-t-il sans pourtant pouvoir résister à son sourire ensorceleur.

Andrew rata la cible de quelques centimètres. Victoria la fixa longuement à son tour, et sa boule de neige heurta le rocher avec une telle force qu'un bout de pierre s'en détacha.

— J'aurais également pu me dispenser de t'apprendre à lancer des boules de neige, commenta Andrew, morose.

— J'ai toujours su le faire, lui rappela-t-elle en plantant ses poings sur ses hanches menues. Alors, qui aimerais-tu épouser?

Andrew enfouit les mains dans ses poches et sourit.

— A ton avis, beaux yeux?

— Je l'ignore. Mais j'espère que c'est une fille remarquable, car toi tu l'es.

— Elle aussi, assura Andrew avec un sérieux de diplomate. A tel point que j'ai pensé à elle tout au long de ces hivers que j'ai passés en pension. A vrai dire, je suis heureux d'être de retour, comme ça je la vois plus souvent.

— A t'entendre, elle doit être très bien, déclara Victoria du bout des lèvres.

Elle éprouvait tout à coup une bouffée d'hostilité pour cette jeune fille qui pourtant ne lui avait rien fait.

— Merveilleuse serait un terme plus exact. Elle est adorable et vive, belle et spontanée, douce et têtue. Tous ceux qui la connaissent ne peuvent s'empêcher de l'aimer.

— Alors pourquoi ne l'épouses-tu pas, non d'une pipe, au lieu de me chanter ses louanges! coupa Victoria, mécontente.

Andrew esquissa un sourire et caressa la masse soyeuse de ses cheveux.

— Parce qu'elle est encore trop jeune, murmura-t-il tendrement. Vois-tu, son père désire attendre ses dix-huit ans pour être sûr qu'elle sache ce qu'elle veut.

Victoria écarquilla ses grands yeux couleur myosotis et contempla le beau visage de son compagnon.

— Tu veux dire que c'est moi? chuchota-t-elle.

— Oui, confirma-t-il en souriant gravement. Toi et personne d'autre.

Le petit monde de Victoria, qui menaçait de s'effondrer après la scène de la veille, reprit soudain son aspect rassurant et chaleureux.

— Merci, Andrew, balbutia-t-elle, timide.

L'espace d'une seconde, la jeune femme apparut sous l'enfant qu'elle était encore et elle ajouta d'une voix très douce :

— Qu'y a-t-il de plus merveilleux que d'épouser son meilleur ami?

— Je n'aurais pas dû t'en parler avant de voir ton père, et il me faut encore attendre trois ans.

— Il te tient en grande estime, assura Victoria. Crois-moi, il ne fera aucune difficulté le moment venu. D'ailleurs comment le pourrait-il? Vous vous ressemblez tant, lui et toi...

Un peu plus tard, Victoria remonta sur son cheval l'esprit plus gai et plus léger. Mais sa bonne humeur s'évanouit dès qu'elle poussa la porte de la cuisine. C'était l'endroit de la maison où tous aimaient à se retrouver. Un véritable attirail pendait de part et d'autre de la cuisinière : tamis, louches, râpes, couteaux à découper et entonnoirs. Tout était impeccablement rangé, étincelant de propreté... à l'image de sa mère. Quant à son père, il était installé à table et buvait une tasse de café.

Et dire que sa mère refusait à cet homme merveilleux l'amour dont il avait tant besoin...

Les promenades matinales de Victoria étaient fréquentes et ses parents ne manifestèrent aucune surprise en la voyant entrer. Ils se tournèrent vers leur fille en souriant et lui dirent bonjour. Victoria embrassa son père et sourit à sa petite sœur Dorothée, mais elle ne put se résoudre à regarder sa mère en face. Alors elle se dirigea vers les étagères et commença à mettre le couvert pour le petit déjeuner. Sa mère, de nationalité anglaise, insistait pour que les repas les plus simples respectent les règles de la bienséance.

La gorge nouée, Victoria allait et venait entre la table et les étagères mais lorsqu'elle s'assit enfin à sa place, l'hostilité qu'elle éprouvait pour sa mère se transforma en une profonde pitié. La pauvre Katherine Seaton s'ingéniait à se faire pardonner la scène de la veille : elle voltigeait autour de son mari en babillant gaiement, lui remplissait sa tasse de café fumant, lui tendait le pot de crème et lui proposait des petits pains chauds tout en surveillant la cuisson des gaufres dont il était si friand.

Désorientée, Victoria déjeuna sans mot dire, cherchant un moyen de consoler son père.

La solution s'offrit à elle lorsqu'il se leva en annonçant qu'il se rendait à la ferme des Jackson dont Annie, la fillette, s'était cassé le bras. Victoria bondit de sa chaise.

— Je t'accompagne, papa. Cela fait longtemps que je voulais te demander de me laisser t'aider...

Ses parents la regardèrent, étonnés. Victoria n'avait jusqu'à présent jamais manifesté le moindre intérêt pour la médecine. Ils n'émirent pourtant aucune objection...

Victoria avait toujours été très proche de son père. A compter de ce jour, ils devinrent inséparables. Elle l'accompagnait partout où il allait ; s'il refusait catégoriquement sa présence au chevet de ses patients de sexe masculin, il était en revanche enchanté de l'avoir à ses côtés les autres fois.

Jamais plus ils n'évoquèrent cette fatidique soirée de Noël. A la place, ils discutaient à bâtons rompus et plaisantaient gaiement car Patrick Seaton, malgré le chagrin qui le rongeait, était doté d'un grand sens de l'humour.

Victoria avait hérité de la beauté de sa mère ; de son père elle tenait son courage et sa gaieté. A présent, il lui apprenait également la compassion et son sens de l'idéal.

Fillette, elle avait emporté l'affection des villageois grâce à son sourire irrésistible. Aujourd'hui, ceux-ci vouaient une véritable vénération à la jeune fille vive et mature qui se préoccupait de leurs maux et plaisantait pour chasser leurs soucis.

2

— Victoria, es-tu certaine que ta mère n'a jamais mentionné le duc d'Atherton et la duchesse de Claremont devant toi ?

Victoria s'arracha au douloureux souvenir de

l'enterrement de ses parents et regarda le vieux docteur aux cheveux blancs assis de l'autre côté de la table de la cuisine. Le docteur Morrison était un vieil ami de son père et s'était senti moralement responsable des deux orphelines. De la même façon, il assurerait les soins des malades jusqu'à l'arrivée du remplaçant de Patrick Seaton.

— Nous savions seulement que maman était brouillée avec le reste de sa famille en Angleterre. Elle n'en parlait jamais.

— Ton père avait-il de la famille en Irlande ?

— Papa a été élevé dans un orphelinat. Il n'avait pas de famille.

Incapable de tenir en place, elle se leva et proposa du café au vieux docteur.

— Ne t'occupe pas de moi et va prendre un peu le soleil dehors avec Dorothée, la gronda-t-il gentiment. Tu as une mine de papier mâché.

— Vous n'avez besoin de rien ? insista Victoria.

— Oh, seulement de quelques années en moins, plaisanta-t-il mi-figue mi-raisin en taillant une plume d'oie. Je suis trop vieux pour reprendre du collier. Je serais mieux à Philadelphie avec une brique bouillante sous les pieds et un bon livre. Encore quatre mois avant l'arrivée du nouveau médecin. C'est long, j'ai peur de ne pas tenir le coup.

— Pauvre docteur Morrison... Comme tout cela doit être pénible pour vous.

— Ce n'est rien en comparaison de votre chagrin à toutes les deux, répliqua gentiment le vieillard. A présent file, va profiter un peu de ce beau soleil. Il fait si doux, c'est à peine croyable pour un mois de janvier. Pendant que tu prends l'air, je vais écrire à vos lointains parents.

Une semaine auparavant, le docteur Morrison, venu rendre visite aux Seaton, avait été le témoin du malheureux accident qui leur avait coûté la vie. La voiture qui transportait Patrick Seaton et sa femme avait basculé dans un fossé et s'était renversée. Patrick Seaton était mort sur le coup. Katherine avait repris brièvement conscience et le docteur Morrison avait eu le temps de lui demander si elle avait de la famille en Angleterre.

— Grand-mère... la duchesse de Claremont... avait-elle murmuré d'une voix faible.

Et juste avant de rendre l'âme, elle avait chuchoté un autre nom: « Charles ». Affolé, le vieux médecin l'avait suppliée de poursuivre et Katherine avait soulevé les paupières en soufflant avec peine:

— Fielding. Charles... duc... d'Atherton.

— Est-ce un parent?

Après un long silence, elle avait hoché faiblement la tête:

— Mon... cousin.

A présent il lui fallait prévenir ces gens pour savoir si l'un d'entre eux accepterait de veiller sur Victoria et Dorothée. Tâche d'autant plus périlleuse que le duc d'Atherton tout comme la duchesse de Claremont ignoraient sans doute jusqu'à l'existence des deux jeunes filles.

Les sourcils froncés, le docteur Morrison plongea avec détermination sa plume dans l'encrier. Il écrivit la date puis s'arrêta, perplexe.

— Comment s'adresse-t-on à une duchesse? s'interrogea-t-il à voix haute.

Après mûre réflexion, il se mit à écrire.

Chère madame la Duchesse

J'ai le grand regret de vous annoncer la disparition tragique de votre petite-fille, Katherine Seaton, qui laisse hélas deux enfants, Victoria et Dorothée.

J'ai temporairement pris à ma charge les deux orphelines. Malheureusement, mon grand âge et mon statut de célibataire ne me permettent pas, madame la duchesse, de m'en occuper convenablement.

Avant de mourir, Mme Seaton a mentionné deux noms : le vôtre et celui de Charles Fielding. Voilà la raison pour laquelle je me permets de vous écrire ainsi qu'à Sir Fielding, dans l'espoir que l'un d'entre vous — ou les deux — acceptera d'accueillir les filles de Mme Seaton. Ces pauvres enfants n'ont ni toit ni famille, et elles sont cruellement démunies.

Le docteur Morrison se renversa dans son fauteuil et relut la missive le front barré. Si la duchesse ignorait l'existence de ses arrière-petites-filles, il ne se faisait pas d'illusion : la vieille dame n'aurait sans doute aucune envie de les accueillir sans se renseigner au préalable à leur sujet. Afin de les décrire au mieux, il tourna la tête et observa les deux jeunes filles par la fenêtre.

Dorothée, prostrée sur la balançoire, semblait porter tout le désespoir du monde sur ses frêles épaules. Pour tromper son chagrin, Victoria avait entrepris de croquer sa sœur au fusain.

Le docteur Morrison commença par la cadette car c'était la plus facile à décrire.

Dorothée est une belle jeune fille blonde aux yeux bleus. Très douce de caractère, elle est charmante et parfaitement élevée. Agée de dix-sept ans, elle serait presque en âge de se marier mais n'a toutefois manifesté aucune préférence pour l'un ou l'autre jeune homme de son entourage...

Ici le vieux docteur interrompit sa description et se frotta pensivement le menton. A vrai dire, ils étaient tous amoureux de Dorothée. Comment leur en vouloir ? Elle était jolie, gaie et douce. Un ange, décréta le docteur Morrison, ravi d'avoir trouvé le terme qui convenait exactement.

Quand ce fut le tour de Victoria, il haussa ses sourcils neigeux avec perplexité. Bien qu'elle fût sa préférée, il avait beaucoup de mal à décrire Victoria. Ses cheveux n'étaient pas couleur de blé mûr comme ceux de Dorothée, mais ils n'étaient pas franchement roux non plus — on aurait plutôt dit un flamboyant mélange des deux couleurs. Dorothée était un petit être exquis, une enfant sage et délicieuse. C'était selon lui l'épouse idéale : douce, aimable, mesurée et docile. En deux mots, elle était de celles qui jamais ne s'opposeraient à leur mari.

Victoria en revanche avait passé de longues heures en compagnie de son père et montrait à dix-huit ans beaucoup de repartie et un esprit critique inhabituel chez une femme.

Dorothée penserait comme son mari le lui dirait mais Victoria, elle, se ferait sa propre opinion des choses et agirait comme bon lui semblerait.

Oui, songea le docteur Morrison, Dorothée était un ange mais Victoria, elle... ne l'était pas.

Il scruta la jeune fille à travers ses lunettes. Victoria avait commencé une seconde esquisse et il admira son profil patricien en cherchant ses mots. « Courageuse » fut le qualificatif qui lui vint immédiatement à l'esprit. Il savait qu'elle dessinait pour ne pas sombrer dans le chagrin. Et compatissante, ajouta-t-il en se rappelant la gaieté et le réconfort qu'elle prodiguait aux malades.

Agacé, le vieillard secoua la tête. Lui appréciait

son intelligence, son sens de l'humour ; il admirait son courage, son entrain et sa bonté. Mais s'il insistait trop sur ces qualités, ses parents britanniques risquaient d'imaginer une jeune femme indépendante ou un bas-bleu, bref une fille impossible à marier qui resterait à leur charge *ad vitam aeternam*. Il y avait une autre possibilité dans quelques mois, Andrew Bainbridge reviendrait de son tour d'Europe. Peut-être demanderait-il Victoria en mariage ? Le docteur Morrison n'en était pas certain. Le père de Victoria et la mère d'Andrew avaient décidé de tester les sentiments des jeunes gens avant de les fiancer officiellement. Andrew était donc parti six mois faire le tour de l'Europe.

L'affection que Victoria portait au jeune homme était restée vive et constante, mais le vieillard savait qu'Andrew de son côté n'était plus si certain d'aimer la jeune fille. La veille, Mme Bainbridge lui avait confié que son fils s'était épris d'une cousine éloignée chez qui il séjournait en Suisse.

Le docteur Morrison soupira tristement sans quitter des yeux les deux sœurs. Avec leur robes noires toutes simples, l'une avec ses cheveux couleur de blé mûr et l'autre casquée d'or, elles formaient un tableau ravissant, si attachant... Un tableau ? Mais oui, bien sûr ! Le vieil homme décida de résoudre le problème en glissant une miniature des deux jeunes filles dans chacune des lettres.

Il acheva sa première lettre en priant la duchesse de se mettre en relation avec le duc d'Atherton qui recevrait lui-même une missive identique. Il attendait leurs instructions. Le docteur recopia la lettre à l'intention du duc d'Atherton puis écrivit un mot à son avocat new-yorkais, afin qu'un homme digne de confiance se mît à la recherche du duc et de la duchesse pour leur remettre les deux plis. Avec l'espoir que ces derniers lui rembourseraient ses frais...

Dans le jardin, Dorothée se balançait avec indolence en grattant la terre du bout de son soulier.

— Je n'arrive pas à y croire, dit-elle d'une voix douce où l'excitation se mêlait au désespoir. Maman était la petite-fille d'une duchesse ! Dis, Tory, alors que sommes-nous ? Crois-tu que nous possédions un titre ?

Victoria lui jeta un regard désabusé.

— Oui. Nous sommes les Cousines Pauvres.

C'était la vérité. Patrick Seaton était adoré par tous ceux qu'il avait soignés pendant de longues années, mais ses patients étaient rarement en mesure de le payer en espèces sonnantes et trébuchantes. Alors les gens le payaient en nature : viande, poisson ou gibier, réparation de sa voiture ou de sa maison, miche de pain frais et croustillant, paniers entiers de fraises juteuses... Il en résultait que la famille Seaton n'avait jamais manqué de nourriture mais que l'argent frais faisait cruellement défaut, comme le prouvaient les robes rapiécées et fanées des deux sœurs. La maison elle-même avait été fournie par la commune.

Dorothée ignora le raccourci réaliste utilisé par Victoria pour désigner leur nouveau statut et poursuivit rêveusement :

— Notre cousin est duc et notre arrière-grand-mère duchesse ! Je n'arrive toujours pas à y croire...

— Une auréole de mystère a toujours plané autour de maman, répondit Victoria en refoulant les larmes qui embrumaient ses yeux. A présent nous savons pourquoi.

— Quel mystère ?

Le crayon en l'air, Victoria hésita avant de répondre :

— Maman était différente des autres femmes.

— C'est vrai, reconnut sa sœur, puis elle retomba dans son mutisme.

Victoria contempla l'esquisse qui reposait sur ses genoux. Le tracé délicat et les courbes des aubépines qu'elle venait de dessiner se brouillèrent devant ses yeux. Oui, un pan du mystère était soulevé. Aujourd'hui elle comprenait beaucoup de choses qui l'avaient troublée ou déconcertée par le passé. Voilà pourquoi sa mère ne s'était jamais liée aux autres femmes du village, voilà pourquoi elle parlait cet anglais irréprochable et pourquoi elle exigeait que ses filles en fassent autant en sa présence. Tout s'expliquait : son insistance à leur apprendre le français en plus de l'anglais, son exigence et aussi ce voile mélancolique qui passait devant ses yeux les rares fois où elle évoquait son pays natal.

Peut-être fallait-il aussi y trouver l'explication de son comportement étrange à l'égard de son mari ? Extérieurement pourtant, elle avait été une épouse exemplaire. Jamais elle n'avait récriminé contre son mari, pas une plainte sur leur pauvreté, pas une querelle. Il y avait longtemps que Victoria lui avait pardonné de ne pas aimer son père. Maintenant qu'elle savait que sa mère avait été élevée dans un luxe inouï, elle admirait sa force d'âme et son détachement.

Le docteur Morrison rejoignit les deux sœurs dans le jardin et leur adressa un sourire de réconfort.

— J'ai écrit ces lettres et je les ferai partir demain. Avec un peu de chance, nous aurons une réponse d'ici trois mois, peut-être moins.

Il rayonnait, ravi d'organiser ces retrouvailles avec leurs nobles cousins du Vieux Continent.

— A votre avis, docteur Morrison, que vont-ils faire lorsqu'ils les recevront ? s'enquit Dorothée.

Ebloui par le soleil, le vieil homme cligna des yeux et lui caressa les cheveux avant de faire appel à son imagination :

— Ils seront vraisemblablement très surpris, mais n'en laisseront rien paraître. Les aristocrates anglais ne manifestent jamais leurs émotions, m'a-t-on dit, ils sont très à cheval sur les principes. Quand ils auront lu ma lettre, ils s'écriront un petit mot poli pour convenir d'un rendez-vous afin de discuter de votre avenir. Un maître d'hôtel viendra leur servir une tasse de thé...

Il sourit en imaginant la scène : deux aristocrates anglais très distingués, riches et aimables, se rencontrant autour d'une tasse de thé pour discuter de l'avenir de ces jeunes parentes, inconnues mais chéries. Le duc d'Atherton et la duchesse de Claremont étaient l'un et l'autre des parents de Katherine, ils ne pouvaient être que des amis, des alliés...

3

— Sa Grâce la duchesse douairière de Claremont ! annonça cérémonieusement le majordome à la porte du salon où était assis Charles Fielding, duc d'Atherton.

Le majordome s'effaça et une vieille dame à l'allure imposante s'engouffra dans la pièce, traînant à sa suite un homme de loi visiblement éreinté.

— Inutile de vous lever, Atherton, persifla la duchesse en foudroyant du regard le duc qui demeurait ostensiblement assis.

Avec un calme olympien, il la fixa d'un œil glacé. A cinquante ans passés, Charles Fielding demeurait un fort bel homme avec ses cheveux abondants filetés d'argent et ses beaux yeux dorés. Mais la maladie avait laissé des traces : il était trop maigre pour sa haute taille et de profondes rides creusaient son visage.

Voyant que son sarcasme n'avait pas porté, la duchesse s'en prit au majordome.

— On étouffe ici ! s'exclama-t-elle en frappant le parquet de sa canne au pommeau serti. Ouvrez ces tentures que nous puissions respirer !

— Non ! aboya Charles dont la voix trahissait le dégoût que cette femme suscitait en lui.

La duchesse lui jeta un regard venimeux.

— Je ne tiens pas à mourir d'asphyxie chez vous.

— Dans ce cas, sortez.

Sa maigre silhouette se crispa de rage et elle répéta entre ses dents :

— Je ne tiens pas à mourir asphyxiée chez vous. Je suis venue vous faire part de ma décision au sujet des filles de Katherine.

— Alors faites vite et allez-vous-en, rétorqua sèchement Charles.

Les yeux de la duchesse devinrent deux fentes hostiles et l'atmosphère se chargea d'une tension à peine supportable mais, loin de tourner les talons, elle se laissa lentement glisser dans un fauteuil. Malgré son âge avancé, la duchesse se tenait droite comme un I ; elle avait l'allure d'une reine avec le turban violet qui ceignait ses cheveux blancs et sa canne qu'elle brandissait comme un sceptre.

Charles la regarda avec étonnement : il était

persuadé qu'elle avait tenu à le rencontrer pour le seul plaisir de lui dire en face qu'elle se moquait éperdument des filles de Katherine. D'où sa surprise en la voyant s'asseoir.

— Vous avez vu leurs portraits, commença-t-elle.

Il regarda fugitivement la miniature cachée au creux de sa main et referma ses longs doigts sur le portrait dans un geste possessif. Victoria était la vivante réplique de sa mère, l'image fidèle de sa chère, ravissante et délicieuse Katherine.

— Victoria ressemble de façon saisissante à sa mère, poursuivit Sa Grâce avec impatience.

Charles releva lentement les yeux et croisa son regard. Son visage se durcit :

— Je sais.

— Parfait ! Alors vous comprenez pourquoi je ne veux pas d'elle chez moi. Je me charge de la cadette.

Elle se releva comme si tout avait été dit et se tourna vers son avoué :

— Veillez à ce que ce docteur Morrison soit dédommagé de ses frais et envoyez également un mandat pour régler la traversée de cette jeune fille.

— Ce sera fait, Votre Grâce, fit l'homme de loi en s'inclinant. Y a-t-il autre chose ?

— Il y aura encore beaucoup d'autres détails à régler, lança-t-elle d'une voix coupante. Il faudra présenter cette fille à la bonne société, lui constituer une dot, lui trouver un mari. Que sais-je encore...

— Et Victoria ? s'enquit Charles. Qu'allez-vous faire de l'aînée ?

La duchesse lui jeta un regard assassin.

— Je vous ai déjà dit que cette enfant ne me rappelle que trop sa mère. Je ne veux pas d'elle. Occupez-vous-en si cela vous chante. Je crois me souvenir que vous aviez un faible pour la mère, n'est-ce pas ? Et Katherine ne vous avait visiblement pas oublié puisque, sur son lit de mort, c'est encore votre nom qu'elle a prononcé. Rattrapez-vous sur la fille. Vous l'avez bien mérité, non ?

A moitié étourdi de bonheur, Charles n'en croyait pas ses oreilles, mais la vieille duchesse ajouta avec arrogance :

— Mariez-la à qui bon vous semble, sauf à votre maudit neveu. Il y a vingt-deux ans, je me suis opposée à une alliance entre nos deux familles et je n'ai pas changé d'avis.

Prise d'une inspiration, elle s'interrompit un instant. Une lueur de triomphe brilla dans ses petits yeux cruels et elle reprit :

— Je vais marier Dorothée au fils de Winston ! Ha ! Ha ! Je voulais marier Katherine à son père et, à cause de vous, elle a refusé. Dorothée épousera son fils et cette alliance avec les Winston se fera tout de même !

Un sourire mauvais éclaira son visage ridé et elle éclata de rire devant l'air pincé de Charles.

— Après toutes ces années, je vais enfin réussir le mariage du siècle, ricana-t-elle.

Sur ces mots, elle quitta la pièce suivie de son avoué.

Charles la regarda s'éloigner tandis que dans sa tête s'entrechoquaient des sentiments contradictoires : amertume, haine ou joie, il l'ignorait. Cette vieille peste venait involontairement de lui offrir la seule chose qu'il désirait de toute ses forces — elle lui donnait Victoria, la fille de Katherine. Le portrait vivant de sa mère. Charles éprouva une immense bouffée de bonheur, suivie presque immédiatement d'un accès de rage. Cette mégère sournoise et cruelle comptait donc réaliser l'alliance avec les Winston dont elle avait rêvé toute sa vie. Jadis, elle avait été prête à sacrifier le bonheur de Katherine pour parvenir à ses fins. Et aujourd'hui, elle allait gagner ? Non, c'était intolérable...

Soudain une idée lui vint à l'esprit. Il y réfléchit longuement en fronçant les sourcils, pesa le pour et le contre, puis l'ébauche d'un sourire naquit sur ses lèvres. Il se tourna avec vivacité vers son majordome.

— Dobson ! Allez me chercher de l'encre et du papier. Je voudrais rédiger une annonce. Je veux qu'elle soit immédiatement portée au *Times*.

— Oui, Votre Grâce.

Charles leva un regard amusé vers le vieux serviteur.

— Elle se trompait, Dobson. Cette vieille sorcière avait tort !

— Tort, Votre Grâce ?

— Parfaitement ! Elle ne va pas réussir le mariage du siècle. C'est moi qui vais le faire !

Il s'agissait d'un rituel. Chaque matin à neuf heures, Northrup, le majordome, ouvrait la majestueusc porte d'entrée de la gentilhommière du marquis de Wakefield et un valet de pied lui tendait un exemplaire du *Times* fraîchement imprimé. Northrup referma la porte et traversa le vestibule en marbre pour remettre le journal à un autre valet posté en bas de l'escalier d'honneur.

— Le *Times* de Sa Seigneurie, psalmodia-t-il.

Le domestique fila en direction de la salle à manger où Jason Fielding, marquis de Wakefield, achevait son petit déjeuner en lisant son courrier.

— Votre *Times*, monsieur, murmura timidement le valet en déposant le journal à côté de la tasse de café.

Il le débarrassa de son assiette et le marquis s'empara du journal sans mot dire.

Tout cela se déroulait avec la précision et l'exactitude d'un ballet savamment orchestré. Lord Fielding était un maître exigeant et la vie à Wakefield ou à son hôtel londonien était réglée comme une horloge.

Ses domestiques le craignaient et le vénéraient, telle une divinité froide, distante, tout en essayant désespérément de lui plaire.

Il en allait de même des ambitieuses beautés londoniennes que Jason emmenait au bal, à l'Opéra... et pour terminer dans son lit. En effet, il ne les traitait pas plus chaleureusement que ses domestiques. Cela n'empêchait pas toutes ces dames de lui lancer des regards langoureux car, en dépit de son attitude cynique, il émanait de Jason Fielding une aura incontestable et sa mâle beauté faisait chavirer les cœurs.

Il avait des cheveux abondants couleur d'ébène, des yeux vert jade qui vous transperçaient impitoyablement et des lèvres sensuelles, bien modelées. Depuis ses sourcils bruns et bien dessinés jusqu'à son menton hautain et volontaire, chaque ligne de son visage bronzé trahissait une force farouche. On admirait également la virilité que dégageait son grand corps, harmonieux malgré sa carrure impressionnante, et ses longues jambes musclées. Qu'il fût dans une salle de bal ou sur son étalon, Jason Fielding parmi ses semblables ressemblait à une panthère indomptée au milieu de gros chats inoffensifs.

Comme l'avait une fois souligné lady Wilson-Smyth en riant, Jason Fielding était beau comme un péché mortel.

En dépit — ou plutôt à cause — de cela, les

femmes tournaient autour de lui comme les papillons autour d'une lampe, avides de lui arracher l'un de ses sourires rares et nonchalants. Toutes intriguaient pour obtenir ses faveurs, de la grande dame à la femme mariée, et les jeunes filles en âge de se marier rêvaient d'être l'élue qui ferait fondre ce cœur de marbre.

Dans ce milieu huppé, les plus lucides observaient que lord Fielding avait été échaudé. Tous étaient au courant de la conduite scandaleuse de sa femme lorsqu'elle était arrivée à Londres quatre ans plus tôt. La ravissante marquise de Wakefield s'était en effet adonnée à une série de liaisons, dont le Tout-Londres avait fait des gorges chaudes. Elle avait allégrement cocufié son mari au vu et au su de tous, y compris du principal intéressé, qui semblait s'en moquer éperdument...

Le valet de pied s'arrêta près de la chaise de lord Fielding et approcha une cafetière en argent ciselé :

— Désirez-vous encore un peu de café, monsieur ?

Sa Seigneurie secoua la tête et poursuivit sa lecture du *Times*. Le domestique battit en retraite. Son maître s'abaissait rarement à adresser la parole à son personnel ; à peine connaissait-il leurs noms. En revanche, il ne les injuriait pas et n'élevait jamais la voix, contrairement aux autres nobles de son rang. Si on lui avait déplu, le marquis se contentait de foudroyer l'impudent de son regard vert et glacial. Jamais il ne haussait le ton, même s'il était violemment pris à partie.

Ce fut la raison pour laquelle le valet faillit lâcher sa cafetière lorsque le poing de Jason Fielding vint s'abattre sur la table en faisant tinter plats et assiettes. Il bondit sur ses pieds, le regard fixé sur le journal étalé sur la table, et ses yeux se plissèrent de rage.

— L'hypocrite, le saligaud... C'est le seul qui oserait me faire ça!

Il sortit à grandes enjambées de la pièce, arracha son manteau des mains du majordome éberlué et sortit comme une tornade en direction des écuries.

Northrup referma la porte derrière son maître et traversa le hall en faisant voler les basques de son habit.

— Qu'est-il arrivé à Sa Seigneurie? s'enquit-il en faisant irruption dans la salle à manger.

Devant la chaise abandonnée par lord Fielding, le valet de pied était plongé dans la lecture du *Times*, sa cafetière à la main.

— Je crois qu'il a lu quelque chose dans le journal, souffla-t-il en montrant du doigt l'annonce des fiançailles de Jason Fielding, marquis de Wakefield, avec miss Victoria Seaton. J'ignorais que Sa Seigneurie avait l'intention de se marier.

— Je me demande même si Sa Seigneurie était au courant, déclara rêveusement Northrup en lisant une deuxième fois l'entrefilet.

Il s'aperçut soudain qu'il se fourvoyait à bavarder avec un inférieur et subtilisa le *Times* qu'il replia dignement.

— Les affaires de lord Fielding ne vous concernent pas, O'Malley. Souvenez-vous-en si vous tenez à conserver votre place.

Deux heures plus tard, à Londres, la voiture de Jason s'immobilisait en soulevant un nuage de poussière devant l'hôtel particulier du duc d'Atherton. Un palefrenier se précipita pour prendre les rênes. Jason sauta à terre et gravit quatre à quatre les marches du perron.

— Bonjour, monsieur, l'accueillit Dobson en s'effaçant pour le laisser entrer. Sa Grâce vous attend.

— Sacrebleu ! Je m'en doute, jeta Jason, acerbe. Où est-il ?

— Dans le petit salon, monsieur.

Jason passa devant lui comme un boulet de canon et se dirigea à grandes enjambées vers la porte du salon qu'il ouvrit violemment. Il vint se planter devant le duc qui se tenait près de la cheminée et l'apostropha sans préambule :

— J'imagine que vous êtes à l'origine de cette annonce ridicule parue dans le *Times*.

Charles soutint calmement son regard :

— C'est exact.

— Je veux que vous fassiez immédiatement paraître un démenti.

— Non, déclara Charles avec fermeté. Cette jeune femme va venir en Angleterre et tu l'épouseras. Entre autres choses, je veux tenir dans mes bras un petit-fils avant de quitter ce monde.

— Si vous désirez un petit-fils, vous n'avez qu'à enquêter auprès de vos autres bâtards. Je suis sûr qu'ils ont déjà dû vous faire des descendants par douzaines !

Charles tiqua mais se contenta de répliquer d'une voix basse, menaçante :

— Je veux un petit-fils légitime que je présenterai au monde comme mon héritier.

— Un petit-fils légitime ! ironisa Jason d'une voix glaciale. Vous voulez que moi, votre fils illégitime, je vous donne un petit-fils légitime ? Dites-moi une chose : tout le monde me prend pour votre neveu, alors par quel tour de passe-passe mon fils deviendra-t-il votre petit-fils ?

— Je dirai à tous qu'il est mon petit-neveu mais

je saurai, moi, qu'il est mon petit-fils, et c'est tout ce qui m'importe.

Nullement troublé par la colère de son fils, Charles acheva, implacable :

— Jason, je veux que tu me donnes un héritier.

Une veine se mit à battre sur la tempe de Jason. Se penchant, il saisit les accoudoirs du fauteuil et approcha son visage à quelques centimètres de celui de son père. Puis il proféra lentement :

— Je vous ai dit et répété que je ne me remarierai jamais. Vous avez bien compris ? Jamais !

— Pourquoi ? riposta sèchement Charles. Tu n'es pas misogyne, que je sache. Il est de notoriété publique que tu as des maîtresses et que tu les traites bien. D'ailleurs elles sont toutes follement éprises de toi. Ces dames ont visiblement l'air d'apprécier ton lit et, de ton côté, il ne te déplaît pas de les y accueillir...

— Taisez-vous ! explosa Jason.

Un spasme de douleur déforma soudain le visage de Charles qui porta la main à sa poitrine. Ses longs doigts maigres étreignirent sa chemise puis vinrent lentement se reposer sur ses genoux.

Jason fronça les sourcils, supposant que Charles lui jouait la comédie, mais il refoula les mots qui lui venaient aux lèvres.

— La jeune fille que je te destine arrivera ici dans trois mois, reprit son père. J'enverrai une voiture la chercher au port afin qu'elle puisse directement se rendre à Wakefield Park. Pour ménager les apparences, je vous rejoindrai là-bas et j'y resterai jusqu'au mariage. J'ai connu sa mère il y a longtemps de cela et j'ai ici un portrait de Victoria. Elle ne te décevra pas. (Il lui tendit la miniature.) Allons, Jason, fit-il d'une voix plus douce et engageante. Tu n'es pas curieux de voir à quoi elle ressemble ?

Le ton cajoleur de Charles ne réussit qu'à exaspérer Jason dont le visage devint de marbre.

— Vous perdez votre temps. Je ne la verrai pas.

— Oh si ! l'assura Charles, passant aux menaces. Si tu refuses, je te déshérite. Tu as déjà dépensé cinq cent mille livres sterling à restaurer mes biens, mais ces biens ne t'appartiendront que si tu épouses Victoria Seaton.

Haussant les épaules, Jason rétorqua avec mépris :

— Je me moque de vos précieux biens. Mon fils est mort et je n'ai personne à qui les léguer.

Charles remarqua la lueur de souffrance qui brilla dans les yeux de Jason en évoquant son petit garçon et sa voix s'adoucit :

— Je reconnais que je n'y ai pas mis les formes, Jason, mais j'avais mes raisons. Je sais que je ne peux t'obliger à épouser Victoria, mais je me porte garant de cette jeune fille. J'ai son portrait et tu peux vérifier par toi-même... elle est ravissante...

Il s'interrompit. Jason tourna les talons ct sortit en claquant la porte à toute volée derrière lui.

— Tu l'épouseras, Jason, conclut son père, seul à présent dans la pièce. Dussé-je t'y contraindre.

Quelques minutes plus tard, Dobson entra avec un plateau d'argent sur lequel reposaient une bouteille de champagne et deux coupes.

— Je me suis permis d'apporter ceci pour fêter dignement l'événement, déclara le vieux serviteur, radieux.

— Vous auriez mieux fait d'apporter de la ciguë, ironisa Charles. Jason est déjà reparti.

Le visage du majordome se décomposa :

— Déjà ? Mais je n'ai même pas eu le temps de féliciter Sa Seigneurie !

— C'est heureux, observa Charles avec un rire sarcastique. Car il vous aurait fort probablement sauté à la gorge.

Lorsque le majordome se fut éclipsé, Charles se versa une coupe de champagne. Puis, avec un sourire résolu, il leva son verre et déclara tout haut :

— A ton prochain mariage, Jason !

— J'en ai pour une minute, monsieur Borowski, lança Victoria en sautant de la charrette du fermier qui transportait leurs bagages.

— Prenez vot' temps, répliqua ce dernier en tirant sur sa pipe. Vot' sœur et moi, on va pas vous abandonner ici !

— Oh Tory, fais vite ! supplia Dorothée. Nous allons manquer notre bateau.

— On a tout l' temps, la rassura le fermier. Avant la tombée du jour, vous s'rez à bord, foi de Borowski !

Victoria gravit quatre à quatre les marches qui menaient à l'imposante demeure d'Andrew, construite sur une colline dominant le village, et frappa à la lourde porte de chêne.

— Bonjour, madame Tilden, dit-elle à la gouvernante rebondie. Pourrais-je voir Mme Bainbridge ? Je voudrais lui dire adieu et lui confier une lettre pour Andrew, afin qu'il sache où m'écrire en Angleterre.

— Je vais la prévenir, Victoria, répondit sans conviction la brave femme. Mais je doute qu'elle vous reçoive. Vous savez comment elle est lorsqu'elle a ses malaises.

Victoria hocha gravement la tête. Elle connaissait les « malaises » de Mme Bainbridge. Son père lui avait confié que la mère d'Andrew s'inventait des maladies chroniques pour se dérober à certaines obligations et pour conserver son fils sous sa coupe. Un jour, Patrick Seaton le lui avait dit en face, en présence de Victoria, et Mme Bainbridge ne le leur avait jamais pardonné.

Comme Victoria et Andrew savaient que Mme Bainbridge jouait la comédie, ses palpitations, ses vertiges et autres fourmillements ne les impressionnaient guère : c'était une raison supplémentaire, Victoria le savait, pour laquelle elle s'opposait à leur mariage.

La femme de chambre revint la mine déconfite.

— Je suis désolée, Victoria. Mme Bainbridge n'est pas en état de vous recevoir. Confiez-moi votre lettre et je dirai à madame de l'envoyer à M. Andrew. Elle souhaite que je fasse venir le docteur Morrison, reprit-elle, excédée. Elle souffre de bourdonnements d'oreilles.

— Le docteur Morrison s'apitoie sur ses maux au lieu de l'encourager à se lever et à se rendre utile, résuma Victoria avec un sourire résigné.

Elle lui tendit la lettre en regrettant qu'il fût si coûteux d'envoyer du courrier en Europe. Elle était obligée de demander à Mme Bainbridge de glisser ses lettres dans les siennes.

— J'ai l'impression que Mme Bainbridge préfère le docteur Morrison à mon père.

— Si vous voulez mon avis, répondit Mme Tilden avec humeur, elle aimait un peu trop votre papa. Si vous l'aviez vue se préparer avant de le faire appeler en pleine nuit... C'était à peine croyable... mais votre père n'est jamais rentré dans son petit manège, s'empressa-t-elle de préciser.

Une fois Victoria partie, Mme Tilden monta la lettre à l'étage.

— Madame, fit-elle en s'approchant du lit de la veuve. Voici la lettre de Victoria pour Andrew.

— Donnez-la-moi, intima Mme Bainbridge d'une voix étonnamment ferme pour une malade. Et faites venir immédiatement le docteur Morrison. J'ai des vertiges. Quand le nouveau praticien doit-il arriver ?

— D'ici une semaine.

Mme Bainbridge arrangea ses cheveux grisonnants sous son bonnet de dentelle et esquissa une grimace dédaigneuse en contemplant la lettre qui reposait sur son couvre-pieds de satin.

— Andrew n'épousera jamais cette petite paysanne ! lança-t-elle d'une voix méprisante. Il m'a écrit à deux reprises en me disant que sa cousine suisse Madeline est très charmante. J'ai prévenu Victoria mais cette petite sotte n'y a prêté aucune attention.

— Croyez-vous qu'il épousera Miss Madeline ? s'enquit la bonne en relevant les coussins dans le dos de sa maîtresse.

Le maigre visage de la veuve se contracta de colère.

— Ne dites donc pas de sottises ! Andrew n'a pas le temps de s'occuper d'une femme. Je le lui ai déjà dit. Le domaine lui suffira amplement, il se doit à ses terres et à sa mère !

Elle saisit la lettre de Victoria du bout des doigts comme si celle-ci était porteuse de germes et la tendit à sa bonne.

— Faites comme d'habitude, ordonna-t-elle froidement.

— J'ignorais qu'il pouvait y avoir autant de monde, et autant de bruit, lâcha Dorothée, ébahie en débarquant sur les quais grouillants du port de New York.

Sur les passerelles des bateaux amarrés par douzaines, les dockers trimbalaient d'énormes malles. Au-dessus de leurs têtes, les poulies grinçaient, soulevant des filets remplis de marchandises dont on remplissait les cales des navires. Les ordres des officiers se mêlaient aux rires gras des marins auxquels faisaient écho les propositions obscènes des prostituées qui les attendaient sur les quais.

— C'est fascinant, commenta Victoria en regardant deux solides gaillards transporter à bord du *Gull* les malles qui recelaient tout ce qu'elles possédaient au monde.

Dorothée approuva d'un signe de la tête mais son visage restait mélancolique.

— Oui, mais je ne puis m'empêcher de songer qu'au terme de notre voyage, nous devrons nous séparer. Tous cela à cause de notre arrière-grand-mère. Pour quel motif refuse-t-elle de te prendre sous son toit ?

— Je n'en sais rien, mais cesse d'y revenir, répondit Victoria avec un sourire. Il faut savoir prendre le bon côté des choses. Regarde l'East River. Ferme les yeux et respire cet air marin.

Dorothée obéit et inspira profondément. Puis elle fronça le nez, dégoûtée.

— Ça sent le poisson pourri... Tory, si la duchesse te connaissait un peu, je suis sûre qu'elle voudrait t'avoir chez elle. C'est cruel et inhumain de nous séparer. Je lui parlerai de toi et je la ferai changer d'avis.

— Garde-toi de dire ou de faire quoi que ce soit qui puisse la fâcher. Pour l'heure, nous sommes toi et moi entièrement dépendantes de notre famille.

— J'essaierai, promit Dorothée. Mais je vais m'arranger pour lui faire comprendre, par de petits détails, qu'elle doit te faire venir.

Victoria sourit sans rien dire et Dorothée finit par soupirer :

— Ma seule consolation, c'est que M. Wilheim m'a dit qu'avec du travail et beaucoup d'exercice, je pourrai devenir concertiste. Il paraît qu'il y a d'excellents professeurs de piano à Londres. Je demanderai, non, j'insisterai pour que notre arrière-grand-mère me permette de poursuivre une carrière musicale, acheva-t-elle avec une détermination que peu auraient soupçonnée derrière son tempérament posé.

Victoria se garda bien d'évoquer ses doutes et, avec la sagesse que lui donnaient dix-huit mois de plus, elle se contenta d'ajouter :

— N'insiste tout de même pas trop, ma chérie.

— Je ferai preuve de tact, promit sa sœur.

4

— Mademoiselle Dorothée Seaton ? s'enquit courtoisement un gentleman aux cheveux blancs en s'effaçant pour laisser passer trois solides matelots qui transportaient d'énormes sacs sur leurs épaules.

— C'est moi, répondit Dorothée d'une voix tremblante en regardant craintivement l'homme tiré à quatre épingles.

— Son Excellence la duchesse de Claremont

m'a donné l'ordre de vous conduire chez elle. Où sont vos malles ?

— Devant vous. Je n'en ai qu'une.

Il se retourna et deux valets en livrée sautèrent d'un landau noir sur la portière duquel brillait une couronne ducale.

— Dans ce cas, nous pouvons y aller, reprit-il, tandis que les deux hommes chargeaient sa malle sur le toit de la voiture.

— Mais... et ma sœur ? balbutia Dorothée, affolée, en s'accrochant à Victoria.

— Je suis convaincu que ceux qui attendent votre sœur ne vont pas tarder. Voyez-vous, votre bateau est arrivé quatre jours plus tôt que prévu.

— Ne t'en fais pas pour moi, déclara Victoria avec une sérénité qu'elle était loin d'éprouver. La voiture du duc sera bientôt là, j'en suis sûre. Entre-temps, le capitaine Gardiner ne verra aucun inconvénient à me garder à son bord. Tu peux y aller.

Dorothée serra de toutes ses forces sa sœur contre elle.

— Tory, je trouverai bien un moyen de persuader la duchesse, elle t'invitera à nous rejoindre, crois-moi. Oh ! J'ai si peur. N'oublie pas de m'écrire. Ecris-moi tous les jours !

Victoria, immobile, vit Dorothée grimper craintivement dans la luxueuse voiture. Le cocher releva le marchepied, fit claquer son fouet et les quatre chevaux s'élancèrent pendant que Dorothée agitait la main par la portière.

Bousculée par les matelots qui quittaient le navire en quête de bière et de prostituées, Victoria demeura sur le quai, les yeux fixés sur la voiture qui s'éloignait. Jamais elle ne s'était sentie aussi seule de sa vie...

Elle passa les deux journées suivantes dans la solitude de sa cabine, rompant la monotonie par de petites promenades sur le pont ou par les repas qu'elle partageait avec le capitaine Gardiner. Cet homme charmant et paternel appréciait beaucoup la compagnie de la jeune fille, et Victoria avait passé de nombreuses heures avec lui au cours des dernières semaines. Il connaissait les raisons de son voyage en Angleterre et était devenu son ami.

Constatant le troisième jour qu'aucune voiture ne se présentait pour conduire Victoria à Wakefield Park, le capitaine Gardiner décida de prendre les choses en main et loua une calèche.

— Nous étions en avance, ce qui arrive rarement, lui expliqua-t-il. Votre cousin risque d'attendre plusieurs jours avant d'envoyer une voiture. Mes affaires m'appellent à Londres et je ne veux pas vous laisser seule à bord.

Pendant le trajet, Victoria admira la campagne anglaise parée de toute la splendeur du printemps. Sous ses yeux ravis défilaient des collines et des vallées bordées de haies fleuries. Indifférente aux secousses et aux cahots, Victoria sentait son courage revenir. Le cocher se retourna et son visage rougeaud apparut par la portière.

— Encore deux miles, madame, si vous désirez...

A cet instant, une roue plongea dans une ornière et la voiture fit un violent écart. La tête du cocher disparut et Victoria, dans un envol de jupons, se retrouva sur le plancher. Quelques secondes plus tard la portière s'ouvrit et le cocher l'aida à descendre de voiture.

— Vous n'êtes pas blessée, au moins ?

Victoria secoua la tête mais avant qu'elle pût ouvrir la bouche, il fit volte-face vers deux paysans qui serraient peureusement leurs casquettes dans leurs grosses mains calleuses.

— Imbéciles ! Qu'est-ce qui vous a pris de vous mettre en travers de mon chemin ? Regardez mon essieu, il est cassé...

Le reste de ses paroles se perdit dans un torrent de jurons.

Victoria s'éloigna avec tact et remit de l'ordre dans ses vêtements sans toutefois parvenir à effacer les traces de poussière et de crasse laissées par le plancher. Le cocher se glissa sous sa voiture pour examiner son essieu et l'un des fermiers s'approcha avec une démarche pataude en pétrissant sa casquette :

— Jack et moi, on est drôlement embêtés, ma'ame, commença-t-il. Si vous voulez on peut vous conduire à Wakefield Park... enfin si ça ne vous ennuie pas de loger vot' malle avec nos cochons, à l'arrière ?

Heureuse de s'épargner une longue marche à pied, Victoria accepta avec reconnaissance. Elle paya le malheureux cocher avec l'argent que lui avait envoyé Charles Fielding et grimpa sur la banquette entre les deux fermiers. Une brise légère rafraîchissait son visage et le paysage s'offrait tout entier à son regard avide.

La simplicité et la gentillesse de Victoria eurent tôt fait de les entraîner tous trois dans une discussion sur l'agriculture. Elle connaissait un peu le sujet et fut ravie d'approfondir ses connaissances.

— Ces maudites machines vont tous nous flanquer au chômage, oui ! commenta l'un d'eux.

Mais Victoria n'y prêta qu'une oreille distraite. La carriole venait de s'engager dans une allée pavée et franchit une majestueuse grille en fer forgé qui ouvrait sur un parc immense, soigneusement entretenu et planté d'arbres magnifiques. Au milieu de ce parc qui s'étendait à perte de vue, serpentait paresseusement une rivière dont les berges étaient couvertes de fleurs multicolores.

— On dirait un paysage de conte de fées, s'extasia-t-elle à voix haute en balayant du regard les rives savamment composées. Combien faut-il de jardiniers pour entretenir une telle propriété ?

— Vous ne croyez pas si bien dire ! observa Jack. Sa Seigneurie emploie quarante jardiniers, en comptant ceux qui s'occupent des jardins à proprement parler.

Au bout d'un bon quart d'heure, la carriole s'engagea dans un virage et Jack étendit fièrement le bras :

— Voilà Wakefield Park. Il m'est venu à l'oreille qu'y avait cent soixante chambres.

Abasourdie, Victoria sentit la tête lui tourner. Le cœur serré d'appréhension, elle contempla le magnifique manoir qui dressait fièrement ses trois étages. Ce spectacle dépassait ses rêves les plus audacieux. La façade en brique patinée était flanquée de deux ailes et surmontée d'une succession de toits en pente hérissés de cheminées. Eblouie par l'éclat que renvoyaient les innombrables vitres des fenêtres à meneaux, elle leva craintivement les yeux sur la volée de marches qui conduisaient à l'imposante porte d'entrée.

La carriole s'immobilisa devant le manoir et l'un des fermiers tira Victoria de sa rêverie pour l'aider à descendre.

— Merci de votre gentillesse, leur dit-elle en se dirigeant d'un pas hésitant vers l'escalier.

Ses genoux se dérobaient sous elle. Dans son dos, les paysans déchargèrent la malle mais ils avaient négligé de remettre la barre, et deux cochons de lait propulsés dans les airs atterrirent en couinant par terre avant de détaler sur les pelouses.

Victoria se retourna, alertée par leurs cris, et fut prise d'un fou rire en voyant les fermiers se lancer à la poursuite des gorets.

La porte du manoir s'ouvrit alors à toute volée et un homme au visage rébarbatif en livrée vert et or embrassa d'un seul regard les fermiers, les cochons et la jeune fille décoiffée et couverte de poussière qui fit un pas en avant.

— Veuillez emprunter l'entrée de service pour les livraisons, lança-t-il sèchement.

Victoria allait lui expliquer ce qui s'était passé quand son attention fut attirée par l'un des cochons qui fonçait tête baissée vers elle, suivi du fermier haletant.

— Remontez dans votre carriole avec vos porcs et décampez ! tonna l'homme en livrée.

Riant aux larmes, Victoria se baissa pour cueillir dans ses bras le cochon fugueur et tenta de s'expliquer entre deux hoquets :

— Monsieur, vous ne comprenez...

Mais Northrup ne l'écouta même pas. Il héla un valet derrière lui :

— Débarrassez-moi de ces abrutis et flanquez-les à la...

— Que diable se passe-t-il ici ?

Un homme très brun, âgé d'une trentaine d'années, apparut sur le perron.

Le majordome pointa un doigt accusateur vers Victoria :

— Cette femme est...

— Victoria Seaton, s'empressa-t-elle de dire en s'efforçant de refouler son hilarité.

Elle sentait que la tension, la fatigue et la faim allaient bientôt avoir raison de ses nerfs. Mais la stupeur incrédule que son nom fit apparaître sur le visage du nouvel arrivant la troubla, ce qui eut pour effet de redoubler son fou rire.

Elle remit l'animal qui se tortillait dans tous les sens entre les mains du fermier rouge et essoufflé, puis souleva sa robe poussiéreuse pour amorcer une révérence.

— Je crains qu'il n'y ait un malentendu... bredouilla-t-elle en suffoquant de rire. Je suis venue pour...

La voix glaciale de l'inconnu l'interrompit net :

— C'est vous qui avez commis une erreur en vous rendant ici, mademoiselle Seaton. Mais la nuit tombe et, d'où que vous veniez, il est malheureusement trop tard pour vous renvoyer chez vous.

Et, attrapant son bras, il l'attira sans ménagement à l'intérieur.

Victoria reprit aussitôt ses esprits : d'hilarante, la situation était devenue effroyablement macabre. Timidement, elle pénétra dans un hall de marbre gigantesque qui aurait pu contenir sa petite maison de Portage. De chaque côté, une envolée de marches desservait trois étages dans une lumière dorée que diffusait une immense coupole de verre. Elle renversa la tête en arrière, fascinée par l'immense verrière. Tout à coup, ses yeux se remplirent de larmes et une angoisse terrible l'étreignit tandis que la coupole se mettait à tourbillonner devant elle. Elle avait parcouru des milliers de kilomètres, elle avait traversé l'océan, bravé les tempêtes et les chemins cahoteux pour rejoindre un homme charitable qui l'attendait. Et voilà qu'on voulait la renvoyer chez elle ! Loin de Dorothée. Elle vit basculer le ciel dans un kaléidoscope de couleurs vives qui bientôt se brouillèrent devant ses yeux.

— Elle va s'évanouir, prédit le majordome.

— Pour l'amour du Ciel, pas ça ! explosa l'homme aux cheveux noirs en la retenant dans ses bras au dernier moment.

Il se dirigea vers l'escalier mais déjà Victoria reprenait ses esprits.

— Posez-moi, supplia-t-elle, rouge de confusion en essayant de se dégager. Je suis parfaitement...

— Cessez de bouger ! ordonna-t-il sèchement.

Sur le palier du premier étage, il tourna à droite, entra dans une chambre et se dirigea droit vers un grand lit à baldaquin tendu de draperies bleu et argent, retenues à chaque coin par des cordons de velours argentés. Sans un mot, il lâcha son fardeau sur le couvre-lit de soie bleue et l'obligea à s'étendre lorsqu'elle tenta de s'asseoir.

Le majordome arriva précipitamment en faisant voler les pans de son habit.

— Voici des sels, monsieur, dit-il, tout essoufflé.

Le monsieur en question lui arracha le flacon des mains et l'approcha du nez de Victoria.

— Non ! s'écria la jeune fille en fuyant désespérément l'épouvantable odeur d'ammoniac.

Mais la main impitoyable suivait ses moindres mouvements. Dans un sursaut d'énergie, elle saisit son poignet et essaya de le repousser.

— A quoi jouez-vous ? explosa-t-elle enfin. Voulez-vous me faire avaler ce flacon ?

— Ce serait une excellente idée, rétorqua-t-il.

Il relâcha néanmoins sa pression et éloigna un peu le flacon de son nez. Epuisée et humiliée, Victoria détourna son visage et ferma les yeux. Elle luttait contre les larmes qui se pressaient derrière ses paupières. Un hoquet la secoua.

— J'espère de tout mon cœur que vous n'allez

pas être malade, reprit-il méchamment. Car c'est vous qui nettoierez le lit.

Victoria Elizabeth Seaton — qui à dix-huit ans était d'habitude une charmante jeune fille au caractère doux et enjoué — tourna lentement la tête et foudroya l'inconnu de ses yeux bleus.

— Vous êtes Charles Fielding ? cracha-t-elle.

— Non.

— Alors veuillez avoir l'obligeance de vous éloigner de ce lit ou de me laisser en descendre.

Il haussa les sourcils et contempla avec stupeur la petite orpheline rebelle qui le défiait de son regard bleu où dansait une lueur assassine. Ses cheveux répandus sur l'oreiller avaient la couleur de l'or en fusion ; de petites mèches frisaient sur ses tempes et encadraient un visage qui semblait sculpté dans la porcelaine la plus fine et la plus transparente. Il nota la longueur invraisemblable de ses cils, ses lèvres vermeilles et douces comme...

L'homme sauta brusquement sur ses pieds et sortit à grandes enjambées, suivi du majordome. La porte se referma derrière eux et Victoria se retrouva dans un silence absolu.

Elle se redressa lentement et jeta ses jambes sur le côté du lit. Redoutant un nouveau malaise, elle se mit prudemment debout. Elle frissonna mais ses jambes la soutinrent néanmoins tandis qu'elle jetait un coup d'œil autour d'elle. A sa gauche, des tentures bleu azur rehaussées de fil d'argent ornaient des fenêtres à meneaux qui couvraient tout un pan de la chambre. A l'autre extrémité, deux canapés jumeaux à rayures bleues et argent encadraient une cheminée sculptée. « Splendeur et décadence », songea-t-elle en époussetant sa robe. Elle promena à nouveau un regard circulaire puis revint s'asseoir avec précaution sur le couvre-lit de soie bleue.

La gorge nouée d'anxiété, elle joignit les mains sur ses genoux et essaya de réfléchir. De toute évidence, elle allait être réexpédiée en Amérique avec armes et bagages. Mais pourquoi le duc, son cousin, l'avait-il fait venir ici ? Où était-il ? Qui était-il ?

Il lui était impossible de rejoindre Dorothée chez leur arrière-grand-mère. Dans sa lettre au docteur Morrison, la duchesse avait bien précisé que Dorothée, et elle seule, serait la bienvenue. Victoria fronça les sourcils, perplexe. L'homme aux cheveux noirs qui l'avait transportée dans cette chambre était peut-être un domestique... et le duc serait donc cet homme corpulent aux cheveux blancs qui lui avait ouvert la porte ? Sur le coup, elle l'avait pris pour un serviteur.

On frappa à la porte. Comme prise en faute, Victoria sauta du lit et arrangea le couvre-lit avant de répondre.

— Entrez !

Une femme de chambre sanglée dans une stricte robe noire avec un tablier blanc entra, portant un plateau en argent. Six autres femmes arborant une tenue identique suivaient derrière en rang d'oignon ; chacune d'elles portait un seau d'eau chaude et fumante. Deux valets de pied en uniforme vert galonné d'or fermaient la marche avec sa malle.

La première femme de chambre posa son plateau sur une table près des canapés pendant que les autres disparaissaient dans la pièce voisine. Les valets déposèrent leur fardeau au bout du lit. Une minute plus tard, tous quittaient la chambre en procession. Seule la première femme de chambre resta et, se tournant vers Victoria :

— Voici une petite collation, mademoiselle.

Bien qu'elle arborât un visage impassible, sa voix douce réconforta la jeune fille.

Victoria s'approcha des canapés et l'eau lui vint à la bouche à la vue des tartines beurrées et du chocolat chaud.

— Sa Seigneurie a dit que vous deviez prendre un bain, reprit la femme en se dirigeant vers la pièce voisine.

Victoria reposa la tasse qu'elle portait à ses lèvres.

— Sa Seigneurie ? Serait-ce... le monsieur... que j'ai vu à la porte ? Un homme un peu fort avec des cheveux blancs ?

— Grand Dieu non ! s'exclama la soubrette horrifiée. Oh non, mademoiselle, ce ne pouvait être que Northrup, le majordome.

Le soulagement de Victoria fut de courte durée car la femme ajouta d'une voix hésitante :

— Sa Seigneurie est grande, avec des cheveux très noirs et bouclés.

— C'est *lui* qui a demandé que je prenne un bain ? s'enquit Victoria, piquée.

La femme rougissante acquiesça.

— Il est vrai que j'en ai bien besoin, capitula Victoria à contrecœur.

Elle dévora les tartines et but son chocolat avant de rejoindre la servante qui versait des sels de bain dans l'eau chaude. Victoria dégrafa lentement sa robe couverte de poussière et se répéta le petit mot qu'elle avait reçu de Charles Fielding. Il avait paru si impatient de la recevoir chez lui : *Venez tout de suite*, avait-il écrit. *Vous êtes non seu-*

lement bienvenue, mais attendue et désirée comme une reine.

Peut-être ne la renverrait-on pas, après tout. « Sa Seigneurie » avait peut-être commis une méprise à son sujet.

La camériste l'aida à se laver les cheveux et lui tendit ensuite une serviette en éponge moelleuse.

— J'ai rangé vos vêtements et ouvert le lit, vous avez sans doute envie de vous reposer.

Victoria la remercia d'un sourire et lui demanda son nom.

— Mon nom ? répéta la femme de chambre, absolument sidérée. Je... je m'appelle Ruth.

— Merci mille fois Ruth, lui dit gentiment Victoria. Merci de m'avoir rangé mes affaires.

Le petit visage semé de taches de rousseur s'empourpra de plaisir et la camériste esquissa une révérence.

— Le souper est servi à huit heures. Sa Seigneurie conserve les horaires de ville à Wakefield.

Elle s'esquivait lorsque Victoria s'enquit d'une voix hésitante :

— Ruth, y a-t-il deux... hum... deux « seigneuries » ici ? Enfin, je veux dire... est-ce que Charles Fielding est...

— Oh ! Vous voulez parler de Sa Grâce ! (Ruth s'assura qu'aucune oreille indiscrète ne traînait avant de poursuivre.) Il n'est pas encore arrivé mais nous l'attendons dans le courant de la soirée. J'ai entendu Sa Seigneurie demander à Northrup de prévenir Sa Grâce de votre arrivée.

— A quoi ressemble Sa... heu... Sa Grâce ? interrogea Victoria, peu familiarisée avec ces titres ronflants.

Ruth parut sur le point de brosser un tableau de l'intéressé mais se ravisa brusquement.

— Je suis désolée, mademoiselle, Sa Seigneurie ne tolère pas les ragots au sein du personnel. Nous ne sommes pas non plus autorisés à bavarder avec ses hôtes.

Elle fit une courbette et s'enfuit dans un froissement de jupons amidonnés.

Victoria n'en revenait pas que deux êtres ne pussent communiquer pour la simple raison que l'un était un hôte et l'autre un domestique. Mais en se remémorant sa brève entrevue avec Sa Seigneurie, elle l'imagina parfaitement capable d'instaurer des règles aussi inhumaines.

Elle sortit sa chemise de nuit de la penderie puis se dépêcha de se glisser sous les draps. Elle savoura le contact exquis de la soie contre son visage et ses bras nus, et pria tout bas pour que Charles Fielding fût plus chaleureux et plus aimable que la première « seigneurie ». Ses longs cils noirs s'abaissèrent comme deux éventails sombres sur sa peau et elle sombra dans le sommeil.

5

Les fenêtres ouvertes laissaient entrer un flot de lumière et une petite brise vint caresser le visage de Victoria. Deux oiseaux se posèrent sur le rebord de sa fenêtre où ils se disputèrent en gazouillant le droit d'y rester. Ils pépiaient avec tant d'ardeur qu'ils finirent par tirer Victoria de son sommeil peuplé d'heureux songes.

A moitié endormie, elle se retourna sur le ventre et enfouit son visage dans l'oreiller. A la place de l'oreiller rêche qui sentait bon le soleil et le savon, sa joue rencontra la soie délicate. Vaguement consciente qu'elle n'était pas dans son lit, Victoria conserva les paupières hermétiquement closes et tenta de reprendre le fil de ses rêves, mais il était déjà trop tard. A contrecœur, elle ouvrit les yeux.

Eblouie par la lumière trop vive de cette fin de matinée, elle contempla avec stupeur les draperies bleu et argent qui enveloppaient son lit d'un cocon soyeux... et brusquement tout lui revint : elle se trouvait à Wakefield Park. Elle avait dormi d'une traite jusqu'au matin.

Repoussant les mèches de cheveux emmêlées qui lui tombaient sur la figure, elle s'adossa confortablement aux oreillers.

— Bonjour, mademoiselle, fit Ruth, debout de l'autre côté du lit.

Victoria, surprise, étouffa un petit cri.

— Pardonnez-moi, je vous ai fait peur, s'excusa la soubrette. Sa Grâce est en bas et vous attend pour partager son petit déjeuner.

Réconfortée par cette nouvelle, Victoria repoussa les couvertures et sauta de son lit.

— Je vous ai repassé des robes, reprit Ruth en ouvrant l'armoire. Laquelle voulez-vous mettre ce matin ?

Victoria choisit la plus jolie des cinq : une robe en mousseline noire avec un joli décolleté carré, ornée d'un semis de petites roses blanches qu'elle avait patiemment brodées pendant leur longue traversée. Refusant l'aide de Ruth, elle enfila sa robe par-dessus ses jupons et noua une grande ceinture noire autour de sa taille mince.

Pendant que Ruth faisait le lit et nettoyait la chambre qui n'en avait aucun besoin, Victoria s'installa devant la coiffeuse et entreprit de brosser ses cheveux.

— Voilà, je suis prête, dit-elle à Ruth les yeux brillants. Pourriez-vous me dire où je puis trouver... heu... Sa Grâce ?

Un épais tapis rouge étouffait ses pas tandis qu'elle suivait Ruth dans la cage d'escalier en marche. Elles traversèrent le vestibule où deux valets de pied montaient la garde devant une magnifique porte en acajou aux battants sculptés. Sans lui laisser le temps de reprendre son souffle, les valets ouvrirent la porte en grand et Victoria se retrouva dans une immense pièce où une table interminable s'allongeait sous trois lustres en cristal. Au début, elle crut que la pièce était vide. Son regard remonta la file de chaises capitonnées de velours vieil or et elle entendit soudain un froissement de papier en provenance de la chaise qui se trouvait à un bout de la table. Incapable de voir son occupant, elle s'avança lentement.

— Bonjour, dit-elle d'une voix douce.

Charles tourna brusquement la tête et pâlit en la voyant.

— Par le sang du Christ !

Il se leva lentement sans pouvoir détacher son regard de la jeune fille à la beauté peu commune. Il revoyait Katherine, sa chère Katherine... Comme il se souvenait d'elle ! Ce ravissant visage à l'ossature délicate, ces sourcils finement arqués et ces cils longs et épais qui abritaient des yeux bleus comme l'océan. Il reconnaissait ces lèvres douces, promptes à sourire, ce petit nez droit, l'exquise fossette qui creusait imperceptiblement son menton volontaire et cette splendide chevelure rousse, semblable à une cascade d'or en fusion qui tombait librement sur ses épaules.

Il s'appuya au dossier de sa chaise et tendit une main tremblante :

— Katherine... souffla-t-il.

Victoria posa en hésitant sa main sur la paume offerte et il l'enveloppa possessivement de ses longs doigts.

— Katherine, murmura-t-il encore d'une voix rauque, et Victoria vit ses yeux s'embuer.

— Ma mère s'appelait Katherine, lui dit-elle gentiment.

La pression sur ses doigts s'accentua.

— Je sais. (Il toussota et sa voix s'éclaircit.) Oui, bien sûr, reprit-il en secouant la tête comme pour chasser ses troublantes pensées.

Victoria le trouva étonnamment grand et maigre. Ses yeux couleur de miel doré dévoraient son visage.

— Alors, dit-il avec brusquerie, c'est donc vous la fille de Katherine ?

Victoria hocha la tête, sans savoir quelle conduite adopter.

— Je m'appelle Victoria.

Une étrange lueur de tendresse brilla dans les yeux dorés.

— Et moi, je m'appelle Charles *Victor* Fielding.

— Je... je sais, bredouilla la jeune fille.

— Non, répondit-il en souriant, et ce sourire lui ôta d'un seul coup vingt ans. Vous ne savez rien du tout.

Soudain, sans prévenir, il la prit dans ses bras.

— Soyez la bienvenue, mon petit, murmura-t-il d'une voix étranglée en la serrant contre lui.

Et Victoria eut l'étrange impression qu'elle avait peut-être enfin retrouvé un foyer.

Il la relâcha avec un sourire penaud et lui offrit un siège.

— Vous devez mourir de faim. O'Malley ! dit-il au valet qui se tenait devant une table roulante chargée de plats en argent. Nous sommes affamés.

— Bien, Votre Grâce, s'inclina le serviteur qui se retourna pour remplir deux assiettes.

— Je suis absolument consterné de ne pas vous avoir accueillie au port, reprit Charles. Mais j'étais loin de m'imaginer que vous arriveriez si tôt. Votre traversée s'est bien passée ?

Le valet de pied déposa devant Victoria une assiette remplie d'œufs, de pommes de terre, de jambon et de petits pains croustillants.

La jeune fille jeta un coup d'œil à l'assortiment de couverts disposés de part et d'autre de son assiette et eut une pensée de gratitude pour sa mère qui leur avait enseigné l'emploi de chacune de ces pièces.

— Nous avons fait un excellent voyage, répondit-elle avant d'ajouter timidement : ... Votre Grâce.

— Bonté divine ! s'exclama Charles avec un rire joyeux. Pas de cérémonies entre nous. Ou je vais devoir vous appeler comtesse de Langston ou encore lady Victoria. J'ai horreur de ça, vous savez... je préférerais que vous m'appeliez oncle Charles et moi je vous appellerais Victoria. Cela vous convient-il ?

Victoria sentait déjà naître au fond de son cœur une profonde affection pour cet homme si chaleureux et répondit avec élan :

— Oh oui ! Jamais je ne pourrais m'habituer à me faire appeler lady Victoria ou comtesse de Langston — j'ignore d'ailleurs quel est ce titre.

Charles lui jeta un regard bizarre et déplia sa serviette.

— Vous êtes pourtant l'une et l'autre. Votre mère était la fille unique du comte et de la comtesse de Langston. Ils sont morts lorsqu'elle était enfant mais leur titre, d'origine écossaise, lui a été transmis. En tant qu'aînée, vous héritez du titre.

Les yeux bleus de Victoria pétillèrent de malice.

— Et que dois-je en faire ?

— Vous en ferez étalage, comme nous tous, répliqua-t-il en riant. (Il s'interrompit tandis que O'Malley glissait adroitement une assiette devant son maître.) Pendant que j'y pense, il doit exister en Ecosse un petit domaine de ce nom. Mais je n'en suis pas sûr. Que vous a dit votre mère à ce sujet ?

— Rien. Maman ne parlait jamais de sa vie en Angleterre. Dorothée et moi avons toujours cru qu'elle... heu, qu'elle était quelqu'un comme tout le monde.

— Votre maman n'a jamais été comme tout le monde, corrigea-t-il avec douceur.

Victoria sentit sa voix se voiler et s'en étonna mais, lorsqu'elle entreprit de le questionner sur sa mère, il secoua la tête et répondit d'un ton léger :

— Je vous en parlerai un jour... je vous dirai tout. Mais il est encore trop tôt. Il faut d'abord que nous fassions connaissance.

Une heure s'écoula avec une rapidité déconcertante. Victoria répondit aux questions bien tournées que lui posait Charles. A la fin du petit déjeuner, elle s'aperçut qu'il avait adroitement glané des détails sur sa vie en Amérique jusqu'à son arrivée à Wakefield avec un cochon sous le bras. Elle évoqua son village, son père, Andrew. Pour une raison qui lui échappa, l'évocation de ces derniers assombrit son humeur. Mais ce fut pourtant à leur sujet qu'il se montra le plus avide de questions. En revanche, il évita soigneusement de l'interroger sur sa mère.

— Je suis surpris d'apprendre vos fiançailles

avec cet Andrew Bainbridge, déclara-t-il en fronçant les sourcils. Le docteur Morrison n'y faisait pas allusion dans sa lettre. Il m'informait au contraire que vous et votre sœur étiez seules au monde. Votre père voyait-il d'un bon œil ces fiançailles ?

— Oui et non, répondit Victoria, intriguée de le voir si déçu. Voyez-vous, Andrew et moi nous connaissons depuis toujours et papa voulait que j'attende mes dix-huit ans pour me fiancer officiellement. Il me jugeait trop jeune pour prendre un tel engagement.

— C'était fort sage de sa part. Mais aujourd'hui, vous avez dix-huit ans passés et n'êtes cependant pas officiellement fiancée. Est-ce parce que votre père s'y est opposé ?

— Pas exactement. Peu de temps avant mon anniversaire, Mme Bainbridge — la mère d'Andrew — a eu l'idée d'envoyer Andrew quelques mois en Europe pour tester nos sentiments. Elle voulait qu'il profite de la vie avant qu'il ne soit trop tard — pour reprendre ses propres termes. Andrew trouvait cela stupide mais mon père partageait l'avis de Mme Bainbridge.

— Il me semble que votre père manifestait une réticence très nette à vous voir épouser ce jeune homme. Après toutes ces années passées en sa compagnie, qu'aviez-vous besoin de vous tester ? J'y vois plutôt un prétexte et cela m'incite à penser que la mère d'Andrew, elle aussi, s'opposait à cette alliance.

Le duc témoignait d'une telle partialité à l'égard de ce pauvre Andrew que Victoria n'eut d'autre choix que de lui dire la vérité, si embarrassante fût-elle.

— Papa ne doutait pas qu'Andrew ferait un

excellent mari. En revanche, il craignait pour mon avenir sous le toit de ma future belle-mère. C'est une veuve très possessive. Elle est de surcroît sujette à toute sorte de malaises qui affectent grandement son humeur.

— Ah! fit le duc d'une voix chargée de sous-entendus. S'agit-il de véritables maladies?

Les joues de Victoria se colorèrent.

— Mon père m'a dit un jour qu'ils étaient feints. Il prétendait qu'au lieu de rester couchée à pleurer sur son sort, elle aurait mieux fait de se secouer. Ils... heu... ils ne s'aimaient guère, voyez-vous.

— Ça ne m'étonne pas! déclara le duc en riant. Votre papa n'avait pas tort de s'opposer à ce mariage, ma chère. Vous auriez été très malheureuse.

— Mais pas du tout! riposta Victoria, fermement décidée à épouser Andrew avec ou sans le consentement du duc. Andrew est parfaitement conscient du manège de sa mère et cela ne l'empêche pas de faire ce qu'il veut. Il est parti uniquement parce que mon père a insisté.

— Vous écrit-il souvent?

— Il m'a écrit une fois. Mais il est parti la semaine qui a précédé l'accident de mes parents. Il faut du temps pour acheminer un courrier d'Europe en Amérique. Je lui ai écrit pour lui raconter ce qui s'était passé et une autre fois, juste avant de m'embarquer pour l'Angleterre. Il doit voguer vers l'Amérique à l'heure qu'il est pour venir à mon secours. J'aurais préféré rester à New York et attendre son retour, cela aurait simplifié les choses, mais le docteur Morrison n'a rien voulu entendre. Il est persuadé — j'ignore pour quelle raison — que les sentiments d'Andrew ne résisteront pas à cette épreuve. C'est ce que Mme Bainbridge a dû lui dire, ce serait bien son style.

Victoria regarda par la fenêtre en soupirant.

— Elle préférerait voir son fils épouser quelqu'un d'autre que la fille d'un médecin désargenté.

— Ou peut-être même, qu'il ne se marie pas du tout pour le garder à son chevet ? suggéra le duc en haussant les sourcils. A votre place, je me méfierais de cette veuve hypocondriaque et tyrannique.

Victoria ne pouvait le nier, mais elle ne souhaitait pas trop dire du mal de sa future belle-mère.

— Plusieurs familles du village ont offert de m'héberger jusqu'au retour d'Andrew, mais il aurait été furieux de me trouver installée chez l'une d'entre elles.

— Furieux contre vous ? s'enquit Sa Grâce le front plissé.

— Non, contre sa mère, qui ne m'a pas proposé de m'héberger.

— Oh ! A vous entendre, ce garçon est un véritable parangon de vertu, grommela-t-il.

— Je suis sûre qu'il vous plaira, prédit Victoria en souriant. Il va bientôt venir me chercher ici et vous le verrez.

Charles lui tapota affectueusement la main.

— Ne parlons plus d'Andrew et réjouissons-nous plutôt de votre arrivée en Angleterre. Dites-moi si notre pays vous plaît...

Victoria lui dit qu'elle avait beaucoup aimé ce qu'elle avait vu jusqu'à présent et Charles lui fit part de ses projets. En premier lieu, il voulait lui acheter une nouvelle garde-robe et lui adjoindre une camériste expérimentée. Victoria allait refuser quand elle aperçut la silhouette sombre et menaçante de « Sa Seigneurie » qui se dirigeait à grandes enjambées vers eux avec l'assurance d'un félin. Des culottes de peau moulaient ses cuisses musclées et sa chemise blanche s'entrouvrait sur un cou bronzé. Il lui parut encore plus grand que la veille, très mince et superbement bâti. Ses cheveux épais ondulaient légèrement, il avait un beau nez droit et une bouche dure mais bien dessinée. Sans le cynisme que trahissaient ses yeux verts, Victoria aurait été très sensible à son charme.

— Jason ! s'écria Charles avec chaleur. Permets-moi de te présenter Victoria. Jason est mon neveu, ajouta-t-il à l'intention de la jeune fille.

Son neveu ! Et elle qui espérait que ce ne fût qu'un invité. Elle comprit qu'il devait probablement vivre sous le même toit que son oncle. Malheur de malheur... Relevant bravement le menton, elle soutint sans broncher le regard mauvais que lui lança Jason. Celui-ci hocha brièvement la tête et s'assit en face de la jeune fille. Puis il apostropha O'Malley :

— Est-ce trop vous demander que de me servir, s'il reste quelque chose à manger, bien sûr !

Le valet perdit contenance :

— Hem... non, monsieur. Enfin si... Mais je crains que cela ne soit froid. Je descends tout de suite aux cuisines faire préparer quelque chose de chaud.

Et il se précipita hors de la pièce.

— Jason, intervint Charles, j'étais en train de dire à Victoria qu'il lui fallait une femme de chambre ainsi qu'une garde-robe plus appropriée à...

— Non, coupa sèchement Jason.

Soudain, Victoria fut prise d'une irrésistible envie de fuir.

— Si vous voulez bien m'excuser, oncle Charles, dit-elle. J'ai... j'ai à faire.

Charles la remercia d'un regard désolé et se leva poliment. Mais son odieux neveu se carra confortablement dans son fauteuil et la regarda s'éloigner en affichant un air d'ennui suprême.

— Victoria n'est pour rien dans cette histoire, commença Charles lorsque le domestique referma la porte derrière elle.

— Vraiment ? ironisa Jason. Cette petite mendiante sait-elle qu'elle est ici chez moi et que je ne supporterai pas ses jérémiades dans ma maison ?

Les portes s'étaient refermées mais Victoria eut le temps d'entendre. « Mendiante ! Jérémiades ! » Malade d'humiliation, elle traversa le hall en courant. De toute évidence, Charles l'avait invitée ici sans l'accord de son neveu. « C'est bon, pensa-t-elle, je ne veux déranger personne... et surtout pas Sa Seigneurie ! »

En bas dans la salle à manger, Charles plaidait sa cause :

— Jason, tu ne comprends pas...

— Vous l'avez fait venir en Angleterre, l'interrompit sèchement Jason. Si sa présence vous fait tellement plaisir, prenez-la chez vous à Londres.

— C'est impossible, riposta Charles avec véhémence. Elle n'est pas prête à affronter le monde. Elle a beaucoup à apprendre avant de faire ses débuts à Londres. Et surtout, elle a besoin d'un chaperon. Il faut sauvegarder les apparences.

Jason fit un geste impatient à l'intention du serviteur qui attendait pour lui servir son café, puis il le renvoya. Se retournant alors vers Charles, il déclara d'un ton dur :

— Je veux qu'elle ait quitté les lieux demain, vous m'entendez ? Conduisez-la à Londres ou renvoyez-la chez elle mais qu'elle s'en aille ! Je ne dépenserai pas un penny pour cette fille. Si vous comptez sur moi pour la lancer dans la société londonienne, vous faites fausse route.

Charles se massa les tempes avec lassitude.

— Jason, contrairement aux apparences, je sais que tu as du cœur. Laisse-moi au moins te parler d'elle.

Jason s'adossa à sa chaise et prêta une attention froide et distante à Charles qui poursuivit sans se démonter :

— Victoria a perdu ses parents dans un accident il y a trois mois. Du jour au lendemain, elle s'est retrouvée orpheline, sans rien ni personne pour...

Comme Jason détournait la tête, pétri d'ennui, Charles perdit patience :

— Sacrebleu ! As-tu oublié ce que tu as ressenti à la mort de Jamie ? Victoria a perdu les trois êtres qu'elle aimait le plus au monde, car elle était également presque fiancée à un jeune homme du coin. Dans sa candeur, elle s'imagine qu'il va venir la chercher en Angleterre, mais la mère du garçon s'oppose à ce mariage. Ecoute-moi bien, un océan sépare ces jeunes gens et il va bien être forcé d'obéir à sa mère à présent. La duchesse de Claremont a pris sa sœur en tutelle, si bien que Victoria est même privée de la compagnie de sa sœur ! Mets-toi à sa place, Jason ! Tu sais ce que c'est que la mort et le déchirement d'une séparation, ou aurais-tu déjà oublié ?

Les paroles de Charles atteignirent enfin leur cible et Jason hésita. Charles s'en aperçut et profita de son avantage.

— Elle me fait penser à une petite fille abandonnée, Jason. Que tu le veuilles ou non, toi et moi sommes les seules personnes qui lui restent au monde. Imagine que ton fils se soit retrouvé dans les mêmes circonstances. Victoria est courageuse et fière. Je vais te dire une chose : elle me l'a raconté en riant mais je sais que la façon dont tu l'as reçue hier l'a profondément blessée. Si elle se sent indésirable, elle trouvera un prétexte pour s'en aller. Et si cela devait se produire, acheva Charles d'une voix tendue, je ne te le pardonnerais jamais. Tu m'entends ? Jamais !

Jason repoussa brusquement sa chaise et se leva, le visage dur, ferme.

— Ferait-elle par hasard partie de votre nombreuse progéniture ?

Charles devint livide.

— Mon Dieu non !

Comme Jason demeurait sceptique, il ajouta :

— Pense à ce que tu dis ! Vous aurais-je fiancés l'un à l'autre si elle avait été ma fille ?

Loin d'apaiser Jason, cette réponse raviva la colère qui l'avait envahi à l'annonce de ces fameuses fiançailles.

— Si ce petit ange est aussi innocent que vous le dites, pourquoi a-t-elle accepté de m'épouser ?

— Oh ça ! fit Charles en agitant la main avec insouciance. Elle n'est même pas au courant. J'avoue que cette idée était une erreur de ma part. Une regrettable erreur.

Cette réponse apaisa un peu Jason et Charles se dépêcha de poursuivre :

— Je doute que Victoria voudrait de toi, même si tu le désirais. Tu es bien trop dur, trop cynique et trop blasé pour une enfant aussi douce et idéaliste. Elle admirait beaucoup son père et m'a confié qu'elle aimerait un mari qui lui ressemblât : sensible, doux et dévoué à un idéal. Tu es tout le contraire. Je crois que si Victoria était au courant de ces prétendues fiançailles, elle en tomberait raide morte ! Elle se tuerait plutôt que...

— Je crois que j'ai compris, l'interrompit doucement Jason.

— Parfait, reprit Charles avec un sourire bref. Puis-je dans ce cas te suggérer de garder cette annonce secrète ? Je tâcherai de trouver un moyen d'annuler ces fiançailles sans que cela vous cause de préjudices à l'un comme à l'autre. Mais dans l'immédiat, c'est impossible.

Etonné, Jason le vit esquisser un sourire avant de poursuivre gravement :

— Ce n'est qu'une enfant, Jason. Une petite fille brave et fière qui essaie de surmonter les épreuves de ce monde cruel. Elle n'était pas préparée à cela. Si nous annonçons la rupture de vos fiançailles alors qu'elle vient à peine d'arriver, elle sera la risée du Tout-Londres. On dira qu'après l'avoir vue, tu t'es immédiatement rétracté.

Deux yeux myosotis ombragés de longs cils dans un ravissant petit visage traversèrent l'esprit de Jason. Il se souvint du sourire ensorceleur qu'esquissaient ses jolies lèvres et qui s'était évanoui à son entrée quelques minutes auparavant. C'était vrai : elle semblait vulnérable comme une enfant.

— Va lui parler, implora Charles.

— D'accord. J'irai.

— Trouveras-tu les mots pour l'accueillir ?

— Cela dépendra de son attitude.

Dans sa chambre, Victoria vidait l'armoire de ses vêtements tandis que les paroles de Jason Fielding résonnaient douloureusement à ses oreilles : « Mendiante... Jérémiades... je ne veux pas d'elle chez moi... » Non, elle n'avait pas retrouvé un foyer, songeait-elle, au bord de la crise de nerfs. Le destin cruel lui avait joué un mauvais tour. Elle jeta une brassée de vêtements dans la malle et se relevait pour se diriger vers l'armoire quand elle étouffa un cri d'effroi :

— Vous ! fit-elle d'une voix étranglée en découvrant la grande silhouette qui s'encadrait dans l'embrasure de la porte.

Jason croisait négligemment les bras. Furieuse d'avoir été surprise, elle releva le menton, fermement décidée à ne plus se laisser intimider.

— Personne ne vous a appris à frapper aux portes ?

— Pas quand la porte est ouverte, répondit-il d'une voix moqueuse. (Puis il haussa les sourcils devant la malle béante.) Vous partez ?

— Ça ne se voit pas ?

— Pourquoi ?

— Comment pourquoi ! explosa-t-elle. Parce que je ne suis pas une mendiante, que je ne compte pas vous importuner avec mes jérémiades et que, entre nous soit dit, je déteste être à la charge des autres !

Loin de s'excuser, il répliqua avec amusement :

— Personne ne vous a jamais appris que c'est malpoli d'écouter aux portes ?

— Je n'écoutais pas aux portes, rétorqua Victoria. Vous parliez si fort qu'on a dû vous entendre dire du mal de moi jusqu'à Londres !

— Qu'avez-vous l'intention de faire ? interrogea-t-il, ignorant le sarcasme.

— Cela ne vous regarde pas !

— Répondez-moi ! ordonna-t-il en reprenant son air froid et arrogant.

Victoria lui jeta un regard mauvais. Adossé au chambranle, il lui paraissait terriblement dangereux. Sa carrure était impressionnante, son torse large et ses manches roulées jusqu'au coude révélaient des bras bronzés et musclés, dont elle avait vérifié la force la veille lorsqu'il l'avait portée dans ses bras. Elle savait également qu'il était doté d'un caractère détestable et, vu l'éclat menaçant de ses yeux verts, il semblait bien décidé à lui soutirer une réponse. Victoria se serait laissée mourir plutôt que lui obéir.

— Je possède un petit pécule. Je m'installerai dans le village voisin.

— Vraiment ? railla-t-il. Dites-moi par curiosité de quoi vous vivrez lorsque votre « petit pécule » aura fondu ?

— Je travaillerai ! décréta Victoria dans l'espoir de le faire sortir de ses gonds.

Il haussa ses sourcils de jais avec ironie.

— C'est la meilleure ! Une femme qui veut travailler. Et dites-moi un peu, que savez-vous faire ? Savez-vous pousser la charrue ?

— Non... bredouilla-t-elle, estomaquée.

— Savez-vous planter un clou ?

— Non.

— Traire une vache, alors ?

— Non !

— Alors vous ne servirez à rien ni à personne, conclut-il, impitoyable.

— C'est faux ! Je sais faire des tas de choses : je sais coudre, faire la cuisine et...

— Et raconter sur tous les toits que ces monstres de Fielding vont ont jetée dehors ? N'y pensez plus, trancha-t-il avec dédain. Je ne le tolérerai pas.

— Je n'ai que faire de votre permission, riposta Victoria du tac au tac.

Pris au dépourvu, Jason la foudroya du regard. Les gens s'avisaient rarement de le contrer et c'était pourtant ce que ce petit bout de femme était en train de faire. Charles avait raison : elle était diablement courageuse. Il eut envie de prononcer des paroles plus douces mais jeta néanmoins :

— Puisque vous avez tellement envie de gagner votre vie, vous pouvez le faire ici.

— Je suis désolée, mais je refuse votre proposition.

— Pourquoi ?

— Parce que je n'ai aucune envie de balayer le plancher sur votre passage en tremblant d'effroi comme le font tous vos domestiques. Quand j'ai vu ce pauvre homme en proie à une rage de dents qui a manqué s'évanouir ce matin quand vous...

— Qui ça ? coupa Jason, stupéfait, oubliant momentanément son irritation.

— M. O'Malley.

— Qui diable est ce O'Malley ? demanda-t-il avec humeur.

Victoria écarquilla les yeux de dégoût.

— Vous ne savez même pas leurs noms ! M. O'Malley vous a servi votre petit déjeuner tout à l'heure et sa mâchoire est enflée comme si...

Jason tourna les talons et jeta par-dessus son épaule :

— Charles veut que vous restiez ici, un point c'est tout.

Il s'immobilisa sur le pas de la porte et se retourna. Ses yeux froids la transpercèrent.

— Je vous déconseille de désobéir à mes ordres. Vous m'obligeriez à me lancer à votre poursuite et la suite risquerait de vous déplaire. Croyez-moi.

— Vos menaces ne me font pas peur, mentit Victoria en réfléchissant rapidement aux solutions qui se présentaient à elle.

Elle ne voulait pas blesser Charles mais elle refusait de passer pour une mendiante sous le toit de Jason.

— Bon, d'accord. J'accepte de rester, mais je travaillerai pour ne pas être à votre charge.

— Parfait, conclut Jason qui sentait obscurément que la jeune fille sortait victorieuse de leur affrontement.

Il s'apprêtait à quitter la pièce quand le timbre professionnel de sa voix le cloua sur place :

— Puis-je vous demander ce que seront mes gages ?

Jason, hors de lui, siffla :

— Vous tenez vraiment à me faire sortir de mes gonds ?

— Pas du tout. Je désirerais simplement savoir à combien se monteront mes gages, afin de calculer quand je serai en mesure de...

Mais Jason claqua la porte sans écouter la suite.

Oncle Charles la fit prévenir qu'il l'attendait pour partager son déjeuner, lequel se déroula fort bien puisque Jason n'était pas là. Mais l'après-midi lui parut bien long et Victoria, ne tenant plus en place, décida d'aller se promener. Le majordome la vit descendre l'escalier et lui ouvrit la porte d'entrée. Victoria lui sourit, pour bien montrer qu'elle ne lui tenait pas rancune de l'incident de la veille.

— Merci beaucoup, monsieur... ?

— Northrup, répondit-il, impassible.

— Northrup ? répéta Victoria dans l'espoir d'engager la conversation. Est-ce votre nom ou votre prénom ?

Il leva les yeux vers elle puis se détourna rapidement :

— Heu... mon nom de famille, mademoiselle.

— Je vois. Et depuis combien de temps travaillez-vous ici ?

Northrup croisa les mains dans son dos et se balança solennellement sur ses pieds avant de répondre :

— Ma famille est au service des Fielding depuis neuf générations, mademoiselle. J'espère honorer cette tradition et mourir dans cette maison où j'ai vu le jour.

— Oh ! fit Victoria en réprimant un éclat de rire.

Comment pouvait-on tirer un tel orgueil d'un travail qui consistait tout bonnement à ouvrir et à fermer les portes ?

Comme s'il avait lu dans ses pensées, le majordome ajouta avec raideur :

— Si vous avez le moindre problème avec le personnel, mademoiselle, venez m'en avertir. Je veillerai à ce que les contrevenants soient immédiatement châtiés.

— Je suis certaine que vous n'en aurez pas besoin. Tout le monde est parfait ici, répondit Victoria en soupirant.

Trop parfait même, faillit-elle ajouter.

Une fois dehors, elle traversa la pelouse et fit le tour du bâtiment dans l'idée de jeter un coup d'œil aux écuries. Elle se dirigea d'abord vers les cuisines pour y demander des pommes afin d'amadouer les chevaux.

L'immense cuisine grouillait de domestiques qui se démenaient frénétiquement, qui à rouler la pâte, qui à faire bouillir des marmites, qui à couper des légumes. Au cœur de ce charivari, un obèse affublé d'un tablier blanc de la taille d'une nappe agitait une cuillère en bois et lançait des ordres en français et en anglais.

— Excusez-moi, fit Victoria en s'adressant à une femme tout près d'elle, auriez-vous l'obligeance de me donner deux pommes et quelques carottes...

La femme jeta un coup d'œil hésitant en direction du gros bonhomme qui foudroyait Victoria du regard et disparut dans une pièce voisine. Elle revint avec les pommes et les carottes.

— Merci, heu...

— Mme Northrup, mademoiselle, fit la femme avec embarras.

— Comme c'est amusant, commenta Victoria en souriant. Je viens juste de faire la connaissance de votre mari, le majordome, mais j'ignorais que vous travailliez également ici.

— M. Northrup est mon beau-frère, corrigea la femme.

— Ah bon, dit Victoria qui comprit que son interlocutrice n'osait lui parler en présence de ce gros cuisinier si irascible. Bonne journée, madame Northrup.

Un chemin qui longeait des bois sur la droite conduisait aux écuries. Victoria l'emprunta, admirant au passage la vue superbe des pelouses vallonnées et fraîchement tondues, ainsi que les jardins somptueux qui s'étendaient sur sa gauche. Soudain un mouvement à quelques pas devant elle la fit s'arrêter net. A la lisière du bois, un énorme animal gris fouillait dans ce qui ressemblait à un tas de fumier. L'animal capta son odeur et releva la tête, fixant sur elle sa prunelle étincelante. Victoria sentit son sang se glacer dans ses veines. Un loup !

Paralysée d'effroi, elle resta clouée sur place sans oser esquisser un geste ni émettre un son. Dans son cerveau affolé défilaient les récits des méfaits de ce cruel animal. Son poil gris était galeux et rêche mais il ne suffisait pas à cacher ses côtes saillantes ; sa gueule béait et ses yeux féroces luisaient... La bête était visiblement affamée. Ce qui signifiait qu'elle était prête à attaquer et à dévorer tout ce qui lui tomberait sous la dent. Victoria recula prudemment, imperceptiblement, vers la présence rassurante du manoir.

L'animal retroussa ses babines, découvrant une rangée de crocs blancs. Saisie d'une inspiration, Victoria lui lança alors ses pommes et ses carottes. Mais au lieu de se jeter sur la nourriture comme elle s'y attendait, il fit un bond de côté et se sauva dans les bois, la queue basse. Victoria prit ses jambes à son cou et regagna le manoir par l'entrée la plus proche. Une fois en sécurité, elle courut à une fenêtre et épia les alentours à travers les vitres. Le loup se tenait à la lisière des bois et fixait d'un œil affamé le tas de détritus.

— Quelque chose ne va pas, mademoiselle ? s'enquit un valet qui se rendait aux cuisines.

— J'ai vu une bête, répondit Victoria. Je crois qu'il s'agissait...

Elle vit l'animal revenir en trottant dans le jardin et se jeter sur les pommes et les carottes ; puis il regagna craintivement le bois. Etrange comportement pour un loup !

— Y a-t-il des chiens ici ? demanda-t-elle soudain en comprenant qu'elle risquait peut-être de se couvrir de ridicule.

— Oui, mademoiselle, plusieurs.

— Y en a-t-il un très grand, maigre et gris foncé ?

— Ce devait être Willie, le vieux chien de Sa Seigneurie. Il traîne souvent dans les parages pour quémander de la nourriture. Ce n'est pas une mauvaise bête, si c'est ça qui vous inquiète. Vous l'avez vu ?

— Oui, répondit Victoria qui sentit l'indignation la gagner. Mais ce pauvre chien meurt de faim ! Personne ne le nourrit donc ?

— Willie a toujours l'air affamé, rétorqua le valet avec indifférence. Sa Seigneurie dit qu'il deviendrait obèse si on le nourrissait davantage.

— Si on continue à le priver ainsi, il va surtout dépérir, riposta Victoria, indignée.

Que cet homme cruel affamât son propre chien ne l'étonnait guère. Pauvre bête, comme elle était pitoyable avec ses côtes protubérantes, quel spectacle lamentable !

Elle retourna aux cuisines et demanda à nouveau une pomme, des carottes et une assiette de restes.

Malgré sa compassion, Victoria dut combattre sa peur lorsqu'elle s'approcha du tas de détritus derrière lequel se cachait l'animal. A travers les arbres, elle vérifia qu'il s'agissait bien d'un chien et non d'un loup. Le valet avait été catégorique : la bête n'était pas méchante. Victoria lui tendit les restes de nourriture.

— Willie, appela-t-elle d'une voix douce. Tiens, c'est pour toi.

Elle fit un pas timide en avant mais Willie baissa les oreilles et lui montra ses crocs d'ivoire. Victoria sentit son courage s'envoler et, lâchant l'assiette, courut se réfugier du côté des écuries...

Elle dîna avec Charles ce soir-là. Jason ne se montra pas davantage et elle passa un moment délicieux ; mais lorsque le repas s'acheva et que Charles prit congé, elle se retrouva seule une fois de plus. Hormis sa visite aux écuries et l'intermède avec Willie, elle avait tourné en rond toute la journée. Elle décida qu'elle commencerait à travailler dès le lendemain. Etant d'un tempérament actif, elle allait devenir folle si elle n'occupait pas son temps. Elle n'avait rien dit à Charles de ses projets mais il se réjouirait certainement de la voir se prendre en charge. Cela lui épargnerait des scènes avec son détestable neveu.

Une fois dans sa chambre, elle passa le reste de la soirée à écrire une lettre gaie et résolument optimiste à sa sœur.

6

Tôt le lendemain, Victoria fut réveillée par des oiseaux qui gazouillaient sous sa fenêtre ouverte. Elle roula sur le dos et aperçut un ciel bleu éblouissant, émaillé de petits nuages ronds et floconneux.

Elle se lava et s'habilla à toute vitesse puis descendit aux cuisines chercher des restes pour Willie. Elle ne savait peut-être pas labourer ni planter un clou, mais en revanche elle avait souvent assisté à la traite des vaches, ce qui lui semblait une tâche aisée. En outre, elle avait passé six semaines confinée dans sa cabine et éprouvait le besoin de se dépenser physiquement.

En quittant la cuisine, une idée lui traversa l'esprit. Sans se soucier du regard indigné que lui lançait l'homme au tablier blanc — qui, renseignements pris auprès de Charles, s'avérait être le chef cuisinier —, elle se tourna vers Mme Northrup.

— Pourrais-je me rendre utile… enfin, vous aider à la cuisine, madame Northrup ?

La femme porta une main horrifiée à sa gorge.

— Oh non, mademoiselle.

Victoria soupira et poursuivit :

— Dans ce cas, pourriez-vous me dire où se trouvent les vaches ?

— Les vaches ? répéta Mme Northrup, abasourdie. Mais... pourquoi ?

— Pour les traire.

La femme pâlit mais ne dit mot, et après un moment de flottement, Victoria haussa les épaules et décida de se débrouiller toute seule. Mme Northrup essuya ses mains couvertes de farine pour s'élancer à la recherche de son beau frère...

Victoria atteignit le tas de détritus et scruta anxieusement les bois dans l'espoir d'apercevoir Willie. Ce nom convenait mal à un tel molosse. C'est alors qu'elle le vit qui l'observait en retrait, à la limite des arbres. Elle sentit ses cheveux se dresser sur sa tête mais déposa bravement le bol de nourriture devant elle.

— Willie, appela-t-elle d'une voix cajoleuse. Voici ton petit déjeuner, viens le chercher.

Les yeux de l'énorme bête se posèrent avec envie sur le bol mais il ne bougea pas d'un pouce, demeurant sur ses gardes.

— Tu ne veux vraiment pas approcher ? poursuivit Victoria.

A défaut d'apprivoiser le maître, elle pouvait peut-être devenir amie avec son chien ?

Mais le chien se montra aussi peu coopérant que le maître. Il ne se laissa pas amadouer et ses yeux féroces restèrent rivés sur la jeune fille. Victoria s'éloigna en soupirant.

Un jardinier lui indiqua où se trouvaient les vaches et Victoria entra dans les étables impeccables où une odeur de foin lui chatouilla les narines. Elle s'arrêta avec hésitation devant une dizaine de vaches qui relevèrent le museau en la dévisageant de leurs grands yeux candides. Quelqu'un avait laissé un tabouret et un seau devant l'une des vaches et elle en déduisit que l'animal attendait pour la traite.

— Bonjour, dit-elle à la vache en lui tapotant le museau.

Sur place, Victoria n'était plus si certaine de savoir comment s'y prendre. Pour gagner du temps, elle fit le tour de la brave bête et ôta de sa queue des brins de paille. Puis elle attira le tabouret et installa le seau sous les pis de la vache. Elle s'assit, retroussa lentement ses manches et arrangea sa jupe.

— Pour être vraiment franche, souffla-t-elle à l'animal, je... c'est la première fois que je vais traire une vache.

Cette déclaration arriva aux oreilles de Jason qui pénétrait à cet instant dans la grange. Une lueur amusée brilla dans ses yeux lorsqu'il l'aperçut. Miss Victoria Seaton offrait un ravissant spectacle, assise sur son tabouret avec sa robe soigneusement étalée comme si elle se trouvait sur un trône. La tête légèrement inclinée, elle se concentrait sur son ouvrage et lui présentait son ravissant profil. Il admira son joli petit nez et ses pommettes hautes. Le soleil qui filtrait par une lucarne déposait des reflets d'or dans sa chevelure rousse qui tombait en cascade sur ses épaules. De longs cils recourbés ombrageaient ses joues tandis qu'elle se mordillait la lèvre en se penchant pour rapprocher le seau.

Ce geste révéla à Jason la rondeur et la fermeté de deux jolis seins pressés dans le décolleté de sa robe noire.

— Ce qui va suivre, annonça-t-elle à la vache

d'une voix tendue, me sera aussi désagréable qu'à toi, tu sais.

Victoria effleura les mamelles pendantes puis retira sa main précipitamment comme si elle s'était brûlée. Surmontant sa répulsion, elle fit une seconde tentative. Elle pressa le pis à deux reprises, très vite, puis elle se redressa et, pleine d'espoir, contempla le seau. Rien.

— Je t'en prie, mets-y un peu du tien, implora-t-elle.

Elle répéta deux fois la même opération, sans succès.

Frustrée, elle tira trop fort sur le pis et la vache tourna vers elle un regard de reproche.

— Je fais ce que je peux, lui lança Victoria, furieuse. Tu pourrais au moins coopérer !

Dans son dos résonna alors une voix grave :

— Attention, son lait va tourner si vous continuez à la regarder avec ces yeux-là.

Victoria sursauta et pivota sur son tabouret.

— Vous ! s'exclama-t-elle, rouge d'humiliation. Pourquoi faut-il toujours que vous apparaissiez sans prévenir ? Vous pourriez avoir la décence de...

— Frapper ? suggéra-t-il, les yeux brillants de gaieté.

Il leva la main et pianota négligemment sur la poutre en bois.

— Cela vous arrive souvent de parler aux bêtes ? s'enquit-il.

Victoria ne se sentait pas d'humeur à supporter ses sarcasmes et devina que c'était précisément ce qu'il s'apprêtait à faire. Elle se releva avec dignité, défroissa sa robe et s'apprêta à sortir.

Il la retint par le bras, fermement mais sans lui faire mal.

— Vous ne continuez pas la traite ?

— Vous voyez bien que je n'y arrive pas.
— Et pourquoi ?
Victoria releva le menton et soutint son regard :
— Parce que je ne sais pas comment faire.
Il leva un sourcil moqueur.
— Voulez-vous que je vous apprenne ?
— Non, merci, rétorqua Victoria, piquée. A présent, si vous voulez bien me lâcher... (Elle se dégagea d'une secousse sans attendre sa réponse.) J'essaierai de trouver un autre moyen de gagner ma vie ici.

Après cet échec cuisant, Victoria chercha le jardinier qui l'avait renseignée. Elle aborda l'homme chauve qui semblait diriger les autres et lui offrit son aide pour planter des bulbes.

— Retournez à votre travail dans la grange, femme, et laissez-nous tranquilles ! rugit-il.

De guerre lasse, Victoria n'essaya même pas de lui expliquer qu'elle ne travaillait pas à la grange et revint vers l'entrée de service pour se rendre utile dans le seul domaine où elle se sentait vraiment qualifiée : la cuisine.

La voyant s'éloigner dans la direction opposée à celle de la grange, le chef jardinier laissa tomber sa pelle pour aller prévenir Northrup.

Victoria se faufila jusqu'aux cuisines où pas moins de huit domestiques s'affairaient pour le repas de midi. Celui-ci se composait visiblement d'un ragoût accompagné de légumes, de pain croustillant tout frais sorti du four et d'une demi-douzaine d'autres plats. Découragée par ses deux précédentes tentatives, Victoria les regarda faire jusqu'à ce qu'elle fût sûre d'être à la hauteur. Elle s'approcha alors du chef survolté.

— J'aimerais vous aider, déclara-t-elle avec fermeté.

— Ah non ! glapit le cuisinier, la prenant pour une domestique avec sa robe noire toute simple. Allez ouste ! Occupez-vous de votre travail.

Victoria en avait par-dessus la tête de se voir traitée comme une demeurée qui ne savait rien faire de ses dix doigts. Polie mais obstinée, elle insista :

— Je pense me rendre utile ici, votre personnel ne sait pas où donner de la tête et je suis sûre que vous avez besoin d'aide.

Le chef cuisinier rugit, au bord de la crise d'apoplexie :

— Vous n'êtes pas qualifiée !

Et il ajouta avec un épouvantable accent français :

— Quand André a besoin d'aide, il sait le demander et c'est lui qui forme son personnel !

— Je ne vois pas ce qu'un ragoût a de si compliqué, cher monsieur, riposta Victoria qui sentait la moutarde lui monter au nez.

Le teint du chef vira au violet lorsqu'il entendit mettre en doute l'originalité de ses talents culinaires mais, sans se démonter, Victoria poursuivit :

— Il suffit de couper les légumes qui se trouvent sur cette table-ci et de les plonger dans cette casserole-là.

L'homme émit un gargouillis inarticulé avant d'arracher son tablier.

— Dans cinq minutes, vous pourrez faire votre valise ! tempêta-t-il en quittant la cuisine avec fracas.

Un silence de mort suivit cette sortie théâtrale et Victoria en profita pour examiner le reste du personnel. Interdits, les domestiques la dévisageaient tandis que sur leurs visages se reflétaient tous les stades de l'émotion, allant de la compassion à l'amusement.

— Doux Jésus ! dit enfin une femme en s'essuyant les mains sur son tablier. Qu'est-ce qui vous a pris, ma fille, de le mettre dans un état pareil ? Il va vous faire flanquer à la porte.

A l'exception de la jeune Ruth, c'était la première voix aimable que Victoria entendait depuis ses premiers contacts avec le personnel. Hélas, elle se sentait si misérable d'avoir déclenché un tel scandale, que la compassion de la servante lui fit monter les larmes aux yeux.

— J'dis pas que vous avez pas raison, poursuivit la femme en tapotant affectueusement le bras de Victoria. Au sujet du ragoût, j'veux dire. On pourrait tous se débrouiller sans André, mais Sa Seigneurie veut toujours ce qu'il y a de mieux — et il se trouve qu'André est le meilleur chef du pays. Vous devriez aller préparer votre baluchon car à tous les coups, vous allez perdre votre place, ma pauvre...

Victoria la rassura d'une voix étranglée :

— Je suis une invitée, pas une servante... Je pensais que Mme Northrup vous l'avait dit.

La femme en resta bouche bée une seconde.

— Oh non, mademoiselle. Elle ne nous a rien dit du tout. Il est défendu de parler pendant le service et Mme Northrup serait bien la dernière à enfreindre cette règle, vu qu'elle est parente de m'sieur Northrup, le majordome. Je savais que nous avions une invitée mais je... (Ses yeux se posèrent sur la robe noire et usée de Victoria qui rougit.) Voulez-vous que j'vous prépare une petite collation ?

Les épaules de Victoria s'affaissèrent.

— Non... mais je... j'aimerais préparer un cataplasme pour soulager la rage de dents de ce pauvre M. O'Malley. J'ai besoin d'ingrédients très simples, cela atténuera la douleur.

Mme Craddock — c'était son nom — montra à Victoria où trouver les ingrédients nécessaires et celle-ci se mit à l'ouvrage, s'attendant à voir arriver d'un instant à l'autre Sa Seigneurie exaspérée...

Jason venait de reprendre la dictée de son courrier quand Northrup vint le déranger dans son bureau.

— Que se passe-t-il encore ? fit-il avec impatience.

Le majordome toussota, embarrassé.

— C'est Mlle Seaton, monsieur. Tout à l'heure elle souhaitait traire les vaches... euh... et maintenant, elle a voulu aider le chef jardinier à semer ses plates-bandes. Il l'a prise pour une domestique et il craint — maintenant que je l'ai détrompé — que vous ne soyez mécontent de son travail et que vous ne l'ayez envoyée pour...

— Dites-lui de retourner à son travail et prévenez Mlle Seaton de ne plus importuner mes domestiques. Et maintenant, qu'on ne me dérange plus, compris ? J'ai du travail.

Jason se tourna vers son secrétaire maigre et chaussé de lorgnons, et l'apostropha sans douceur :

— Où en étais-je, Benjamin ?

— Nous écrivions à votre agent de Delhi, monsieur.

Jason avait à peine dicté deux lignes que la porte s'ouvrit à toute volée et que le cuisinier fit irruption dans la pièce, suivi par Northrup qui essayait vainement de le retenir.

— C'est elle ou moi ! tempêta André en fonçant

droit vers le bureau de Jason. Je ne tolérerai pas la présence de cette rouquine dans ma cuisine !

Jason reposa sa plume sans broncher et posa ses yeux glacés sur le gros bonhomme.

— Répétez ce que vous venez de dire ?

— J'ai dit que je ne tolérerai pas...

— Sortez, ordonna Jason d'une voix mortellement calme.

Le visage rond du cuisinier se décomposa.

— Oui, dit-il précipitamment en rebroussant chemin. Je retourne aux cuis...

— Sortez de cette maison, précisa Jason, impitoyable. Quittez les lieux. Tout de suite !

Jason se leva et, plantant là le cuisinier interdit, se précipita vers l'office.

En entendant la voix irritée de leur maître, tout le personnel des cuisines sursauta et fit volte-face.

— L'un d'entre vous sait-il faire la cuisine ? interrogea-t-il.

Victoria en déduisit que le chef avait démissionné à cause d'elle et fit un pas en avant, consternée. Mais le regard menaçant de Jason la cloua sur place et elle n'osa rien dire. Agacé, il répéta sa question :

— Vous n'allez pas me dire qu'aucun d'entre vous ne sait faire la cuisine ?

Mme Craddock s'avança avec hésitation :

— Moi, Votre Seigneurie.

— Très bien. Chargez-vous-en dorénavant. Et à l'avenir, dispensez-vous de me servir ces écœurantes sauces françaises.

Il posa sur Victoria son regard glacial.

— Quant à vous, ordonna-t-il d'un ton sans réplique, je ne veux plus vous voir dans l'étable, et je vous prie de laisser mes jardiniers et mes cuisiniers travailler en paix !

Il disparut et les domestiques se tournèrent vers Victoria mi-stupéfaits mi-ravis. Honteuse, la jeune fille baissa la tête et continua à préparer le cataplasme pour O'Malley.

— Au travail ! enjoignit Mme Craddock à ses compagnons d'une voix gaie. Nous allons prouver à Sa Seigneurie que nous n'avons pas besoin qu'André nous tire les oreilles pour faire des merveilles.

Stupéfaite, Victoria releva brusquement la tête.

— C'était un véritable tyran, confirma la brave femme. Merci mille fois de nous en avoir débarrassés.

A l'exception du jour où ses parents étaient morts, Victoria ne se souvenait pas d'avoir passé une journée aussi terrible. Elle s'empara du bol contenant l'onguent que son père lui avait appris à préparer et quitta la cuisine.

Comme elle n'arrivait pas à mettre la main sur O'Malley, elle partit à la recherche de Northrup et tomba sur le majordome qui sortait d'une pièce tapissée de livres où Jason parlait à un homme à lunettes en brandissant une lettre.

— Monsieur Northrup, implora-t-elle d'une voix étranglée. Auriez-vous la gentillesse de donner ceci à M. O'Malley ? Dites-lui de se l'appliquer sur la gencive plusieurs fois par jour. L'abcès se résorbera et il souffrira moins.

Distrait une fois de plus par les voix qui s'élevaient dans le corridor, Jason reposa bruyamment son papier et bondit vers la porte. Sans voir Victoria qui avait commencé à gravir les marches, il apostropha Northrup :

— Sacrebleu ! Qu'a-t-elle encore fait ?

— Elle... euh, elle a préparé ceci pour soigner la rage de dents de O'Malley, monsieur, répondit

Northrup d'une voix tendue en levant les yeux vers la pitoyable silhouette qui montait l'escalier.

Jason suivit son regard et écarquilla les yeux en l'apercevant.

— Victoria, appela-t-il.

La jeune fille se retourna, prête à riposter, mais il poursuivit d'une voix calme :

— Ne vous habillez plus en noir. Je déteste cette couleur.

— Je suis désolée que ma tenue vous déplaise, répondit-elle avec dignité. Mais je porte le deuil de mes parents.

Jason fronça les sourcils mais garda le silence. Lorsque la jeune fille eut disparu, il ordonna à Northrup :

— Envoyez quelqu'un à Londres. Faites-lui acheter des tenues correctes et jetez-moi ces haillons funèbres...

Quand Charles la rejoignit pour le déjeuner, une Victoria éteinte et abattue se glissa dans le fauteuil à sa gauche.

— Seigneur, mon petit, qu'est-ce qui ne va pas ? Vous êtes blanche comme un linge !

Il écouta avec amusement le récit de ses gaffes du matin.

— Excellent ! Parfait ! approuva-t-il lorsqu'elle se tut et, à l'étonnement de la jeune fille, il éclata de rire. Continuez ainsi à désorganiser la vie de ce cher Jason. C'est exactement ce dont il a besoin. Il paraît dur et froid, mais ce n'est qu'une carapace. Epaisse, soit dit en passant. Mais la femme qu'il lui faut devra passer outre et découvrir la douceur qu'il dissimule sous ses dehors de brute. Quand elle y sera parvenue, Jason la rendra heureuse. C'est un homme d'une grande générosité, et ce n'est pas sa seule qualité...

Il laissa sa phrase en suspens tandis que Victoria s'agitait, mal à l'aise, sous son regard plein de sous-entendus. Charles s'imaginait-il qu'elle était cette femme ? Non, c'était inconcevable.

Pas plus qu'elle ne croyait d'ailleurs à la prétendue douceur de Jason Fielding. Moins elle le verrait, mieux elle se porterait. Plutôt que de l'avouer à son oncle, elle préféra changer de sujet :

— J'espère recevoir des nouvelles d'Andrew d'ici peu.

— Ah oui, Andrew... répéta Charles en se rembrunissant.

7

Le lendemain, Charles l'emmena en calèche jusqu'au village voisin. Elle savoura chaque instant de cette promenade. La campagne fleurie embaumait. Victoria tomba tout de suite sous le charme du village avec ses petites maisons pimpantes et ses ruelles pavées.

Chaque fois qu'ils sortaient d'une boutique, les villageois s'arrêtaient, les dévisageaient avec étonnement et soulevaient leurs chapeaux. Charles, qu'ils appelaient « Votre Grâce », ignorait le plus souvent leur nom, mais il leur répondait avec bienveillance.

Lorsqu'ils revinrent à Wakefield Park cet après-midi-là, Victoria se sentait un peu rassérénée sur sa nouvelle vie. Peut-être trouverait-elle une occasion de mieux connaître les gens du pays.

Ellc passa prudemment le reste de la journée à lire dans sa chambre, à l'exception de deux brefs voyages au tas d'ordures où elle essaya sans succès d'amadouer Willie.

Elle s'allongea avant le souper et s'endormit, bercée par l'espoir que tout se passerait bien avec Jason si elle continuait à l'éviter comme aujourd'hui.

Hélas, elle se trompait. Lorsqu'elle se réveilla, Ruth rangeait une pile de robes aux tons pastel dans son armoire.

— Ce n'est pas à moi, Ruth, protesta Victoria d'une voix endormie en se frottant les yeux.

— Mais si, mademoiselle, répondit avec animation la soubrette. Sa Seigneurie les a fait venir de Londres pour vous.

— Eh bien, dites-lui que je refuse de les porter, déclara posément Victoria.

— Oh non, mademoiselle ! se récria Ruth, horrifiée. C'est impossible !

— Alors je le lui dirai moi-même !

Victoria courut à son armoire pour y prendre ses vêtements mais la petite voix misérable de Ruth l'arrêta :

— Elles n'y sont plus. Je... je les ai enlevées. Sa Seigneurie a donné l'ordre de...

— Ne vous en faites pas, la rassura gentiment Victoria qui dans le même temps sentit monter en elle une colère comme jamais elle n'en avait éprouvée.

La petite servante leva vers Victoria ses grands yeux pâles et reprit en se tordant les mains :

— Mademoiselle, Sa Seigneurie a dit que, si vous le vouliez, je pouvais devenir votre camériste.

— Je n'ai pas besoin de camériste, Ruth.

Les épaules de la jeune fille retombèrent.

— Ce serait tellement mieux que ce que je fais actuellement...

Victoria fut remuée par son petit visage suppliant.

— Dans ce cas, j'accepte, soupira-t-elle en se forçant à sourire. Quel est le rôle d'une camériste ?

— Eh bien je vous aiderai à vous habiller, je veillerai à ce que vos robes soient toujours propres et repassées de frais. Je vous coifferai également. Oh dites, me laisserez-vous vous coiffer ? Vous avez de si beaux cheveux et ma maman disait toujours que j'étais douée pour ça...

Victoria hocha la tête, non parce qu'elle se souciait d'être bien coiffée mais surtout parce qu'elle avait besoin de se calmer avant d'affronter Jason Fielding.

Une heure plus tard, vêtue d'une robe en soie pêche très ample dont les manches longues étaient gansées de rayures horizontales ton sur ton, Victoria se regarda en silence dans son miroir. Ses longues boucles cuivrées étaient relevées sur le sommet de sa tête, et Ruth les avait savamment entrelacées de rubans identiques à ceux des manches. La colère avivait le teint éclatant de ses pommettes hautes et dans ses yeux saphir brillait l'indignation.

Jamais elle n'avait vu ni même imaginé une robe aussi ravissante. Le corsage enserrait étroitement sa poitrine et le décolleté très échancré révélait la rondeur de deux seins tendres et laiteux. Pourtant elle se moquait éperdument de son apparence aujourd'hui, surtout quand on l'empêchait d'observer le deuil de ses parents.

— Oh mademoiselle, fit Ruth, extasiée, en joignant les mains. Comme vous êtes belle, Sa Seigneurie ne va pas en revenir !

Ruth avait raison, mais Victoria était bien trop furieuse pour tirer la moindre satisfaction de la stupeur qui s'afficha sur le visage de Jason lorsqu'elle entra dans la salle à manger.

— Bonsoir, oncle Charles, dit-elle en embrassant son oncle sur la joue tandis que Jason se levait.

Puis elle fit volte-face et le défia avec aplomb ; sans mot dire, elle soutint son regard audacieux. Il l'examina de la tête aux pieds, glissant effrontément des boucles mordorées à la gorge palpitante moulée dans son corset, puis jusqu'à l'extrémité des mignons escarpins de satin. Habituée malgré tout à lire l'admiration dans le regard des hommes, Victoria lut autre chose dans les yeux de Jason : celui-ci se livrait sans vergogne à l'inventaire détaillé de son corps.

— Est-ce bientôt fini ? demanda-t-elle brusquement.

Il releva nonchalamment les yeux et un sourire éclaira son visage dur. Un sourire de défi. Il fit un pas en avant. Instinctivement Victoria recula, avant de se rendre compte qu'il lui offrait tout simplement une chaise.

— Aurais-je encore commis un manquement aux usages ? souffla-t-il à son oreille d'une voix grave et amusée.

Ses lèvres se rapprochèrent audacieusement de sa joue tandis qu'elle s'asseyait.

Victoria s'écarta vivement.

— M'aidez-vous à m'asseoir ou essayez-vous de me croquer l'oreille ?

Le sourire de Jason s'accentua.

— J'y songerai, riposta-t-il. Cela dépendra de la qualité du repas préparé par notre nouveau chef.

Puis il retourna s'asseoir après avoir jeté un coup d'œil à Charles.

— J'ai renvoyé le gros Français, lança-t-il en guise d'explication.

Une bouffée de culpabilité envahit Victoria, mais celle-ci ne suffit pas à calmer la colère qui la tenaillait depuis qu'elle avait appris ce que Jason avait fait de ses robes. Résolue à traiter cette affaire en privé après le souper, elle s'attacha à converser uniquement avec Charles ; mais tandis que le repas suivait son cours, elle s'aperçut avec embarras que Jason Fielding l'observait attentivement de l'autre côté des chandeliers.

Pensif, celui-ci porta son verre à ses lèvres sans la quitter des yeux. Elle était visiblement scandalisée qu'il eût disposé si cavalièrement de ses vieilles robes noires, et mourait d'envie de lui jeter à la tête ce qu'elle pensait de lui. Il le lisait dans ses yeux étincelants.

« Comme cette petite rebelle est fière... et belle », songea-t-il en toute honnêteté. Il l'avait trouvée jolie de prime abord mais il ne s'attendait certes pas à cette métamorphose. En quittant ces austères robes de deuil, elle s'était transformée en une beauté épanouie. Victoria Seaton avait certainement dû donner du fil à retordre aux garçons de son pays. En Angleterre aussi, elle allait les éblouir. Les garçons comme les hommes, rectifia-t-il mentalement.

C'était bien là le hic : malgré ces courbes alléchantes et ce visage ensorceleur, il avait la conviction de plus en plus ferme de se trouver en face d'une enfant naïve et innocente, exactement telle que Charles l'avait décrite. Une enfant vulnérable qui avait atterri sur le pas de sa porte et dont — qu'il le voulût ou non — il était dorénavant responsable. Ce rôle de protecteur, de gardien de sa vertu, lui parut si comique qu'il faillit éclater de rire. Et pourtant c'était bel et bien le rôle qui lui était assigné. Tous ceux qui le connaissaient allaient ricaner comme lui, surtout avec la réputation qu'il avait.

O'Malley remplit à nouveau son verre et Jason le vida en réfléchissant à la meilleure façon de se débarrasser d'elle. Plus il y songeait, plus il se persuadait qu'il fallait effectivement offrir à Victoria une saison londonienne, comme le désirait Charles.

Victoria était si belle qu'il n'aurait aucun mal à la lancer dans le monde. S'il y ajoutait une petite dot, il la marierait en un rien de temps. Mais d'un autre côté, si la jeune fille s'obstinait à attendre que son cher Andrew vînt la chercher, il se passerait des mois, des années même avant qu'elle n'acceptât un autre galant. Cette dernière éventualité n'était absolument pas du goût de Jason.

L'affaire était quasiment réglée dans son esprit et il attendit un blanc dans la conversation pour lui demander d'une voix faussement indifférente :

— Charles m'a dit que vous étiez fiancée de façon presque officielle avec un certain... Anson... ou Albert ?

Victoria pivota sur sa chaise :

— Andrew, rectifia-t-elle avec vivacité.

— A quoi ressemble-t-il ?

Un sourire attendri éclaira le visage de Victoria.

— Il est doux, beau, intelligent, aimable, attentionné...

— Je crois que je m'en fais une idée assez exacte, l'interrompit sèchement Jason. Suivez mon conseil : oubliez-le.

— Pourquoi ? fit Victoria en réprimant l'envie de lui jeter son assiette à la figure.

— Parce que ce n'est pas l'homme qu'il vous faut. En l'espace de quatre jours, vous avez mis ma maison sens dessus dessous. Vous mourrez d'ennui avec un homme de la campagne qui n'aspire vraisemblablement qu'à une vie paisible et bien réglée. Vous feriez mieux de vous trouver un mari ici, en Angleterre.

Victoria faillit en tomber de sa chaise.

— Je tiens d'abord à vous préciser...

Mais Jason l'interrompit, continuant sans sourciller son travail de sape :

— Bien entendu, si vous n'oubliez pas Albert, il y a de grandes chances pour que ce soit Albert qui vous oublie. Vous connaissez sûrement le proverbe : « Loin des yeux, loin du cœur. »

Victoria fit un effort surhumain pour garder son sang-froid et serra les mâchoires sans répondre.

— Comment ? Vous ne dites rien ? insista Jason, perfide, en admirant la teinte bleu foncé qu'avaient prise ses yeux sous l'effet de la colère.

Victoria releva le menton et répondit du tac au tac :

— Dans mon pays, monsieur Fielding, on ne discute pas à table.

Cette critique voilée le fit sourire et il observa d'une voix douce :

— Dommage pour vous.

Charles se renversa dans son fauteuil et contempla avec un sourire attendri la joute qui opposait son fils à la ravissante jeune fille. Ils étaient vraiment faits l'un pour l'autre, songea-t-il. Victoria ne craignait pas Jason. Sa spontanéité et sa gentillesse auraient un effet bénéfique sur lui et, lorsqu'il se serait laissé apprivoiser, il deviendrait le mari dont rêvent toutes les jeunes filles. Ils seraient heureux et elle lui donnerait un fils.

Enchanté, Charles se mit à rêver de son futur petit-fils. Après toutes ces années de vide et de désespoir, Katherine et lui auraient enfin un petit-fils. Il fallait bien reconnaître que, pour le moment, Jason et Victoria ne s'entendaient pas si bien que ça, mais cela viendrait en son temps. Jason était dur, blasé, amer, mais il avait ses raisons. Victoria, elle, possédait le courage, la douceur et la fougue de Katherine. Katherine qui avait bouleversé le cours de sa vie. Qui lui avait appris ce que signifiait le mot « aimer »... Ainsi que le mot « désespoir ». Les événements d'autrefois resurgirent dans son esprit, ceux-là mêmes qui étaient à l'origine du dîner de ce soir...

A vingt-deux ans, Charles jouissait déjà d'une solide réputation de libertin et de joueur invétéré. Il n'avait aucune responsabilité, pas davantage de restrictions et absolument aucun projet d'avenir. Son frère avait en effet hérité du titre ducal et de tout ce qui l'accompagnait — tout excepté de l'argent. L'argent manquait toujours chez les Fielding qui manifestaient depuis quatre cents ans une prodigalité excessive et un fort penchant pour toute sorte de vices — plus coûteux les uns que les autres. En réalité, Charles ne faisait qu'imiter son père et son arrière-grand-père. Le frère cadet de Charles fut le seul Fielding à lutter contre la tentation, mais il le fit avec l'excès qui caractérisait les siens : il devint missionnaire et partit aux Indes.

A la même époque, la maîtresse de Charles, une Française, lui annonça qu'elle était enceinte de ses œuvres. Au lieu de l'épouser, Charles lui offrit de l'argent ; elle pleura et tempêta mais sans succès. Finalement elle le quitta, ulcérée. Une semaine après la naissance de Jason, elle revint frapper à sa porte et lui déposa l'enfant dans les bras avant de disparaître. Charles n'avait aucune envie de s'encombrer d'un bébé mais ne put se résoudre à placer l'enfant dans un orphelinat. Il eut alors l'idée de confier Jason à son jeune frère qui embarquait pour les Indes en compagnie de sa disgracieuse épouse afin de « convertir les païens ».

Il remit sans hésiter l'enfant à ces deux dévots et leur donna presque tout l'argent qu'il possédait. Puis il se lava les mains de toute l'histoire.

Il avait jusqu'alors réussi à vivre grâce au jeu, mais sa bonne étoile le quitta. A trente-deux ans, Charles comprit qu'il ne pourrait plus désormais conserver le train de vie qui convenait à sa naissance en vivant exclusivement de ses gains sur le tapis vert. Le même dilemme se posait à la plupart des cadets de ces grandes familles de la noblesse. Charles le résolut à la manière de son temps : il troqua son illustre nom contre une dot substantielle. Avec l'indifférence la plus insensée, il demanda en mariage la fille d'un riche négociant. C'était quelqu'un d'immensément riche, modérément jolie et totalement dépourvue d'esprit.

La jeune fille et son père agréèrent sa demande avec empressement et le duc, frère aîné de Charles, poussa la bienveillance jusqu'à donner un bal pour célébrer les fiançailles.

A cette occasion, Charles revit une cousine éloignée : Katherine Langston, petite-fille de la duchesse de Claremont, âgée alors de dix-huit ans. La dernière fois qu'il l'avait vue, Katherine avait dix ans et passait ses vacances dans un domaine voisin de Wakefield où Charles était exceptionnellement allé voir son frère. Pendant quinze jours elle ne l'avait pas quitté, fixant sur lui de grands yeux adorateurs. A l'époque, il l'avait considérée comme une petite poupée exquise et il avait été conquis par son ravissant sourire et son esprit aiguisé.

Et voilà qu'elle était devenue femme, d'une beauté à couper le souffle !

Ce soir-là, feignant une indifférence blasée, il contempla longuement son beau visage aux traits réguliers et sa voluptueuse chevelure rousse tandis qu'elle se tenait un peu à l'écart, sereine et angélique. Puis il s'approcha d'elle avec nonchalance, un verre de madère à la main, et s'appuya négligemment contre la cheminée pour admirer la jeune femme tout à son aise. Il s'attendait à se faire remettre en place mais Katherine, loin de se fâcher de son insolence et de rougir, ne se détourna pas. Elle se contenta d'incliner légèrement la tête comme si elle attendait qu'il en eût terminé.

— Bonjour, Katherine, dit-il enfin.

— Bonjour, Charles, répondit-elle d'une voix douce.

— Vous ennuyez-vous autant que moi, ma chère ? demanda-t-il, étonné par son sang-froid.

Au lieu de balbutier une platitude pour le détromper, Katherine leva vers lui son déconcertant regard bleu.

— C'est un parfait prélude à un mariage d'argent.

Il fut moins surpris par sa franchise que par le regard accusateur qui assombrit ses yeux bleus avant qu'elle fît demi-tour pour s'éloigner. Sans réfléchir, Charles allongea le bras pour la retenir. Au contact de son bras nu, il reçut comme une violente décharge ; de son côté Katherine dut éprouver la même sensation car il sentit tout son corps se raidir. Alors Charles la poussa doucement vers la terrasse. Au clair de lune, il se tourna vers la jeune fille et, blessé, déclara d'une voix dure :

— Vous portez des jugements bien hâtifs. Qui vous dit que l'argent est le seul motif qui me fait épouser Amelia ? Il y a d'autres facteurs qui poussent au mariage.

Charles troquait bien évidemment son lignage aristocratique contre de l'argent mais, bien que ce fût là une pratique courante, il était touché par sa réaction.

— Et vous ? la provoqua-t-il. Ne vous marierez-vous pas pour une raison semblable ?

— Non, répondit-elle à voix basse. Moi je me marierai par amour. Je ne me marierai pas comme mes parents l'ont fait. J'ai un trop grand amour de la vie pour accepter un tel compromis et je veux tout donner à celui que j'aimerai.

Elle avait prononcé ces mots avec une si tranquille certitude que Charles en resta bouche bée. Finalement, il reprit :

— Votre grand-mère risque fort de s'y opposer, ma chère. Le bruit court qu'elle cherche à s'allier aux Winston et que tous ses espoirs reposent sur vous.

Pour la première fois, Katherine esquissa un sourire. Un lumineux sourire qui le bouleversa jusqu'au plus profond de son cœur.

— Ma grand-mère et moi sommes à couteaux tirés à ce sujet, répliqua-t-elle d'un ton léger. Et je suis aussi obstinée qu'elle.

Elle était si belle, si pure et si fraîche que la carapace de cynisme qui protégeait Charles depuis des années fondit comme neige au soleil et qu'il prit brutalement conscience de la vanité de sa vie, de sa solitude. Comme dans un rêve, il effleura sa joue veloutée avec une tendresse infinie.

— J'espère que l'homme que vous aimez est digne de vous, murmura-t-il.

Pendant un moment interminable, Katherine scruta son visage comme si elle voulait lire au-delà des apparences, jusque dans son âme lasse et blasée. Puis elle souffla tout bas :

— C'est la question inverse que je me pose : serai-je *moi* digne de cet homme ? Il a tellement besoin de moi... mais il commence à peine à s'en rendre compte.

Après un moment de stupeur, le sens de ses paroles lui fit l'effet d'une gifle et il s'entendit gémir son nom avec la fièvre d'un homme qui trouvait enfin ce qu'il avait ardemment désiré toute sa vie sans pouvoir l'identifier : une femme qui l'aimait pour lui et lui seul, pour l'homme qui se cachait en lui, l'homme qu'il voulait être. Et c'était bel et bien la seule raison pour laquelle Katherine l'aimait.

Charles la regarda en essayant désespérément de nier l'évidence. C'était de la folie, songeait-il. Il la connaissait à peine et cela faisait belle lurette qu'il ne croyait plus au coup de foudre. Il avait même douté que l'amour pût exister réellement entre deux êtres. Il y croyait à présent puisqu'il voulait de toutes ses forces que cette jeune fille ravissante, intelligente, l'aimât lui et lui seul. Pour la première fois de sa vie, il rencontrait un être unique, pur et délicat. Il n'avait d'autre désir que de l'épouser, la chérir, la protéger.

Il n'éprouvait aucun remords à l'idée de rompre ses fiançailles avec Amelia puisqu'il ne se faisait aucune illusion sur les raisons qui avaient poussé la jeune fille à accepter sa demande. La jeune femme était sensible à son charme, certes, mais elle souhaitait avant tout s'élever dans l'échelle sociale...

Pendant deux merveilleuses semaines, Katherine et Charles réussirent à dissimuler leur passion naissante à leur entourage ; quinze jours d'instants volés, de promenades exquises dans la campagne, de fous rires partagés et de projets d'avenir.

Au terme de ces deux semaines, Charles décida de réclamer une entrevue à la duchesse douairière de Claremont. Il voulait à tout prix épouser Katherine.

Il s'attendait à un refus de la duchesse car, en dépit de sa naissance, il ne possédait ni titre ni fortune. Mais des mariages similaires s'étaient souvent vus et il s'imaginait qu'elle finirait par céder en voyant que Katherine désirait elle aussi ce mariage de toutes ses forces. Il ne s'attendait pas en tout cas à la trouver folle de rage, ni à se faire traiter d'opportuniste, de débauché, de dégénéré lubrique et pervers. Abasourdi, il l'entendit se répandre en injures contre ses ancêtres et les qualifier de « fous et d'irresponsables, tous autant qu'ils étaient ». Mais surtout, il tomba des nues lorsqu'elle lui jura qu'elle renierait et déshériterait Katherine si cette dernière l'épousait.

Il rentra chez lui et oscilla toute la nuit entre la rage et le désespoir. A l'aube, il savait qu'il ne pourrait épouser Katherine : il ne l'épouserait pas car, malgré sa décision de gagner désormais sa vie à la sueur de son front, il ne supporterait pas de voir la fière, la magnifique Katherine, rejetée par sa famille et mise au ban de la société par sa faute.

Jamais il ne se résoudrait à la voir s'abaisser aux travaux domestiques. Katherine était jeune, idéaliste et amoureuse, mais elle était également habituée à porter de belles robes, elle vivait entourée de domestiques qui prévenaient ses moindres désirs. Jamais il ne pourrait lui offrir tout cela. De sa vie Katherine n'avait jamais lavé une assiette, frotté un plancher ni repassé une chemise et il refusait de la confiner dans ces tâches simplement parce qu'elle avait le malheur de l'aimer.

Quand il se sentit capable de la revoir le lendemain, Charles lui fit part de sa décision. Katherine protesta que seul leur amour avait de l'importance pour elle ; elle le supplia de l'emmener en Amérique où toutes les bonnes volontés pouvaient trouver un travail.

Malade de chagrin, retourné de la voir en larmes, Charles lui dit rudement qu'elle rêvait, que jamais elle ne se ferait à la vie américaine. Elle le regarda avec incrédulité et l'accusa soudain d'avoir voulu l'épouser pour sa dot, et non pour elle. C'était exactement l'accusation qu'avait portée sa grand-mère après son entrevue avec Charles.

Cette accusation fut le coup de grâce pour Charles qui sacrifiait son bonheur pour elle.

— Croyez-la si vous le voulez, lança-t-il en se détournant afin de ne pas succomber au désir de la prendre dans ses bras et de l'enlever le jour même.

Puis il s'éloigna mais, au dernier moment, il ne put supporter l'idée qu'elle l'imaginât capable d'une telle bassesse.

— Katherine, dit-il sans se retourner, vous savez que c'est faux.

— Je le sais, chuchota-t-elle d'une voix brisée.

Mais ce qu'elle ne savait pas, c'est qu'il mettrait un terme à leur impossible amour en épousant Amelia la semaine suivante.

Katherine assista au mariage aux côtés de sa grand-mère et jamais, tout au long de sa vie, Charles n'oublia le regard accusateur que Katherine posa sur lui tandis qu'il prononçait les vœux qui le liaient à une autre femme.

Deux mois plus tard, elle épousa un médecin irlandais et s'embarqua avec lui pour l'Amérique. Il savait pertinemment qu'elle avait agi ainsi pour se venger de sa grand-mère, et parce qu'elle ne supportait pas de rester à proximité de Charles et de sa femme. Elle l'avait également fait pour lui prouver qu'elle l'aimait au point de pouvoir s'exiler sur un autre continent... mais sans lui, malheureusement.

La même année, le frère aîné de Charles fut tué au cours d'un duel alors qu'il avait bu et Charles hérita du duché. Le titre accompagnait une fortune toute relative qui pourtant aurait suffi à offrir à Katherine un luxe raisonnable. Mais la jeune femme était partie. Charles se moquait de cet argent ; il se moquait de tout désormais.

Peu de temps après, son autre frère missionnaire mourait aux Indes et, seize ans plus tard, son épouse Amelia disparaissait à son tour.

La nuit qui suivit ses funérailles, Charles s'enivra comme cela lui arrivait fréquemment à cette époque. Mais ce soir-là, tandis qu'il buvait tout seul dans sa maison, il pensa pour la première fois à sa propre mort. Charles n'avait pas d'héritier : le nom des Fielding, leur titre et le duché s'éteindraient avec lui.

Au cours de ses seize années de mariage, Charles avait vécu dans une sorte de cocon vide mais, tandis que se déroulait devant ses yeux sa vie creuse, inutile, un nouveau sentiment naquit peu à peu en lui. Cette vague sensation de malaise se transforma en dégoût, puis en ressentiment et, lentement, très lentement, la fureur s'installa. Il avait perdu Katherine, il avait gâché seize ans de sa vie aux côtés d'une épouse insipide qu'il n'aimait pas, et voilà qu'il s'apprêtait à mourir sans héritier. Pour la première fois depuis quatre cents ans, la couronne ducale des Fielding menaçait de leur échapper. Tout à coup Charles se réveillait, et il était décidé à la conserver coûte que coûte.

Il fallait bien reconnaître que les Fielding n'avaient jamais brillé par leurs exploits ni leur valeur jusqu'alors, mais le titre leur appartenait, sacrebleu !

Pour avoir un héritier, il était obligé de se remarier. Mais après les libertinages de sa jeunesse, il avait perdu le goût des ébats sexuels. Il songea avec une ironie désabusée à toutes ses jolies maîtresses d'antan, à la ravissante danseuse française avec laquelle il avait eu une liaison et qui lui avait offert un bâtard...

Soudain, la joie le fit bondir sur ses pieds. Nul besoin de se remarier, l'héritier était tout trouvé ! Jason était là. Charles n'était pas certain de pouvoir lui transmettre son titre par les voies légales, mais cela n'avait aucune importance. Jason était un Fielding et ceux qui connaissaient son existence le prenaient tous pour le neveu — parfaitement légitime — de Charles.

Le lendemain, Charles fit entreprendre une enquête en Inde qui dura deux longues années au bout desquelles il reçut enfin une réponse. Le détective n'avait pu retrouver les traces de sa belle-sœur mais il avait découvert que Jason avait fait fortune dans le négoce maritime à Delhi. Le rapport commençait par donner ses coordonnées. Suivaient toutes les informations que le détective avait pu recueillir sur le passé du jeune homme.

La fierté qu'éprouva Charles devant la réussite financière de son fils fut rapidement chassée par l'horreur qui le saisit en apprenant les sévices auxquels sa belle-sœur avait soumis l'innocent petit garçon qu'il lui avait confié. A la fin du rapport, il en était malade de dégoût.

Plus déterminé que jamais à faire de Jason son héritier légitime, Charles lui écrivit pour le prier de rentrer en Angleterre afin d'accomplir les formalités nécessaires.

Comme Jason ne répondait pas, il prit le bateau pour Delhi. Bourrelé de remords mais résolu, il se rendit dans la magnifique demeure de Jason. Le détective avait dit vrai : marié, Jason avait un fils et vivait comme un nabab.

Il expliqua à Charles qu'il ne désirait pas entretenir de rapports avec lui et rejeta l'héritage qu'il lui proposait. Obstiné, Charles demeura en Inde plusieurs mois et, à force de patience et d'entêtement, réussit à convaincre son fils qu'il n'avait jamais su ni même imaginé les abus inqualifiables qu'il avait endurés. Par contre, il échoua à le convaincre de rentrer en Angleterre.

Melissa, la ravissante épouse de Jason, était folle de joie à l'idée de partir à Londres pour devenir la marquise de Wakefield, mais Jason demeura sourd aux scènes que lui fit sa femme comme aux supplications de Charles. Jason se moquait éperdument des titres de noblesse et la perspective de voir la couronne ducale échapper à sa famille ne le troublait pas.

Charles avait presque perdu tout espoir de le convaincre quand il tomba sur un argument de poids. Un soir, tandis qu'il regardait Jason jouer avec son petit garçon, il eut une illumination. Il existait un être pour lequel Jason aurait fait n'importe quoi : son fils. Il changea de tactique : au lieu de persuader Jason qu'il gagnerait tout à rentrer en Angleterre, il lui fit valoir qu'en refusant l'héritage, Jason privait son fils de ses droits. Le titre et tout ce qui l'accompagnait reviendraient un jour à Jamie...

La ruse réussit.

Jason engagea un homme compétent pour gérer ses affaires à Delhi et gagna avec sa famille l'Angleterre. Dans le but avoué d'offrir un « empire » à son fils, Jason dépensa des sommes astronomiques pour restaurer Atherton et le domaine retrouva une splendeur qu'il avait rarement connue dans le passé.

Tandis que Jason supervisait les travaux de restauration, Melissa se précipita à Londres pour y prendre sa place dans la société londonienne. En moins d'un an, tout Londres était au courant des aventures sentimentales de la nouvelle marquise de Wakefield. Quelques mois plus tard, elle et son fils trouvaient la mort...

Charles se secoua pour sortir de sa rêverie et se tourna vers Victoria :

— Si nous dérogions aux coutumes ce soir ? Au lieu de nous retirer seuls au fumoir, cela vous dérangerait-il que nous buvions notre porto en votre présence ? Je déteste l'idée de devoir me priver de votre compagnie.

Victoria ne connaissait pas cette coutume et se prononça gaiement pour son abolition momentanée. Mais alors qu'ils pénétraient dans le petit salon rose et or, Charles la retint et lui souffla tout bas :

— J'approuve votre décision de ne plus porter le deuil, ma chère. Votre mère détestait le noir ; elle me l'avait confié car on l'avait obligée toute petite à observer le deuil de ses parents.

Son regard pénétrant rencontra celui de Victoria :

— L'avez-vous décidé de votre propre chef ?

— Non, reconnut Victoria avec franchise. M. Fielding m'a pris toutes mes robes aujourd'hui et les a fait remplacer.

Son oncle hocha gravement la tête.

— Jason hait tout ce qui se rapporte au deuil mais, si j'en crois les regards furieux que vous lui avez décochés pendant le souper, vous n'approuvez pas son initiative. Dites-le-lui, l'encouragea Charles. Ne vous laissez pas intimider par lui, mon petit ; il a horreur de la lâcheté.

— Mais je ne veux pas vous contrarier, lui confia Victoria, embarrassée. Vous m'avez dit que vous aviez le cœur fragile.

— Ne vous en faites pas pour moi, répondit-il en riant. Mon cœur est fragile, certes, mais il est encore capable de supporter ça. Un peu d'animation lui fera au contraire beaucoup de bien. Si vous saviez combien ma vie était terne avant votre arrivée !

Jason s'installa avec son porto et un cigare, et Victoria essaya à plusieurs reprises de suivre les recommandations de Charles. Mais dès qu'elle le regardait, le courage lui manquait. Ce soir-là, il avait revêtu un superbe costume gris anthracite sur un gilet bleu nuit et une chemise en soie gris perle. En dépit de son élégance et de sa nonchalance désinvolte, il émanait de lui une extraordinaire puissance. Ce je-ne-sais-quoi de primitif donnait à Victoria l'impression désagréable de se trouver en face d'un gentleman élégant sous lequel se cachait un être farouche, presque sauvage.

Il bougea et Victoria lui jeta un nouveau regard furtif. Il fumait, sa tête brune rejetée en arrière et les mains sur les accoudoirs de son fauteuil, son visage bronzé plongé dans l'ombre. Un frisson la parcourut tandis qu'elle songeait aux sombres secrets que devait receler son passé. Il devait y en avoir beaucoup pour qu'il fût devenu aussi cynique et inabordable. Il était de ces hommes qui ont tout vu, tout vécu, des scènes abominables qui vous rendent dur et insensible. Et pourtant il était beau, d'une beauté dangereuse et diabolique, avec ces cheveux de jais, ces yeux verts, ce corps superbe. Victoria était bien forcée de l'admettre et, si elle n'avait pas eu si peur, elle aurait aimé bavarder avec lui. Il aurait été tentant d'essayer de l'apprivoiser, mais autant vouloir apprivoiser le diable !

Victoria respira profondément et ouvrit la bouche pour lui demander, poliment mais fermement, de lui rendre ses robes. A cet instant Northrup apparut et annonça la visite de lady Kirby et de sa fille.

Victoria vit Jason se raidir et jeter un regard sardonique à Charles qui haussa les épaules pour toute réponse.

— Renvoyez-les… commença-t-il.

Mais il était trop tard.

— Inutile de nous annoncer, Northrup, déclara une voix décidée tandis qu'une femme imposante entrait dans le salon dans un envol de jupons.

Elle traînait dans son sillage un parfum capiteux ainsi qu'une jolie jeune fille brune qui devait avoir l'âge de Victoria.

— Charles ! s'exclama lady Kirby, radieuse. J'ai entendu dire que vous étiez passé au village ce matin en compagnie d'une jeune demoiselle du nom de Seaton. Je tiens absolument à faire sa connaissance !

Elle se tourna vers Victoria :

— Je suppose que j'ai affaire à Mlle Seaton ?

Elle s'interrompit pour examiner attentivement la jeune fille, comme si elle cherchait un défaut, ce qu'elle trouva effectivement.

— Quelle drôle de petite fente vous avez là sur le menton, ma chère. Comment vous êtes-vous fait cela ? Etait-ce un accident ?

— Oui, de naissance, répliqua Victoria que cette femme ahurissante fascinait trop pour qu'elle lui en voulût.

Elle commençait en fait à se demander si toute l'Angleterre était peuplée de ces êtres excentriques, mal élevés et dépourvus de tact dont on tolérait les frasques simplement parce qu'ils étaient nobles.

— Quelle tristesse ! se lamenta outrageusement lady Kirby. Cela vous dérange-t-il... ou cela vous fait-il souffrir ?

— Oh ! Seulement lorsque je me regarde dans un miroir, répondit Victoria, luttant contre le fou rire.

Déçue, lady Kirby fit une pirouette et vint se planter devant Jason qui s'était levé et se tenait devant le feu, un coude appuyé sur la cheminée.

— Alors, Wakefield, cette annonce dans le journal était donc exacte. Pour être franche, je n'y croyais pas. Alors, est-ce vrai oui ou non ?

Jason haussa les sourcils.

— De quoi parlez-vous ?

D'une voix retentissante, Charles couvrit la réponse de lady Kirby :

— Northrup ! Veuillez servir un rafraîchissement à ces dames.

Tout le monde s'assit, Mlle Kirby choisit un fauteuil voisin de celui de Jason tandis que Charles faisait glisser la conversation sur le temps. Lady Kirby l'écouta avec impatience jusqu'à ce que le sujet fût épuisé ; elle se tourna vers Jason et jeta sans ambages :

— Wakefield, vous êtes fiancé ?

— Non, répondit Jason, glacial, en portant son verre à ses lèvres.

Victoria observa les réactions variées que suscita ce simple mot. Le visage de lady Kirby s'illumina, sa fille parut aux anges, Charles prit une tête d'enterrement et Jason conserva son masque impénétrable. Pauvre Jason, songea soudain Victoria. Voilà pourquoi il était si revêche et si dur ! Quoi d'étonnant si la femme qu'il aimait venait de rompre leurs fiançailles ? Mais elle ne comprit pas pourquoi les dames Kirby lui lancèrent un regard interrogateur.

Elle leur sourit poliment et lady Kirby poursuivit d'un air dégagé :

— Très bien. Dans ce cas, Charles, je suppose que c'est vous qui vous chargerez de cette pauvre Mlle Seaton pour ses débuts dans le monde ?

— Je veillerai à ce que la comtesse de Langston ait la place qui lui est due dans la société, rectifia froidement Charles.

— La comtesse de Langst... balbutia lady Kirby, abasourdie.

Charles inclina la tête.

— Victoria est la fille aînée de Katherine Langston et elle a hérité du titre de sa mère.

— Qu'importe, reprit lady Kirby, vexée, vous aurez du mal à lui trouver un parti.

Elle se tourna vers Victoria, débordant d'une fausse sollicitude :

— Votre maman a suscité un véritable tollé lorsqu'elle s'est enfuie avec cet ouvrier irlandais, vous savez.

Victoria fit un effort surhumain pour maîtriser son indignation et rectifia :

— Ma mère a épousé un *médecin* irlandais.

— Sans l'autorisation de sa grand-mère, riposta lady Kirby. Les jeunes filles bien élevées ne se marient pas contre la volonté de leur famille dans notre pays.

L'allusion à la prétendue mauvaise éducation de sa mère révolta Victoria qui serra si fort les poings que ses ongles lui rentrèrent dans la chair.

— Oh, les gens sauront passer l'éponge, poursuivit généreusement lady Kirby. Mais vous aurez beaucoup à apprendre avant d'être présentée au beau monde. Il vous faudra connaître l'étiquette, savoir comment l'on s'adresse à un pair, à sa femme ou à ses enfants en fonction de leur rang, les règles qui régissent les visites de courtoisie, la place de chacun à table. Rien que ce dernier point vous prendra des mois. Qui peut-on asseoir à côté de qui, etc. Vous autres Américains, vous ignorez tout cela mais, en Angleterre, nous attachons une extrême importance à ces détails.

— C'est peut-être la raison pour laquelle vous perdez toujours la guerre contre nous, ironisa Victoria, fermement décidée à défendre sa famille et son pays.

Le regard de lady Kirby se durcit.

— N'y voyez aucune malveillance. Mais je vous conseille de tenir votre langue si vous souhaitez vous trouver un bon parti et faire oublier la conduite de votre mère.

Victoria se leva et, très digne, répondit avec sérénité :

— J'aurai surtout du mal à être à sa hauteur.

Ma mère était la plus douce et la meilleure des femmes. A présent, si vous voulez bien m'excuser, j'ai des lettres à écrire.

Victoria sortit et se rendit dans l'immense bibliothèque dont les hauts murs étaient tapissés de livres. D'épais tapis persans recouvraient le parquet ciré. Trop contrariée pour écrire à sa sœur ou à Andrew, elle examina les titres des ouvrages. Elle survola les rayonnages traitant d'histoire, de mythologie ou de négoce et s'arrêta sur la poésie. Son regard distrait passait d'un auteur à l'autre : Milton, Shelly, Keats, Byron. Au hasard, elle sortit un mince recueil de poésie qui dépassait de l'étagère puis s'installa confortablement dans un fauteuil.

Elle augmenta l'éclairage et ouvrit le livre. Un feuillet rose, parfumé, s'en échappa et tomba par terre. Instinctivement, Victoria se pencha pour le ramasser et s'apprêtait à le réinsérer dans le volume quand les premiers mots du billet lui sautèrent aux yeux. Ils étaient écrits en français :

Cher Jason,
Je me languis de vous. Je meurs d'impatience de vous revoir et les heures me paraissent interminables...

Victoria eut beau se dire qu'elle commettait là un acte inqualifiable, l'idée qu'une femme désirât ardemment revoir Jason Fielding lui paraissait si incroyable qu'elle ne put contenir sa curiosité. Pour sa part, elle avait plutôt tendance à souhaiter l'inverse ! Absorbée par sa découverte, elle n'entendit pas Jason traverser le hall en compagnie de Mlle Kirby et poursuivit sa lecture :

... je vous envoie ces jolis vers en espérant que vous les lirez et qu'ils vous feront penser à moi et aux merveilleuses nuits que nous avons passées...

— Victoria! appela Jason d'une voix irritée depuis le couloir.

Prise en faute, Victoria bondit sur ses pieds, laissant tomber dans sa précipitation le recueil de poésie. Elle le ramassa prestement et se rassit. Elle le rouvrit au hasard et feignit de lire, sans s'apercevoir que le livre était à l'envers.

— Pourquoi ne répondez-vous pas? fit Jason en entrant dans la bibliothèque avec la charmante Mlle Kirby suspendue à son bras. Johanna voulait vous faire ses adieux et s'offrait de vous accompagner au village au cas où vous auriez des emplettes à faire.

Après la récente attaque de lady Kirby, Victoria restait sur ses gardes.

— Pardonnez-moi, fit-elle en s'efforçant de paraître sereine. J'étais plongée dans ma lecture et je ne vous ai pas entendu.

Elle referma son livre et se leva, tâchant de dissimuler son trouble. L'air outré de Jason la fit reculer d'un pas.

— Quelque chose ne va pas? s'alarma-t-elle.

Il devait s'être rappelé le petit mot laissé dans le livre et la soupçonnait de l'avoir lu.

— Oui, fit-il sèchement en se tournant vers Mlle Kirby qui dévisageait Victoria avec la même expression de stupeur. Johanna, connaîtriez-vous un précepteur qui pourrait lui apprendre à lire?

— M'apprendre à lire? répéta Victoria qui n'en croyait pas ses oreilles. Mais... je sais lire!

Sans l'écouter, Jason regarda Mlle Kirby:

— Pouvez-vous me donner le nom d'un précepteur ?

— Oui, monsieur. Je pense que M. Watkins, notre pasteur, serait parfaitement capable de s'acquitter de cette tâche.

La coupe était pleine et Victoria sentit cette fois la moutarde lui monter au nez :

— C'est absurde ! Je n'ai pas besoin de précepteur. Je vous dis que je sais lire.

La voix de Jason se fit coupante :

— Ne vous avisez plus de me mentir. J'ai horreur du mensonge, surtout chez les femmes. Vous ne savez pas lire un seul mot.

— Mais c'est incroyable ! s'emporta Victoria sans se soucier de l'air horrifié de Mlle Kirby. Puisque je vous dis que je sais lire !

Hors de lui, Jason fit trois enjambées, s'empara du livre et le fourra entre les mains de Victoria.

— Eh bien, lisez !

Furieuse et humiliée, surtout devant Mlle Kirby qui ne dissimulait pas sa jubilation, Victoria ouvrit brutalement le livre et tomba sur le billet doux.

— Allez-y, railla Jason. Montrez-nous comment vous lisez.

Victoria lui jeta un regard en coin avant d'insister :

— Vous tenez *absolument* à ce que je vous le lise à voix haute ?

— A voix haute ! décréta Jason.

— Devant Mlle Kirby ?

— Lisez, ou alors reconnaissez que vous en êtes incapable.

— Très bien.

Réprimant un sourire narquois, elle déclama :

— « Cher Jason, Je me languis de vous. Je meurs d'impatience de vous revoir et les heures me paraissent interminables. Je vous envoie ces jolis vers en espérant que vous les lirez et qu'ils vous feront penser à moi et aux merveilleuses nuits que nous... »

Jason lui arracha le livre des mains. Haussant un sourcil étonné, Victoria le regarda droit dans les yeux et précisa ironiquement :

— Ce billet est rédigé en français. Je vous l'ai traduit au fur et à mesure que je le lisais.

Puis elle se tourna vers Mlle Kirby :

— Je n'ai pas tout lu, bien sûr. Mais je ne crois pas que ce soit le genre de lecture qui convienne à des jeunes filles bien élevées. N'êtes-vous pas de mon avis ?

Et sans leur laisser le temps de répondre, Victoria tourna les talons et quitta la pièce la tête haute.

Lady Kirby se trouvait dans le hall d'entrée, sur le départ. Victoria la salua froidement et se dirigea vers l'escalier dans l'espoir d'esquiver les foudres de Jason. Mais les mots qui résonnèrent dans son dos lui firent l'effet d'une telle gifle qu'elle en oublia tout le reste :

— Ma chère enfant, n'en veuillez pas à lord Fielding, déclara lady Kirby tandis que Northrup lui tendait son manteau. Personne n'a cru à ces fiançailles. Tout le monde était convaincu que, le jour même de votre arrivée, Jason trouverait un moyen de se récuser. Ce coquin a toujours laissé entendre qu'il n'épouserait...

Charles la poussa vers la sortie sous le prétexte de l'escorter jusqu'à sa voiture tandis que Victoria faisait volte-face. Superbe, vibrante d'indignation, elle foudroya Jason du regard.

— Dois-je comprendre que ces fiançailles étaient les nôtres ? lança-t-elle, outrée.

Jason se contenta de serrer les mâchoires mais

ce silence était à lui seul un aveu. Elle lui jeta un regard assassin sans remarquer la présence des domestiques interdits et paralysés d'effroi.

— Comment osez-vous! siffla-t-elle. Comment osez-vous laisser planer l'éventualité d'un tel mariage! Je ne vous épouserai jamais, dussé-je en...

— Je ne me souviens pas de vous l'avoir demandé, l'interrompit Jason, sarcastique. Mais je suis ravi de savoir que, si d'aventure je perdais la tête au point de vous demander en mariage, vous auriez la bonté de m'éconduire.

Ainsi, elle ne réussissait pas à ébranler son assurance tandis qu'elle-même perdait son sang-froid! Les larmes lui montèrent aux yeux et elle rétorqua avec mépris :

— Vous n'êtes qu'un monstre! Vous êtes froid, insensible, arrogant, et vous ne respectez personne, pas même les morts! Il faudrait être folle pour vous aimer! Vous êtes un...

Sa voix se brisa et elle courut se réfugier dans sa chambre.

Jason la contemplait depuis le hall. A ses côtés, le majordome et deux valets pétrifiés attendaient le moment où leur maître donnerait libre cours à sa colère et châtierait l'impudente. Après un long silence, pourtant, Jason enfouit les mains dans ses poches et se tourna vers son majordome :

— Eh bien, Northrup, j'en ai pris pour mon grade comme on dit vulgairement.

Northrup, affreusement gêné, avala bruyamment sa salive mais ne dit mot jusqu'au départ de son maître. Puis il pivota vers les deux valets :

— Retournez à votre travail et pas un mot de cette scène à qui que ce soit, vous m'entendez?

Et il sortit à grandes enjambées.

Encore abasourdi, O'Malley souffla à son compagnon :

— Elle m'a préparé un cataplasme qui m'a guéri ma rage de dents. Pendant qu'elle y est, elle pourrait en confectionner un autre pour soigner le mauvais caractère de Sa Seigneurie.

Sans attendre la réponse de son acolyte, il se rua aux cuisines pour raconter à Mme Craddock et à son personnel cette sidérante affaire. Depuis le départ de M. André que l'on devait à cette jeune fille débarquée des Amériques, la cuisine était devenue un lieu de détente où l'on s'accordait des pauses quand l'œil d'aigle de Northrup était fixé ailleurs.

Une heure plus tard, tout le personnel que comptait le manoir était au courant. Tous étaient stupéfaits par l'attitude de Sa Seigneurie, qui s'était départie de sa glaciale dignité pour faire preuve d'une mansuétude tout à fait exceptionnelle envers la jeune invitée...

A l'étage, Victoria ôta d'une main tremblante les épingles qui retenaient ses cheveux et dégrafa sa robe pêche. Refoulant ses larmes, elle l'accrocha dans son armoire, enfila sa chemise de nuit et se glissa sous les draps. Elle avait le mal du pays. Ah, si seulement elle pouvait quitter cet endroit et mettre un océan entre elle et ces gens abominables ! C'était probablement la raison qui avait poussé sa mère à fuir l'Angleterre. Sa mère... Sa ravissante, son exquise, sa douce maman. Elle étouffa un sanglot. Cette lady Kirby n'arrivait pas à la cheville de Katherine Seaton !

Les souvenirs heureux affluèrent soudain : elle se rappela le jour où elle avait sali sa robe en cueillant un bouquet de fleurs des champs pour sa mère.

— Regarde, maman, comme c'est joli ! avait-elle dit fièrement. Je les ai cueillies pour toi... mais ma robe est toute tachée.

— Elles sont très très jolies, avait acquiescé sa mère en la serrant dans ses bras sans un reproche pour la robe. Mais pas autant que toi.

A sept ans, elle avait manqué mourir d'une fièvre maligne. Sa mère l'avait veillée nuit et jour, épongeant son front tandis que Victoria délirait. La cinquième nuit, elle s'était réveillée dans ses bras. Katherine se balançait en pleurant et en gémissant :

— Mon Dieu, sauvez ma petite fille, elle est si petite encore... Mon Dieu, je vous en supplie...

Derrière la porte de la chambre, Jason qui allait frapper, s'immobilisa en entendant les sanglots déchirants de Victoria. Il fronça les sourcils. Elle se sentirait probablement mieux après avoir pleuré tout son soûl, songea-t-il d'abord. D'un autre côté, elle allait se rendre malade à force de sangloter ainsi. Après une hésitation, il alla chercher un verre de cognac et revint devant la chambre de Victoria.

Il frappa à la porte comme elle l'en avait prié quelque temps auparavant mais, en l'absence de réponse, il poussa le battant. Debout près de son lit, il vit ses minces épaules secouées de sanglots.

— Victoria... murmura-t-il en posant une main sur son épaule.

Victoria se retourna et se dressa sur les coudes, ses beaux yeux bleus gonflés de larmes.

— Sortez d'ici ! siffla-t-elle d'une voix rauque. Sortez immédiatement avant qu'on ne s'aperçoive de votre présence !

Ebloui, Jason contemplait cette ravissante furie aux yeux myosotis. Elle évoquait un tableau de la

Renaissance italienne avec ses joues empourprées et son auréole de cheveux roux qui retombaient en cascade sur ses épaules. Sa chemise de nuit virginale la faisait ressembler à une pauvre petite fille abandonnée. Et pourtant c'était le défi qui brillait dans ses yeux et que trahissait son menton fier, volontaire. Mieux valait se méfier d'elle. Il se souvint de son impertinence dans la bibliothèque quand elle avait lu le billet doux qui lui était destiné, sans dissimuler le plaisir qu'elle y prenait. Melissa avait jusqu'à présent été la seule femme à lui tenir tête, mais elle ne le faisait pas ouvertement. Victoria Seaton, elle, le défiait en face.

Comme il ne bougeait pas, Victoria essuya ses larmes d'une main rageuse, remonta les draps jusqu'à son menton et s'adossa à ses oreillers.

— Imaginez-vous ce que diraient les gens s'ils vous savaient dans ma chambre ? grommela-t-elle entre ses dents. N'avez-vous donc aucun principe ?

— Aucun, reconnut-il sans se troubler. Je suis un pragmatique.

Il s'assit au bord du lit en ignorant le regard furibond que lui jetait Victoria.

— Tenez, buvez ça.

Il lui tendit le verre de cognac. Victoria fronça le nez et secoua la tête :

— Non.

— Buvez, ordonna-t-il calmement. Sans quoi je me verrai obligé de vous faire boire de force.

— Vous n'oseriez pas !

— Mais si, Victoria. Alors buvez ça comme une bonne petite fille. Vous vous sentirez mieux après.

Victoria comprit qu'il était inutile de protester, elle ne se sentait pas d'attaque à lutter. A contrecœur, elle avala une gorgée de ce maudit breuvage et tenta de repousser le verre.

— Je me sens beaucoup mieux, mentit-elle.

Une lueur amusée brilla dans les yeux de Jason mais sa voix demeura implacable :

— Buvez le reste.

— Vous partirez ensuite ?

Il acquiesça. Elle se hâta alors de s'exécuter comme s'il s'agissait d'un médicament écœurant et s'étrangla en buvant. Puis elle retomba sur ses oreillers, tandis qu'une chaleur bienfaisante se diffusait en elle.

Jason resta un instant silencieux puis déclara calmement :

— Je tiens d'abord à vous dire que c'est Charles qui a passé cette annonce dans le journal, et pas moi. Secundo, vous n'auriez pas souhaité davantage que moi ces fiançailles. Ai-je raison ?

— Absolument.

— Et vous pleurez parce que nous ne sommes pas fiancés ? Expliquez-moi pourquoi.

Victoria lui lança un regard dédaigneux :

— Je ne pleurais pas !

— Tiens donc ? (Amusé, Jason regarda les larmes qui perlaient encore à ses beaux cils recourbés et lui tendit un mouchoir.) Alors ce nez rouge, ces yeux bouffis, ce teint de papier mâché et ce...

Victoria, adoucie par le cognac, sentit le comique de la situation et se tamponna le nez d'un geste affecté.

— Ça n'est pas très courtois de votre part de me le faire remarquer.

Un sourire nonchalant éclaira soudain le visage austère de Jason :

— Dieu sait hélas ! que vous n'avez jamais eu l'occasion de vérifier ma courtoisie !

Le désespoir exagéré que trahissait sa voix fit sourire Victoria malgré elle.

— Hélas non, renchérit-elle. Je ne pleurais pas à cause de ces stupides fiançailles. Celles-ci m'ont contrariée, voilà tout.

— Alors pourquoi pleuriez-vous ?

Elle fit tourner le verre entre ses paumes.

— Je pleurais à cause de ma mère. Lady Kirby a dit que je devrais faire oublier sa mauvaise réputation et cela m'a mise tellement hors de moi que je n'ai rien trouvé à répondre.

Elle lui glissa un coup d'œil à travers ses cils mi-clos et s'aperçut qu'il semblait sincèrement touché. Elle poursuivit alors d'une voix émue :

— Ma mère était douce, bonne et aimante. Je me suis souvenue combien elle était merveilleuse et cela m'a fait pleurer. Vous savez, depuis la mort de mes parents, je suis sujette à ces... petits accès de désespoir.

— Il est parfaitement normal de pleurer ceux que l'on aime, la rassura-t-il d'une voix si douce qu'elle crut avoir mal entendu.

Si étrange que cela parût, elle se sentait à présent rassérénée par sa présence, sa voix grave et profonde. Elle secoua la tête et avoua piteusement :

— En fait, c'était sur moi que je pleurais. Je me sentais horriblement lâche.

— Vous savez, Victoria, j'ai vu pleurer des hommes très courageux, observa-t-il avec calme.

Victoria examina son visage dur, taillé à coup de serpe. Malgré l'éclairage tamisé des bougies, il paraissait invulnérable. Jamais les larmes n'avaient dû couler de ces yeux verts. Grisée par le cognac, Victoria oublia son habituelle réserve et l'interrogea timidement :

— Avez-vous déjà pleuré ?
Elle le vit redevenir distant :
— Non.
— Même pas lorsque vous étiez petit, le taquina-t-elle.
— Même pas, coupa-t-il sèchement.
Il esquissa un mouvement brusque pour se lever mais Victoria le retint impulsivement par la manche. Il contempla les jolis doigts fins posés sur son bras et, relevant la tête, plongea son regard dans le sien.
— Monsieur Fielding, commença Victoria, essayant maladroitement de faire durer cette trêve le plus longtemps possible, je sais que ma présence ici vous déplaît, mais je vous promets que je ne resterai pas longtemps. Dès qu'Andrew viendra me chercher, je partirai.
— Vous pouvez rester aussi longtemps qu'il vous plaira, répondit Jason en haussant les épaules.
— Merci, répliqua Victoria, réellement perplexe devant les sautes d'humeur de cet homme étrange. Mais ce que je voulais dire, c'est que... hem, j'aimerais que nos rapports soient... plus amicaux.
— De quel type d'amitié voulez-vous parler, madame ?
Victoria ne perçut pas l'ironie de sa question.
— Eh bien, nous sommes parents, éloignés certes, mais parents tout de même. (Elle s'interrompit un instant pour le dévisager.) Je n'ai plus de famille, à l'exception d'oncle Charles et de vous-même. Croyez-vous que nous pouvons nous considérer comme des cousins ?
Sa proposition parut tout d'abord le sidérer. Puis, amusé, il acquiesça :
— Cela me paraît possible.
— Merci !

— Et maintenant dormez.

Obéissante, elle se blottit sous les couvertures.

— Oh ! J'ai oublié de vous demander pardon... pour ce que je vous ai dit tout à l'heure dans l'escalier, j'étais si fâchée, vous comprenez.

Il esquissa un sourire.

— Vous le regrettez vraiment ?

A moitié endormie, Victoria haussa un sourcil et sourit avec espièglerie.

— Vous l'aviez bien mérité.

— C'est vrai, reconnut-il en lui rendant son sourire. Mais ne tirez pas trop sur la corde.

Réprimant son envie de lui caresser les cheveux, Jason gagna sa chambre où il se versa un verre de cognac. Après quoi il s'assit et posa les pieds sur son bureau. Pourquoi cette Victoria Seaton éveillait-elle chez lui cet instinct protecteur ? Alors qu'il avait eu l'intention de la renvoyer *manu militari* en Amérique — avant qu'elle ne mît sa maison sens dessus dessous. Peut-être parce qu'elle semblait si perdue et si vulnérable, si jeune et si fragile. C'était peut-être aussi sa candeur, ou alors ses yeux immenses qui le dévisageaient comme si elle cherchait à lire dans son cœur. Victoria n'était pas une coquette, elle n'avait nul besoin d'artifices pour appâter les hommes, songea-t-il. Ses yeux seuls auraient suffi à damner un saint.

8

— Je ne sais comment vous dire à quel point je déplore l'incident d'hier soir, déclara Charles, désolé, au petit déjeuner le lendemain. J'ai eu tort de faire passer cette annonce mais j'espérais tellement que vous vous plairiez l'un à l'autre. Cette Kirby est une vieille bique et sa fille tourne autour de Jason depuis bientôt deux ans. Voilà pourquoi elles se sont ruées ici pour vous voir.

— Ne revenez pas là-dessus, oncle Charles, répondit gentiment Victoria. Il n'y a pas eu de mal.

— Soit, mais parmi tous ses défauts, Kirby en possède un pire encore que les autres : c'est une redoutable commère. Maintenant qu'elle s'est assurée de votre présence à Wakefield, elle va en informer la ville comme la campagne. Nous allons être assaillis de visites. Il faut vous trouver un chaperon sans tarder pour couper l'herbe sous le pied des médisants.

Il leva les yeux à l'arrivée de Jason tandis que Victoria, tendue, formait des vœux pour que leur trêve de la veille tînt encore.

— Jason, j'étais en train d'expliquer à Victoria la nécessité de lui trouver un chaperon. J'ai pensé à Flossie Wilson, ajouta-t-il, faisant allusion à sa tante célibataire qui s'occupait autrefois du petit Jamie. C'est une oie, je te l'accorde, mais c'est ma seule parente. Et malgré son peu de jugeote, Flossie connaît toutes les ficelles de la vie en société.

— Parfait, répondit distraitement Jason en s'approchant de la jeune fille.

Il se pencha vers elle, le visage plus indéchiffrable que jamais :

— J'espère que vous ne souffrez pas de votre écart de la nuit dernière — je veux parler du cognac.

— Pas du tout, répondit-elle avec vivacité. A vrai dire, je n'ai pas trouvé ça mauvais, il faut simplement s'y habituer.

Un sourire éclaira son visage bronzé et le cœur de Victoria manqua un battement. Jason Fielding avait un sourire irrésistible !

— N'y prenez pas trop goût, la taquina-t-il avant d'ajouter : ... ma cousine.

Un peu plus tard, absorbée par des projets destinés à conquérir l'amitié et l'estime de Jason, Victoria n'écoutait pas les deux hommes qui bavardaient entre eux, mais la voix de Jason la tira de sa rêverie.

— Vous m'avez entendu, Victoria ?

Interdite, elle confessa :

— Pardonnez-moi, je n'ai pas écouté ce que vous disiez.

— Vendredi, je reçois un voisin qui revient de France. Si son épouse l'accompagne, j'aimerais vous la présenter. (Victoria se réjouit de cette preuve d'estime mais la suite fit s'évanouir son enthousiasme.) La comtesse de Collingwood est le parfait exemple à suivre. Je vous conseille de bien observer sa conduite et de tout faire pour l'imiter.

Victoria rougit comme une enfant mal élevée à qui l'on montre en exemple une petite camarade. Elle avait déjà fait la connaissance de quatre aristocrates anglais : Charles, Jason, lady Kirby et Mlle Johanna Kirby. A l'exception de Charles, elle les trouvait tous insupportables et la perspective d'en rencontrer deux de plus ne la réjouissait guère. Mais elle refréna son humeur et répondit poliment :

— Merci beaucoup, j'ai hâte de faire leur connaissance.

Les quatre jours suivants s'écoulèrent agréablement pour Victoria qui écrivait ou passait son temps en compagnie de Charles. Le cinquième jour, elle descendit après le déjeuner aux cuisines pour y chercher de quoi nourrir Willie.

— Ce chien va devenir obèse si vous continuez comme ça, la prévint Mme Craddock avec bonhomie.

— Oh, ça n'est pas pour demain, rétorqua Victoria en lui rendant son sourire. Pouvez-vous me donner cet os ?

Mme Craddock acquiesça et Victoria allait sortir quand elle se ravisa :

— Hier soir, M. Field... heu... Sa Seigneurie, rectifia-t-elle en voyant les domestiques se figer à la seule mention de Jason. Sa Seigneurie a dit qu'il n'avait jamais goûté un canard aussi délicieux. Je ne suis pas sûre qu'il vous en ait fait part, reprit-elle, sachant pertinemment qu'il n'en avait rien fait. Mais j'ai songé que cela vous ferait plaisir de le savoir.

Les joues rebondies de Mme Craddock s'empourprèrent de plaisir.

— Merci, madame.

Victoria lui fit signe en souriant que le cérémonieux « madame » était inutile et disparut.

— Ça oui, c'est une vraie dame, renchérit Mme Craddock à l'intention de son personnel. Douce et bonne, contrairement à ces péronnelles insipides que Sa Seigneurie nous ramène parfois de Londres. O'Malley m'a dit qu'elle était comtesse. Il a entendu Sa Grâce le dire l'autre soir à lady Kirby...

Victoria se rendit à l'endroit où elle déposait quotidiennement sa nourriture à Willie. Mais cette fois, au lieu de se cantonner prudemment dans les fourrés, l'animal fit quelques pas en la voyant arriver.

— Regarde ce que je t'ai apporté, Willie, dit-elle tout bas.

Le cœur battant, elle vit l'énorme bête au poil argenté s'approcher.

— Si seulement tu me laissais te caresser, poursuivit-elle en avançant imperceptiblement sans lâcher l'écuelle. Je t'apporterai encore un bon os après le dîner.

Le chien s'immobilisa, la fixant d'un œil craintif. Victoria s'approcha encore plus près et poursuivit :

— Je sais que tu as faim, je suis ton amie, tu sais. Mais tu te méfies et tu as raison. (Elle déposa le bol par terre.) En fait, je suis aussi seule que toi, alors nous pourrions être amis. Je n'ai jamais eu de chien, tu te rends compte ?

Les yeux de l'animal se braquèrent avec convoitise sur l'écuelle puis revinrent se poser sur elle. Il finit par avancer sans la quitter du regard, même lorsqu'il se jeta voracement sur la nourriture. Victoria continuait à murmurer d'une voix apaisante :

— A quoi songeait M. Fielding quand il t'a baptisé ? Tu n'as pas une tête à t'appeler Willie. Moi je t'aurais nommé Sultan, ou encore Wolf.

Lorsqu'il eut terminé, le chien recula et Victoria tendit prestement sa main gauche, qui tenait l'os.

— Viens le chercher si tu le veux.

Il fixa l'os quelques secondes puis il mordit

brusquement dedans et le lui arracha des mains. Mais au lieu d'emporter son butin dans les bois, elle eut la satisfaction de le voir hésiter avant de s'allonger à ses pieds pour le mâchonner. Toute sa journée en fut illuminée, elle ne se sentait plus indésirable à Wakefield, les deux Fielding étaient devenus ses amis et bientôt Willie le deviendrait à son tour. Elle s'agenouilla et caressa sa grosse tête hirsute.

— Tu as besoin d'un bon coup de brosse, tu sais ? Ah, si seulement Dorothée était là. Elle adore les animaux et ils le lui rendent bien. Elle aurait tôt fait de t'apprendre des tours.

— Sa voiture a rompu un essieu et ce sont des fermiers qui me l'ont amenée, racontait Jason à Robert Collingwood avec un sourire sarcastique. Pendant qu'ils déposaient sa malle, deux de leurs porcs se sont échappés et Victoria a réussi à en attraper un. En voyant le cochon, Northrup l'a prise pour une paysanne et lui a indiqué l'entrée de service. Comme Victoria regimbait, il a ordonné à un valet de la flanquer dehors, acheva-t-il en versant un verre de bordeaux à son ami.

— Sapristi ! s'exclama le comte en riant aux éclats. Quelle réception !

Puis il poursuivit en levant son verre :

— A ton bonheur et à la persévérance de ta future épouse.

Un froncement de sourcil de Jason l'arrêta et il tenta de s'expliquer :

— Mais puisqu'elle est toujours là, j'en déduis que Mlle Seaton est armée d'une bonne dose de patience, ce qui chez une fiancée me paraît une qualité fort appréciable, non ?

— C'est Charles qui a pris l'initiative de cette

annonce dans le *Times*, rétorqua Jason. Victoria est l'une de ses cousines éloignées. Quand il a su qu'elle se retrouvait orpheline et sans famille et qu'elle s'apprêtait à venir le rejoindre, il a décrété qu'il fallait que je l'épouse.

— Sans même te demander ton avis? s'enquit Robert, incrédule.

— J'ai appris mes fiançailles en lisant le journal, comme toi.

Une lueur amusée brilla dans les yeux bruns et chaleureux du comte:

— J'imagine que tu as été surpris, fit-il, compatissant.

— Furieux, je dirais plutôt. A ce propos, j'aurais préféré que ta femme t'accompagne. J'aimerais que Victoria fasse sa connaissance. Elles ont presque le même âge et Caroline pourrait devenir son amie. Pour être honnête, Victoria en aura besoin. Sa mère a provoqué un scandale il y a vingt ans en épousant un obscur médecin irlandais, et la vieille lady Kirby a bien l'intention de faire ressortir toute l'affaire. Pour couronner le tout, Victoria est l'arrière-petite-fille de la duchesse de Claremont qui refuse catégoriquement de la reconnaître. Elle est donc bel et bien comtesse, mais cela ne suffira pas à la faire accepter par le gratin. Dieu merci, Charles est là pour la soutenir. Personne n'osera lui faire d'affront.

— Elle profitera aussi de ton prestige, observa Collingwood. Et il est considérable.

— Faux, coupa sèchement Jason. Mon prestige, comme tu dis, ne sert à rien quand il s'agit d'établir la réputation d'une jeune fille.

— Tu as raison, gloussa son ami.

— Quoi qu'il en soit, les Kirby sont les seuls échantillons de l'aristocratie anglaise qu'ait rencontrés Victoria. Je me suis dit que ta femme lui donnerait une meilleure impression de ce milieu. Je lui ai même cité en exemple les manières et la conduite de Caroline...

Robert renversa la tête en arrière et partit d'un rire sonore :

— Vraiment ? Tu n'as plus qu'à espérer que lady Victoria ne fera aucun cas de tes conseils. Caroline a des manières exquises, assez du moins pour te tromper et te laisser croire qu'elle est un modèle de bienséance, mais je passe mon temps à rattraper ses faux pas. Je n'ai jamais rencontré de fille plus têtue, acheva-t-il, mais sa voix vibrante de tendresse démentait ses paroles.

— Dans ce cas, Caroline et Victoria sont faites pour s'entendre, commenta Jason, laconique.

— Je te trouve bien intéressé par cette demoiselle, observa Robert en le fixant avec attention.

— Il se trouve que j'en suis le gardien, un point c'est tout.

Derrière la porte, Victoria rectifia le tombé de sa jupe de mousseline vert clair et toqua avant d'entrer. Jason était installé dans un fauteuil capitonné de cuir et bavardait avec un homme âgé d'une trentaine d'années. A sa vue, les deux hommes se turent et se levèrent avec un si parfait ensemble que leur ressemblance sauta aux yeux de la jeune fille. Comme Jason, le comte était grand, beau et athlétique. Mais ses cheveux étaient châtain clair et ses yeux noisette pétillaient de gentillesse. Il émanait de sa personne la même autorité tranquille que chez Jason mais lui ne faisait pas peur. L'humour brillait dans ses yeux et son sourire était plus amical que sarcastique.

— Pardonnez-moi de vous dévisager ainsi, s'excusa Victoria lorsque les présentations furent faites.

Mais en vous voyant tous les deux vous lever, j'ai été frappée par votre ressemblance.

— Je suis sûr que c'est un compliment, madame, répliqua Robert Collingwood avec un grand sourire.

— Hélas non, plaisanta Jason.

L'attention de Victoria fut alors attirée par un autre invité : un adorable garçonnet de trois ans qui se tenait derrière le comte. Bouche bée, il la contemplait émerveillé en serrant dans ses petits bras un bateau à voile. Avec ses boucles châtaines et ses yeux d'un brun doré, il était la vivante réplique de son père dont il imitait même la tenue vestimentaire : culotte de cheval et veste en peau, bottes en cuir fauve. Séduite, Victoria lui sourit.

— Je ne crois pas que nous ayons été présentés, glissa-t-elle, malicieuse.

— Pardonnez-moi, intervint le comte en souriant. Lady Victoria, reprit-il solennellement, permettez-moi de vous présenter mon fils, John.

Le bambin posa son bateau sur une chaise et s'inclina gravement. En réponse, Victoria s'abîma dans une profonde révérence qui arracha un rire cristallin à l'enfant. Puis il pointa un doigt potelé vers ses cheveux et se tourna vers son père :

— Rouge ! prononça-t-il, ravi.

Robert acquiesça.

L'enfant, rayonnant de plaisir, chuchota « Joli ! » et son père se mit à rire.

— John, tu es un peu jeune à mon goût pour conter fleurette aux dames !

— Mais je ne suis pas une dame ! s'exclama Victoria, absolument conquise par le délicieux bambin. Je suis un marin ! (L'enfant paru si sceptique qu'elle se dépêcha de poursuivre :) Mais si, et pas des moindres, crois-moi. Avec mon ami Andrew, je construisais des bateaux que les enfants faisaient naviguer. Mais les nôtres étaient moins beaux que le tien. Veux-tu que nous l'emmenions sur la rivière ?

Le petit garçon hocha la tête et Victoria quêta une approbation du côté du père.

— Je veillerai sur lui, promit-elle. Et sur le bateau, bien sûr...

Avec le consentement du comte, John glissa sa menotte dans la main de Victoria et tous deux sortirent du bureau.

— De toute évidence elle aime les enfants, observa Robert après leur départ.

— Elle-même est à peine sortie de l'enfance, rétorqua Jason.

Le comte jeta un regard à la ravissante jeune femme qui traversait l'entrée et haussa un sourcil amusé. Toutefois, il se garda bien d'émettre une objection.

Victoria passa une bonne heure au bord de la rivière. Assise sur une couverture, elle offrait ses bras et son visage à la caresse du soleil tout en racontant à John des histoires de pirates. L'enfant captivé écoutait en serrant bien fort le fil de pêche que leur avait donné Northrup pour attacher le bateau. Quand il commença à se lasser, elle lui prit la ficelle des mains et se mit à marcher le long du cours d'eau. Elle conduisit l'esquif à un endroit où la rivière devenait plus profonde et où, au sortir d'un petit pont de pierre, ses eaux tourbillonnaient autour d'un arbre mort.

— Tiens, dit-elle en lui rendant le fil. Mais ne le lâche pas, ou nous irons nous échouer contre cet arbre noueux.

— C'est promis, fit-il en contemplant, ravi, son

trois-mâts qui plongeait et tournoyait dans les remous.

Victoria se mit à flâner au bord de l'eau et avait entrepris de cueillir un bouquet quand l'enfant poussa soudain un cri perçant : la ficelle lui avait échappé des mains.

— Ne bouge pas ! cria-t-elle en courant vers lui.

L'enfant retenait bravement ses larmes et montrait du doigt le petit navire qui glissait droit vers l'arbre mort.

— Il est parti, hoqueta-t-il. C'est oncle Georges qui me l'avait construit. Il va être si triste...

Victoria hésitait. La rivière était profonde à cet endroit et il y avait du courant, mais elle et Andrew avaient plus d'une fois récupéré leurs bateaux dans une rivière bien plus dangereuse. Elle s'assura que personne ne pouvait les voir depuis la maison et se décida.

— Mais non, il n'est pas perdu, il est seulement échoué sur un récif, le consola-t-elle gaiement en serrant le petit garçon dans ses bras. Je vais aller le chercher. (Elle avait déjà enlevé ses sandales, ses bas et sa robe neuve en mousseline.) Assieds-toi ici, je vais y aller.

En chemise et jupon, Victoria avança jusqu'à ce qu'elle perdît pied. Alors elle se mit à nager à grandes brasses, bien mesurées, vers l'extrémité de l'arbre mort. Sous le pont, l'eau était glaciale et tourbillonnait autour des branches, mais elle n'eut aucun mal à trouver le bateau. En revanche, elle eut toutes les peines du monde à dépêtrer le fil des branches autour desquelles il s'était emmêlé. A la plus grande joie du petit John qui n'avait jamais dû voir quelqu'un nager de sa vie, elle plongea deux fois. Malgré la température de l'eau et ses habits trempés, ce bain forcé revigora Victoria qui savoura cette liberté retrouvée.

— Cette fois, je l'aurai, lança-t-elle à John en agitant la main. Ne bouge surtout pas d'ici, d'accord ?

L'enfant hocha la tête avec docilité et Victoria plongea une nouvelle fois en suivant la ficelle du bout de ses doigts transis.

— Northrup les a vus s'éloigner en direction du petit pont...

Jason s'interrompit brusquement en entendant un cri.

Les deux hommes se mirent à courir et coupèrent à travers la pelouse pour rejoindre le pont au plus vite. Glissant et pataugeant, ils dévalèrent les berges escarpées à la rencontre du petit John. Robert Collingwood attrapa son fils par les épaules et lui demanda d'une voix rauque :

— Où est-elle ?

— Sous le pont, répondit le petit garçon avec un grand sourire. Elle est partie sous l'arbre pour me ramener le bateau d'oncle Georges.

— Dieu tout-puissant ! s'exclama Jason, horrifié. Cette petite idiote va...

Déjà il arrachait sa veste et se précipitait en courant vers la rivière. Tout à coup, une sirène rousse jaillit à la surface en donnant un gracieux coup de rein.

— John, je l'ai ! s'écria-t-elle, aveuglée par sa chevelure ruisselante.

— Bravo, s'exclama le garçonnet en battant des mains.

Jason s'immobilisa en dérapant tandis que sa frayeur se transformait en rage noire à la vue de Victoria qui rejoignait tranquillement la rive à longues brasses harmonieuses, traînant le petit bateau à voile dans son sillage. Les jambes écartées et l'œil mauvais, il attendit avec impatience que sa proie parvînt à sa portée.

Robert Collingwood jeta un regard à son ami excédé et prit son fils par la main :

— Rentrons au manoir, John, ordonna-t-il avec fermeté. Je crois que lord Fielding a quelque chose à dire à Mlle Victoria.

— Merci ? suggéra le bambin.

— Euh... pas exactement.

Quelques secondes plus tard, Victoria sortit de la rivière à reculons en tirant sur le fil et continua à s'adresser à John qui était déjà loin.

— Tu vois, je t'avais bien dit que je sauverais ton...

Du dos, elle heurta quelque chose de dur et, au même instant, deux mains se refermèrent sur ses bras tel un étau et la firent pivoter brutalement.

— Espèce de folle ! hurla Jason, hors de lui. Petite idiote, vous auriez pu vous noyer !

— Mais non... Je vous assure que je ne courais aucun danger, balbutia Victoria, effrayée par la rage qui brillait dans ses yeux verts. Je suis une excellente nageuse, vous savez, et je...

— Comme le garçon qui a failli y rester l'an passé !

— Ce n'est pas une raison pour me casser le bras, observa-t-elle en essayant vainement de se dégager.

Mais ses efforts ne servirent qu'à resserrer l'étau de ses doigts. La gorge nouée, Victoria tenta d'apaiser Jason :

— Je suis désolée de vous avoir fait peur, mais je ne risquais rien et je n'ai rien fait de mal.

— Comment, rien de mal ? Comment, vous ne risquiez rien ? répéta-t-il d'une voix menaçante.

Ses yeux se posèrent alors sur sa jolie poitrine qui se soulevait au rythme de sa respiration haletante. Soudain Victoria s'aperçut qu'elle ruisselait de la tête aux pieds et qu'elle était à peine vêtue. La chemise de Jason était trempée à l'endroit où ses seins l'effleuraient.

— Et si quelqu'un d'autre que moi se trouvait au bord de la rivière et vous voyait ainsi... que croyez-vous qu'il se passerait ?

Affreusement gênée, Victoria se mordit les lèvres. Elle se souvenait du jour où elle était rentrée bien après la tombée de la nuit pour s'apercevoir que son père avait organisé une battue dans la forêt pour la retrouver. Passé le soulagement et la joie de la revoir saine et sauve, il lui avait administré une correction qui l'avait empêchée de s'asseoir pendant deux jours.

— Je... je ne sais pas, mentit-elle. J'imagine qu'il m'aurait tendu mes habits et qu'il...

Les yeux de Jason se posèrent sur ses lèvres humides puis glissèrent le long de son cou jusqu'à ses seins épanouis que moulait la chemise trempée. Frémissants et involontairement offerts, ils lui prouvaient qu'elle était bel et bien une ravissante jeune femme et non l'enfant qu'il prétendait avoir à sa garde.

— Voilà ce qui se passerait ! déclara-t-il brutalement avant d'écraser sa bouche sur ses lèvres.

Il l'embrassa sauvagement dans l'intention avouée de la punir et de l'humilier.

Victoria se débattit en silence. Prisonnière de ses bras, elle essayait désespérément de briser son étau et de se soustraire à ses lèvres. Mais cela ne fit que renforcer la rage qui l'animait.

— Arrêtez, je vous en supplie, balbutia Victoria contre ses lèvres. Je n'ai pas fait exprès...

Lentement, il la relâcha et releva la tête. Instinctivement Victoria se couvrit la poitrine ; auréolée d'or, sa somptueuse chevelure roussc s'était répandue sur ses épaules comme un manteau pourpre et dans ses yeux saphir brillaient l'effroi et la contrition.

— S'il vous plaît, murmura-t-elle d'une voix tremblante tandis qu'au fond d'elle-même s'affrontaient des émotions contradictoires. (Elle souhaitait tellement conserver la trêve qu'ils avaient conclue voilà cinq jours.) Ne soyez plus fâché. Je vous demande pardon, je nage depuis l'enfance mais je n'aurais pas dû aujourd'hui, jc le sais à présent.

Son aveu sincère et dépourvu de tout ressentiment prit Jason au dépourvu. En matière d'intrigue et de ruses féminines, il avait tout vu depuis sa réussite sociale, et jamais il ne s'y était laissé prendre ; mais l'innocence de Victoria, alliée à ce ravissant visage et à la sensation délicieuse de ce joli corps pressé contre le sien, agit sur lui comme un puissant aphrodisiaque. Enflammé de désir, il sentit son pouls s'accélérer et, mû par une force irrésistible, la serra encore plus fort contre lui.

Victoria vit une lueur primitive éclairer ses yeux alors qu'il accentuait son étreinte. Elle se jeta en arrière et ouvrit la bouche, mais il étouffa son cri sous un baiser d'une telle passion qu'elle s'immobilisa, pétrifiée. Les mains de Jason allaient et venaient doucement sur son dos, tandis que ses lèvres caressaient les siennes avec une savante adresse.

Etourdie, elle s'accrocha instinctivement à lui. La réaction de Jason fut instantanée : ses bras l'enveloppèrent et son baiscr sc fit plus audacieux, ses lèvres ardentes suivirent le contour de sa bouche.

Victoria naviguait dans un brouillard de sensations inconnues jusqu'alors. Se haussant sur la pointe des pieds, elle répondit malgré elle à sa puissante étreinte. Il gémit en sentant son corps se plaquer contre le sien et l'obligea à entrouvrir les lèvres, avant de darder sa langue dans sa bouche délicieusement chaude et douce.

Victoria, horrifiée, s'arracha d'une secousse à ses lèvres mais il la reprit violemment contre lui.

— Non ! s'écria-t-elle.

Il la relâcha alors, si brusquement qu'elle trébucha en reculant. Puis elle leva vers lui un regard hostile, s'attendant à ce qu'il la rendît également responsable de ce baiser si inattendu.

— Je suppose que c'est encore ma faute, lança-t-elle, furieuse. Vous allez encore prétendre que je l'ai bien cherché !

Mais il esquissa un sourire navré.

— Vous avez commis la première erreur cet après-midi, la responsabilité de cette seconde m'incombe. Pardonnez-moi.

— Comment ? dit-elle sans pouvoir en croire ses oreilles.

— Contrairement à ce que vous pouvez vous imaginer, il n'est pas dans mes habitudes de séduire les innocentes dem...

— Nul danger que je sois séduite, mentit orgueilleusement Victoria.

Une lueur d'ironie brilla dans ses yeux verts et il parut se détendre :

— Vraiment ? s'enquit-il, amusé.

— Absolument !

— Alors je vous suggère de vous rhabiller avant que je ne sois tenté de vous prouver le contraire.

Victoria ouvrait la bouche pour riposter mais le sourire effronté que lui décocha Jason la stupéfia.

— Vous... vous êtes odieux !

— Vous avez raison, concéda-t-il en lui tournant le dos afin qu'elle pût se rhabiller.

Tout en essayant de combattre les émotions qui bouillonnaient en elle, Victoria enfila ses vêtements à toute vitesse. Andrew l'avait embrassée à plusieurs reprises, mais jamais de cette façon. Jamais comme ça. Jason n'aurait pas dû agir ainsi et elle, de son côté, n'aurait pas dû se laisser faire. Elle se sentait parfaitement en droit de le dénoncer à son oncle, mais peut-être voyait-on différemment les choses en Angleterre. Les femmes subissaient peut-être ce genre de baisers sans se troubler outre mesure et elle risquait de passer pour une sotte si elle en faisait tout un plat. Oui, elle feindrait de n'y voir aucun mal et Jason classerait l'affaire. Ce n'était qu'un petit baiser insignifiant, en tout cas il le considérait visiblement comme tel.

Elle ne put néanmoins dissimuler son désarroi et répéta :

— Vous êtes *vraiment* odieux !

— Nous sommes déjà tombés d'accord sur ce point.

— Avec vous, je ne sais jamais sur quel pied danser.

— Comment cela ?

— Eh bien, j'ai cru que vous alliez me frapper et à la place... vous m'avez embrassée. (Elle ramassa le bateau de John.) Je commence à croire que vous êtes exactement comme votre chien : vous êtes bien moins féroce que vous ne le laissez croire.

Pour la première fois, son masque d'impassibilité et de suffisance se fissura.

— Mon chien ? répéta-t-il, sidéré.

— Willie, expliqua-t-elle.

— Mais les mouches doivent vous terroriser si vous trouvez Willie féroce !

— Voilà pourquoi j'en conclus que je ne dois craindre ni l'un ni l'autre.

Un sourire apparut sur sa bouche sensuelle.

— Ne le dites à personne, murmura-t-il en lui prenant le bateau des mains. Ou ma réputation serait perdue.

Victoria s'enveloppa dans la couverture et inclina la tête.

— En avez-vous au moins une à préserver ?

— De la pire espèce, avoua-t-il sans complexes en soutenant son regard. Souhaiteriez-vous en connaître les détails croustillants ?

— Certainement pas, répondit Victoria avec vivacité.

Pour battre le fer pendant qu'il était encore chaud, Victoria réunit son courage et aborda le sujet qui la tracassait depuis une semaine :

— Il vous reste un moyen de vous racheter, commença-t-elle timidement pendant qu'ils se dirigeaient vers la maison.

Jason la jaugea du coin de l'œil.

— Il me semble que nous sommes quittes. Que voulez-vous ?

— Que vous me rendiez mes robes.

— Pas question.

— Mais vous ne comprenez donc pas ! s'écria-t-elle à bout de nerfs. Mes parents sont morts et je porte leur deuil !

— Je le comprends parfaitement, mais je crois qu'il n'y a pas de chagrin si terrible qu'on ne puisse le dissimuler au fond de son cœur, et je déteste ces manifestations extérieures. Charles et moi désirons vous offrir une nouvelle vie ici, une vie heureuse.

— Mais je ne veux pas de votre nouvelle vie, objecta Victoria, désespérée. Dès qu'Andrew viendra me chercher, je...

— Il ne viendra pas, Victoria. Vous n'avez reçu qu'une seule lettre de lui au cours de ces derniers mois.

Ses paroles la transpercèrent comme un poignard.

— Il va venir, j'en suis sûre. Je suis partie trop vite pour qu'il m'en écrive d'autres.

Les traits de Jason se durcirent.

— J'espère que vous ne vous trompez pas. Quoi qu'il en soit, je vous interdis de vous habiller en noir. Le deuil se porte dans les cœurs.

— Qu'en savez-vous ? éclata Victoria en faisant volte-face, les poings sur les hanches. Si vous aviez du cœur, vous ne m'obligeriez pas à parader dans ces atours comme si mes parents n'avaient jamais existé ! Mais vous n'en avez pas !

— C'est exact, lâcha-t-il d'une voix assourdie qui la pétrifia. Je n'ai plus de cœur. Souvenez-vous-en bien et n'allez pas vous imaginer que sous mes airs féroces, je suis doux comme un agneau. Des dizaines de femmes l'ont cru et ont chèrement payé leur erreur.

Victoria s'écarta, les jambes flageolantes. Comment avait-elle pu penser un seul instant qu'ils étaient devenus amis ! Il était froid, cruel, cynique ; il était doté d'un caractère épouvantable, imprévisible et, pour couronner le tout, c'était un déséquilibré ! Quel homme sain d'esprit aurait pu embrasser passionnément une femme, lui faire ouvertement la cour et la minute d'après se transformer en être froid et hostile ? Ah non, il n'avait rien d'un agneau, il était plutôt dangereux et imprévisible comme une panthère !

Ils arrivèrent dans l'allée circulaire qui conduisait au manoir. Le comte de Collingwood les attendait, monté sur un splendide alezan, avec le petit John confortablement installé devant lui.

Rougissante et contrariée, Victoria salua brièvement le comte et se força à sourire à John pendant qu'elle lui remettait son bateau. Après quoi elle courut se réfugier dans la maison.

Inquiet de la voir disparaître, John se tourna vers Jason, puis vers son père à qui il demanda anxieusement :

— Il n'a pas donné de fessée à Mlle Tory, dis papa ?

Le comte, qui observait avec amusement la chemise trempée de Jason, croisa le regard de son ami :

— Non, John. Lord Fielding ne lui a pas donné de fessée.

Et il poursuivit à l'adresse de Jason :

— Veux-tu que Caroline vienne demain rendre visite à Mlle Seaton ?

— Viens avec elle, nous poursuivrons notre discussion.

Robert acquiesça et, passant un bras autour de son garçon, talonna le cheval qui partit au petit galop.

Jason les regarda s'éloigner et, pour la première fois de l'après-midi, il abandonna son masque ironique et songea, dépité, à ce qui s'était passé à la rivière.

9

Le lendemain à la même heure, Victoria n'avait toujours pas réussi à chasser de son esprit le souvenir brûlant du baiser de Jason. Assise sur l'herbe, elle caressait Willie, qui rongeait un os, et songeait à l'attitude souriante et décontractée de Jason après leur baiser. Elle s'imaginait, pauvre petite Américaine naïve et candide face à cet homme si mondain et brillant, et sa gorge se serra.

Comment avait-il pu l'embrasser ainsi et, la minute d'après, tourner leur baiser en dérision? Et comment avait-elle réussi à feindre la même insouciance alors que tous ses sens étaient en émoi et que ses jambes se dérobaient sous elle? Comment avait-il pu ensuite lui lancer ce regard glacé pour lui conseiller de ne pas commettre la même erreur que ces «dizaines» d'autres femmes?

Ce Jason était odieux, incompréhensible. Elle avait essayé de devenir son amie et n'y avait rien gagné... que ce baiser. Il lui semblait que tout était différent en Angleterre, que de tels baisers n'avaient aucune valeur ici et qu'elle n'avait donc nulle raison de se fâcher ou de se sentir fautive. Et pourtant, elle ressentait exactement le contraire. Soudain Andrew lui manqua terriblement et la honte l'envahit en songeant à la façon dont elle avait répondu à l'étreinte de Jason.

Elle releva la tête: celui-ci rentrait justement à l'écurie. Il était parti chasser ce matin-là et elle avait réussi à l'éviter, le temps de reprendre ses esprits. Mais ce répit s'achevait.

Apercevant la voiture du comte de Collingwood

qui s'engageait dans l'allée, elle se leva à contrecœur :

— Viens, Willie, allons prévenir lord Fielding que le comte et la comtesse viennent d'arriver. Cela évitera à ce pauvre O'Malley de se déranger.

Le grand chien posa sur elle son regard intelligent mais ne bougea pas.

— Cesse de faire le timide, je ne vais pas éternellement t'apporter à manger ici, tu sais ! Northrup m'a dit que l'on te nourrissait habituellement à l'écurie. Allons viens, Willie !

Elle fit deux pas et attendit mais le chien se leva et la regarda sans avancer.

— Willie ! reprit Victoria, excédée. J'en ai assez de ces mâles arrogants. J'ai dit : viens, fit-elle en claquant impérieusement des doigts.

Elle fit encore un pas en regardant par-dessus son épaule, fermement décidée à traîner l'animal par la peau du cou s'il le fallait.

— Viens ! répéta-t-elle d'une voix tranchante.

Cette fois-ci, l'animal obéit à contrecœur.

Encouragée par sa victoire, Victoria se dirigea vers l'écurie...

Pendant ce temps, devant le manoir, le comte de Collingwood aidait sa femme à descendre de la calèche.

— Ils sont là-bas, dit-il.

Il glissa affectueusement son bras sous celui de son épouse et tous deux se dirigèrent vers l'écurie.

— Souris donc ! glissa-t-il, taquin, à Caroline qui traînait la jambe. On dirait que tu montes à l'échafaud.

— C'est un peu ce que je ressens, reconnut-elle avec un sourire penaud. Tu vas te moquer de moi mais j'ai une peur bleue de lord Fielding. (Devant le regard étonné de son mari, elle hocha la tête.)

Et je ne suis pas la seule à penser ainsi... Tout le monde le redoute.

— Jason est un homme extraordinaire, Caroline. Depuis qu'il a eu la bonté de me conseiller, j'ai réalisé d'énormes profits.

— Certes... mais cela ne l'empêche pas d'être terrifiant. Ecoute un peu, le mois dernier, il a déclaré à Mlle Faraday qu'il détestait les femmes qui minaudaient en s'accrochant à lui.

— Que lui a-t-elle répondu ?

— Rien, voyons ! Elle était suspendue à son bras et minaudait à qui mieux mieux ! Imagine sa confusion !

Ignorant le sourire ravi de son mari, elle lissa ses longs gants blancs et poursuivit :

— Je ne sais pas ce que les femmes lui trouvent ! Elles sont toutes à ses pieds. Il est vrai qu'il est riche comme Crésus et qu'il sera un jour duc d'Atherton... Et il est particulièrement bel homme, sans aucun doute.

— Et tu ne vois toujours pas ce que les femmes lui trouvent ? la taquina son mari en éclatant de rire.

Caroline secoua la tête et baissa la voix tandis qu'ils rejoignaient leur hôte :

— Ses manières ne me plaisent pas. Je trouve sa franchise... choquante !

— Il est normal qu'un homme continuellement assiégé pour sa fortune et son titre perde patience de temps à autre.

— Soit, mais je plains de tout mon cœur la pauvre Mlle Seaton. Comme ce doit être terrible de vivre sous le même toit que cet homme !

— J'ignore si c'est terrible, en revanche elle m'a donné l'impression d'être très seule. Elle a grand besoin d'une amie qui lui enseigne les usages et les coutumes de notre pays.

— Pauvre petite, soupira Caroline, remplie de compassion en observant Victoria qui venait de rejoindre Jason...

— Le comte et la comtesse sont là, déclara Victoria d'un ton neutre.

— C'est ce que j'ai vu. Ils vous ont suivie jusqu'ici, les voilà juste derrière vous.

Soudain son regard se durcit en apercevant quelque chose dans son dos.

— Poussez-vous ! ordonna-t-il en la jetant brutalement sur le côté et en portant sa carabine à l'épaule.

Victoria entendit derrière elle un grondement sourd et comprit en un éclair ce que Jason s'apprêtait à faire.

— Non ! hurla-t-elle en déviant la crosse du fusil avant de se jeter à genoux.

Elle noua ses bras autour de l'animal et foudroya Jason du regard.

— Mais vous avez perdu la tête ! Vous êtes complètement fou ! Qu'est-ce que vous a fait ce malheureux animal pour que vous le traitiez ainsi ?

Elle lui caressa le museau et poursuivit d'une voix hachée :

— Willie a-t-il plongé dans la rivière ou a-t-il osé enfreindre un de vos ordres... ?

Jason laissa glisser sa carabine entre ses doigts. Le canon reposait désormais sur le sol, inoffensif.

— Victoria, articula-t-il avec un calme que contredisait son visage pâle et décomposé. Ce n'est pas Willie. Willie est un colley et je l'ai prêté voilà trois jours pour une saillie.

La main de Victoria s'immobilisa au milieu d'une caresse.

— Si j'en crois mes yeux, l'animal auquel vous vous accrochez comme une mère à son petit est un loup, ou au mieux un chien sauvage !

Victoria avala sa salive et se releva lentement.

— Ce n'est peut-être pas Willie, mais je suis sûre que c'est un chien. Il obéit quand je l'appelle.

— Mi-chien mi-loup, objecta Jason.

Il fit un pas en avant pour la saisir par le bras. Instantanément, l'animal s'accroupit en grondant et découvrit ses crocs, le poil hérissé. Jason relâcha Victoria et chercha du doigt la détente de son fusil.

— Ecartez-vous, Victoria.

Les yeux rivés sur l'arme, elle supplia d'une voix paniquée :

— Ne tirez pas ! Je ne vous laisserai pas faire. Si vous tirez sur lui, je vous tire dessus après, je vous le jure ! Je tire encore mieux que je ne nage... Jason ! C'est un chien et il veut me protéger ! N'importe qui comprendrait cela ! C'est mon ami. Je vous en prie, ne le tuez pas. Je vous en supplie !

Les jambes flageolantes, elle vit Jason se détendre et reposer le canon de son fusil dans l'herbe.

— Ne tournez pas comme ça autour de lui, ordonna-t-il. Je ne tirerai pas.

— J'ai votre parole ? insista Victoria en protégeant l'animal de son corps.

— Vous l'avez.

Victoria allait s'éloigner quand elle se souvint d'un détail. Elle revint se poster entre les deux adversaires.

— Vous m'avez dit que vous n'aviez aucun principe et que vous n'étiez pas un gentleman, lui rappela-t-elle, l'œil soupçonneux. Comment saurais-je si je peux vous faire confiance ?

Une lueur amusée brilla dans les yeux de Jason

qui contempla ce petit bout de femme si courageuse.

— Je tiendrai ma parole. Arrêtez de vous prendre pour Jeanne d'Arc.

— Je ne vous crois qu'à moitié. Le jureriez-vous aussi à lord Collingwood ?

— Là, ma chère, vous allez trop loin...

Jason avait beau parler d'une voix douce et parfaitement calme, elle sentit la menace et obéit. Jason tiendrait parole. Elle s'éloigna mais l'énorme bête restait en position d'attaque, ses yeux féroces fixés sur Jason.

Celui-ci dévisagea à son tour l'animal, le fusil toujours armé. Se tournant vers le chien, Victoria lui ordonna avec l'énergie du désespoir :

— Assis !

A sa grande surprise, le chien obéit et vint s'asseoir à ses pieds.

— Vous voyez ! fit-elle, immensément soulagée. Il a compris que vous pouviez le blesser avec votre carabine, cela prouve qu'il est intelligent.

— Très intelligent, ironisa Jason d'un ton sec. Suffisamment intelligent pour vivre ici sous mon nez alors que nous battons la campagne pour retrouver le « loup » qui dévaste les poulaillers et terrorise les villageois.

— C'est donc lui que vous partiez chasser chaque matin ?

Jason acquiesça d'un hochement de tête.

— Mais ce n'est pas un loup, vous l'avez vu comme moi ! Je lui ai donné à manger tous les jours et il n'a plus aucune raison de voler dans les poulaillers. Il est malin et je suis sûre qu'il comprend ce que je vous dis.

— Alors pourriez-vous lui faire observer qu'il est très mal élevé de guetter l'occasion de mordre la main de celui qui le nourrit — indirectement — depuis votre arrivée ?

Victoria lança un coup d'œil inquiet à son trop zélé protecteur et reprit avec véhémence :

— Essayez à nouveau de me prendre le bras, je vais lui dire de ne pas gronder et je suis sûre qu'il comprendra. Allez-y, prenez mon bras.

— J'aimerais surtout vous tordre le cou, rétorqua Jason, mi-figue mi-raisin.

Il fit comme elle le lui avait demandé et l'animal se hérissa à nouveau en découvrant les crocs.

— Non ! fit-elle d'une voix cassante.

Alors le supposé « Willie » se détendit, puis après une hésitation, il lui lécha la main.

Victoria laissa échapper un soupir de soulagement.

— Vous voyez bien que ça marche. Je m'occuperai de lui et il n'embêtera plus personne.

Jason se sentit fondre devant un tel courage et son regard implorant.

— Attachez votre chien, soupira-t-il.

Voyant qu'elle s'apprêtait à objecter, il poursuivit :

— Je ferai prévenir les jardiniers par Northrup. Mais s'il s'aventure sur les terres d'autrui, je vous préviens qu'il sera tiré à vue. Il n'a encore jamais attaqué un homme mais, chez nos fermiers, les volailles font partie de la famille.

Puis, pour couper court à d'éventuelles protestations, il se tourna pour accueillir le comte et la comtesse de Collingwood.

C'est alors que Victoria se souvint de leur présence. Rouge de honte, elle s'obligea à regarder en face celle que Jason présentait comme un modèle de bienséance. Au lieu du dédain auquel elle s'attendait, elle lut sur le visage de lady Collingwood quelque chose qui ressemblait à un mélange d'admiration et de curiosité amusée. Jason fit les présentations et s'éloigna avec le comte pour parler affaires, laissant Victoria se débrouiller seule avec la comtesse.

Lady Collingwood rompit la première le silence embarrassé qui s'était installé.

— Puis-je vous accompagner pendant que vous attachez votre chien ?

Victoria hocha la tête et essuya ses mains humides sur sa jupe.

— Vous... vous devez me prendre pour quelqu'un d'affreusement mal élevé, bredouilla-t-elle, misérable.

— Pas du tout, répondit Caroline en se mordant les lèvres pour refouler un sourire. Par contre, je crois bien que vous êtes la femme la plus courageuse qu'il m'ait été donné de rencontrer.

Victoria la contempla avec des yeux ronds.

— Parce que je n'ai pas peur de Willie ?

— Parce que vous n'avez pas peur de lord Fielding, corrigea lady Collingwood en riant.

Victoria dévisagea la ravissante jeune femme habillée avec recherche : ses yeux gris et rieurs pétillaient d'espièglerie. Elle comprit alors qu'elle avait enfin rencontré une amie dans ce pays de fous.

— Pour être franche, il me terrifie, reconnut-elle en se dirigeant vers la porte de service.

— Mais ça ne se voyait pas et c'est une très bonne chose. Quand un homme sait qu'une femme a peur de quelque chose, il s'en sert pour une raison ou pour une autre. Prenez mon frère Carlton, quand il s'est rendu compte que j'avais horreur des serpents, il en a glissé un dans le tiroir de ma commode. Et avant même que je me sois remise de ma frayeur, Abbot, mon autre frère, en a mis dans mes souliers de bal...

Victoria réprima un frisson.

— Je déteste les serpents. Combien de frères avez-vous ?

— Six, et ils m'ont fait subir toutes sortes d'atrocités jusqu'à ce que j'apprenne à me défendre. Vous avez des frères ?

— Seulement une sœur.

Quand les deux hommes les rejoignirent pour le souper, Victoria et Caroline s'appelaient déjà par leurs prénoms. Victoria lui avait expliqué que ces prétendues fiançailles n'étaient qu'une erreur de Charles — lequel avait agi poussé par les meilleures intentions — et elle lui avait également parlé d'Andrew. Caroline, de son côté, lui avait confié que ses parents l'avaient destinée à lord Collingwood mais, à l'éclat qui brillait dans ses yeux à chaque fois qu'elle parlait de lui, Victoria voyait bien qu'elle adorait son mari.

Elles bavardèrent gaiement pendant le repas, riant de bon cœur en se faisant des confidences et en évoquant leurs exploits d'enfance. Lord Collingwood lui aussi raconta quelques souvenirs de jeunesse et Victoria songea qu'ils avaient tous les trois connu une enfance heureuse. Jason, lui, se refusa à évoquer la sienne mais il passa visiblement un excellent moment à écouter leurs histoires.

— Vous savez réellement tirer à la carabine ? s'enquit Caroline, admirative, tandis que deux valets apportaient une superbe truite en sauce.

— Oui. Andrew m'a appris à m'en servir. Nous faisions des concours ensemble.

— Vraiment ? Et vous réussissiez à le battre ?

Victoria hocha la tête. Les bougies déposaient

des reflets cuivrés dans ses cheveux, encadrant son visage d'un halo doré.

— Souvent. C'est à peine croyable, mais la première fois qu'il m'a mis un fusil dans les mains, j'ai suivi ses instructions, j'ai visé et j'ai mis dans le mille. Ça ne m'a pas paru très compliqué.

— Et ensuite ?

— Ce fut encore plus facile, fit Victoria avec un clin d'œil.

— Moi j'aime le sabre, confessa Caroline. Mon frère Richard me laissait souvent être son adversaire. Il suffit d'avoir le bras solide, et l'œil averti.

Lord Collingwood se mit à rire.

— Moi, je faisais semblant d'être un chevalier du Moyen Age et je joutais avec les palefreniers. Je gagnais toujours mais je pense que c'était parce que j'étais le fils du maître. Je ne devais probablement pas être aussi bon que je le croyais !

— Joue-t-on au tir à la corde en Amérique ? demanda Caroline à Victoria.

— Oui, ce sont toujours les filles contre les garçons.

— Mais ça n'est pas juste ! Les garçons sont les plus forts.

— Pas du tout, répondit Victoria avec malice. Il suffit que les filles se débrouillent pour trouver un endroit où il y a un arbre. Alors, sans en avoir l'air, elles attachent leur bout de corde autour de l'arbre.

— C'est de la tricherie, observa Jason en riant.

— Mais autrement les atouts sont dans l'autre camp, alors ça n'est pas vraiment tricher.

— Que connaissez-vous des « atouts » ? la taquina-t-il.

— Vous voulez parler des cartes ? interrogea Victoria avec une gaieté contagieuse. Pour ne rien vous cacher, je suis aussi bonne à compter les atouts sortis qu'à me distribuer les meilleures cartes. En d'autres termes, je sais très bien tricher.

Jason haussa ses noirs sourcils.

— Qui donc vous a appris à tricher ?

— Andrew.

— Le moment venu, rappelez-moi de ne jamais introduire cet Andrew dans l'un de mes clubs, commenta sèchement Collingwood. Je ne donnerais pas cher de sa peau.

— Mais Andrew ne triche jamais, rectifia Victoria. Par contre, il estimait important de m'apprendre comment on trichait, pour que je ne sois jamais flouée par un joueur sans scrupules.

Jason s'adossa à son fauteuil et observa Victoria avec fascination. Il était sidéré par sa grâce et par l'aisance avec laquelle elle avait tout naturellement amené Robert à se mêler à leur conversation. A chaque fois qu'elle souriait, toute la pièce en était illuminée.

Elle était si fraîche, si vive, si spontanée. Malgré sa jeunesse, il émanait d'elle une séduction naturelle qui provenait de sa vivacité d'esprit, de son esprit de repartie et de son altruisme. Il sourit en se rappelant la scène où elle avait bravement pris la défense de son chien — qu'elle souhaitait appeler Wolf, comme elle l'avait annoncé au début du repas. Jason avait connu des hommes courageux, peu à vrai dire, mais jamais il n'avait rencontré une telle femme. Il se souvint de l'exquise timidité avec laquelle elle avait répondu à son baiser et de cette incroyable bouffée de désir qui l'avait alors enflammé.

Victoria Seaton était pleine de surprises, et de promesses aussi, songea-t-il. Tout dans son visage était beau, le moindre détail confirmait la perfection de l'ensemble. Mais sa beauté ne s'arrêtait pas là : elle se révélait jusque dans son rire cristallin, dans chacun de ses mouvements gracieux. La jeune fille faisait penser à une pierre précieuse. Une pierre précieuse à laquelle il ne manquait qu'un écrin : il lui fallait des vêtements élégants pour souligner ce corps parfait et ce visage exquis ; une belle demeure où elle pourrait régner en souveraine ; un mari pour adoucir ce tempérament impulsif, et un bébé à choyer...

Assis en face de Victoria, Jason se souvint du vieux rêve qu'il avait jadis caressé : avoir une femme pour illuminer sa vie de sa gaieté et de sa tendresse... une femme qu'il serrerait la nuit dans ses bras et qui chasserait ses idées noires... une femme qui aimerait leurs enfants...

Jason se ressaisit brutalement et repoussa avec dégoût ces rêves candides. Devenu adulte, il avait épousé Melissa en s'imaginant naïvement qu'une femme aussi belle saurait le combler. Ah, elle s'était bien moquée de lui ! Cette catin n'avait aimé que l'argent, les bijoux et le pouvoir. Alors il s'était juré de ne plus jamais se laisser prendre. Mais aujourd'hui, Victoria Seaton était entrée dans sa vie...

10

Dès que les Collingwood eurent pris congé, Jason fonça vers la bibliothèque où Charles avait disparu une heure auparavant.

Celui-ci reposa immédiatement le livre qu'il lisait et leva un visage radieux vers Jason :

— Comment as-tu trouvé la prestation de Victoria au dîner ? lui demanda-t-il avec empressement. Splendide, n'est-ce pas ? Quel charme, quelle assurance, quel esprit ! Elle est tout simplement...

— Emmenez-la demain à Londres, coupa Jason. Flossie Wilson vous y rejoindra.

Charles parut désorienté.

— Londres ! Mais... pourquoi cette hâte ?

— Je ne veux pas d'elle ici. Emmenez-la à Londres et trouvez-lui un mari. La saison commence dans quinze jours.

Charles pâlit mais déclara d'une voix ferme :

— J'exige des explications.

— Je ne veux pas m'encombrer de cette fille chez moi, c'est une explication qui me semble correcte, non ?

— Ça n'est pas aussi simple que cela, protesta son père. Je ne peux tout de même pas faire passer une annonce dans les journaux pour lui trouver un mari ! Il faut respecter les usages et organiser une réception pour la présenter officiellement à la bonne société.

— Accompagnez-la à Londres et faites-y ce que vous voudrez.

Charles se passa une main dans les cheveux et secoua la tête.

— Ma maison ne se prête pas aux grandes réceptions...

— Vous pouvez utiliser la mienne.

— Dans ce cas, vous serez obligé de venir avec nous, objecta Charles, cherchant désespérément un moyen de le faire revenir sur sa décision. Sinon tout le monde va s'imaginer que Victoria est encore une de vos conquêtes.

— Si je dois aller en ville, je descendrai chez vous, coupa sèchement Jason. Emmenez mon personnel, ils sauront vous préparer un banquet du jour au lendemain. Cela s'est déjà vu.

— Mais qui s'occupera de lui confectionner une garde-robe, de...

— Que Flossie Wilson conduise Victoria chez Mme Dumosse et lui dise que je veux ce qu'il y a de mieux pour Victoria... tout de suite.

— Mais quand cette Mme Dumosse trouvera-t-elle le temps d'habiller Victoria ? La saison s'ouvre dans quelques jours !

— Dites à la Dumosse que je compte sur elle, et qu'elle ne lésine pas sur les moyens ! Victoria est petite et rousse, elle y verra un défi à relever. Vous verrez que, grâce à elle, Victoria éclipsera toutes les blondes insipides et les brunettes maigrichonnes que compte Londres. Elle y réussira, fût-ce au prix de deux semaines de veille, ensuite elle me fera payer le double de ses tarifs exorbitants pour compenser son manque de sommeil. Ce ne sera pas la première fois que je lui demande un tel service, ajouta-t-il avec brusquerie. Maintenant que nous avons réglé tous les détails, je vous quitte car j'ai du travail.

Charles, frustré mais vaincu, lâcha un long soupir.

— Très bien, mais nous ne partirons que dans trois jours. Cela me laissera le temps de prévenir Flossie Wilson. Etant célibataire, je ne puis vivre sous le même toit que Victoria sans chaperon, surtout à Londres. Que tes domestiques nous précèdent, de mon côté j'enverrai un mot à Flossie pour qu'elle nous rejoigne à Londres après-demain... Maintenant, j'ai une faveur à te demander.

— Quelle est-elle ?

Charles prit le temps de bien formuler sa requête :

— Je désire que, dans l'immédiat, personne ne sache que tes fiançailles avec Victoria sont rompues.

— Pourquoi cela ? se rebiffa Jason.

Charles hésita et finit par répondre, pris d'une inspiration :

— Voilà : si les membres de la haute société la prennent pour ta fiancée, ils n'oseront pas trop l'importuner. Elle jouira d'une plus grande liberté et sera davantage en mesure de se choisir un époux à son goût.

Comme Jason allait protester, Charles s'empressa d'ajouter :

— Les dandys londoniens l'admireront et la courtiseront d'autant plus qu'ils te la croiront destinée. Tous les célibataires que compte Londres brûleront d'approcher la perle rare qui a réussi à te soutirer, à toi, une demande en mariage ! En revanche, s'ils apprennent que tu te récuses, ils lui tourneront le dos.

— « Votre amie » lady Kirby a déjà dû raconter partout que les fiançailles étaient annulées, fit observer Jason.

D'un geste évasif, Charles repoussa l'objection :

— Personne ne fera cas de ce que dit la Kirby si tu ne démens pas toi-même.

— Soit, accepta Jason, prêt à tout pour caser Victoria. Emmenez-la à Londres et présentez-la à la société. Je la doterai convenablement. Donnez des bals et invitez tout le gratin. J'assisterai en personne à ses débuts dans le monde, ajouta-t-il, ironique. J'irai même jusqu'à rester à Londres pour faire le tri parmi ses prétendants. Nous n'aurons aucun mal à trouver quelqu'un qui nous en débarrasse.

Il était tellement soulagé d'avoir résolu le problème qu'il ne s'attarda pas à peser les conséquences de la promesse que Charles venait de lui extorquer.

Victoria entra dans la bibliothèque à l'instant où Jason s'en allait. Ils échangèrent un sourire et, lorsqu'il eut disparu, la jeune fille s'approcha de Charles.

— Etes-vous prêt pour notre partie de dames, mon oncle ?

— Comment ? fit distraitement ce dernier. Oh, mais bien sûr, ma chère. J'ai attendu cet instant toute la journée. Comme chaque jour...

Ils s'installèrent à la table de jeu.

Tandis qu'elle disposait ses pions, Victoria regarda à la dérobée l'élégant vieillard. Elle l'avait trouvé particulièrement séduisant ce soir avec son habit de soirée tandis qu'il riait en écoutant leurs souvenirs d'enfance. Mais il paraissait maintenant d'humeur soucieuse.

— Oncle Charles, vous êtes souffrant ? interrogea-t-elle alors qu'il plaçait à son tour ses pions.

— Pas le moins du monde, rassurez-vous.

Toutefois, après cinq minutes de jeu, il avait déjà perdu trois pions.

— J'ai du mal à me concentrer sur cette partie, reconnut-il lorsqu'elle lui en prit un quatrième.

— Si nous bavardions ? suggéra Victoria.

Il acquiesça en souriant et Victoria s'efforça avec tact de découvrir ce qui le troublait. Son père lui avait toujours conseillé de faire parler les gens. Jason venait de sortir et Victoria songea qu'il devait vraisemblablement être à l'origine de la détresse qu'elle lisait dans les yeux de son oncle.

— Avez-vous passé une bonne soirée ? demanda-t-elle d'un ton parfaitement anodin.

— Excellente.

— Croyez-vous que Jason lui aussi se soit diverti ?

— Seigneur oui ! Pourquoi cette question ?

— Eh bien, il ne s'est pas joint à nous lorsque nous avons commencé à raconter nos souvenirs d'enfance.

Charles évita le regard de la jeune fille.

— Peut-être n'avait-il rien d'amusant à raconter.

Victoria écouta distraitement cette réponse, toute à son souci d'axer la conversation sur Charles.

— J'ai pensé que j'avais dû lui déplaire à cause d'un mot ou d'un acte malencontreux, et qu'il était venu vous en parler.

Cette fois-ci, Charles posa sur elle un regard espiègle.

— Vous vous inquiétez pour moi, n'est-ce pas, mon petit ? Et vous aimeriez savoir ce qui me contrarie ?

Victoria éclata de rire.

— Suis-je donc si transparente ?

Charles lui serra affectueusement la main.

— Vous n'êtes pas transparente, Victoria, vous êtes merveilleuse. Quand je vous regarde, je reprends confiance dans le monde qui nous entoure. Malgré tout ce que vous avez souffert dernièrement, vous êtes encore capable de remarquer la fatigue d'un vieux monsieur.

— Vous n'êtes pas un vieux monsieur ! protesta vivement la jeune fille.

— Je me sens parfois encore plus vieux que vous ne croyez, plaisanta-t-il sans grande conviction. Comme ce soir, par exemple. Mais vous m'avez redonné courage. Me permettez-vous de vous dire quelque chose ?

— Bien entendu.

— Il m'est arrivé de souhaiter avoir une fille.

Eh bien, vous correspondez exactement à l'idée que je m'en faisais.

Bouleversée, Victoria sentit sa gorge se nouer tandis qu'il poursuivait lentement :

— Lorsque je vous regarde flâner dans les jardins ou parler aux domestiques, mon cœur se remplit de fierté. C'est étrange mais c'est ainsi. Et j'ai envie de crier à tous les cyniques et les blasés de la terre : « Regardez-la, elle est la vie, le courage et la beauté. Elle sait se battre pour un idéal, se défendre si on l'attaque et pardonner si on l'a offensée. » Je sais que vous avez pardonné plusieurs fois à Jason pour tout ce qu'il vous a fait endurer.

« Alors quand je songe à tout cela, je voudrais trouver un moyen de vous manifester ma tendresse. Mais que peut offrir un simple mortel à un ange comme vous ?

Victoria crut voir briller des larmes dans ses yeux mais elle n'en fut pas sûre, à cause de celles qui brouillaient sa propre vue.

— Allons, allons ! fit-il en serrant sa petite main. Nous allons finir par pleurer tous les deux sur nos pions. Maintenant que j'ai répondu à votre question, voulez-vous répondre à la mienne ? Que pensez-vous de Jason ?

Embarrassée, Victoria sourit.

— Il a été très généreux à mon égard, commença-t-elle, mais Charles balaya sa réponse d'un geste de la main.

— Je ne parlais pas de cela. Quels sentiments éveille-t-il en vous ? Dites-moi la vérité.

— Je... je ne vois pas ce dont vous voulez parler.

— Bon... je vais être plus précis. Le trouvez-vous beau ?

Victoria, interdite, faillit éclater de rire.

— La plupart des femmes le trouvent très séduisant, précisa Charles avec un petit sourire. Vous aussi ?

Enfin revenue de sa stupeur, Victoria hocha la tête en essayant de dissimuler sa confusion.

— Parfait. Et partagez-vous leur avis quand elles s'accordent à le trouver hem... très viril.

A cet instant surgit devant les yeux de Victoria la scène du baiser au bord de la rivière, et elle sentit ses joues s'empourprer.

— Je vois que vous pensez comme elles, observa Charles en se méprenant sur son trouble. J'en suis ravi. A présent, je vais vous confier un secret : Jason est le meilleur des hommes. Il n'a pas eu une vie facile et pourtant il a tenu bon grâce à une prodigieuse force de caractère. C'est un être très sensible, mais il montre rarement ses sentiments. A cause de cette force peu commune, il rencontre rarement d'opposition, surtout chez les femmes. C'est la raison pour laquelle il adopte de temps en temps une attitude, hem... de dictateur.

Chez Victoria, la curiosité l'emporta sur son désir de ne pas commettre d'indiscrétions :

— Pourquoi n'a-t-il pas eu une vie facile ?

— Je n'ai pas le droit de vous le dire, seul Jason le pourrait. Il le fera un jour, je le sens. J'ai encore une autre chose à vous apprendre : Jason a décidé de vous lancer dans le monde pour cette saison avec le faste qui s'impose. Nous partirons pour Londres dans trois jours. Flossie Wilson nous y rejoindra et, pendant les quinze jours qui restent avant l'ouverture de la saison, elle vous enseignera tout ce que vous devrez savoir. Nous descendrons à l'hôtel particulier de Jason. Il se prête mieux aux réceptions que le mien. S'il désire se rendre en ville, Jason ira chez moi. C'est une chose de vivre tous les trois sous le même toit à la campagne, c'en est une autre à Londres.

Victoria n'avait pas la moindre idée de ce qu'était la saison londonienne et elle écouta attentivement la description que lui fit Charles des bals, soirées théâtrales et autres mondanités auxquelles elle devrait assister. Son anxiété avait atteint des sommets inimaginables lorsqu'il fit allusion à Caroline Collingwood qui devait se rendre à Londres pour la même raison.

— ... Et bien que vous n'y ayez pas spécialement prêté attention, Caroline a répété à deux reprises qu'elle espérait vous y retrouver. Cela ne devrait pas manquer de vous plaire, n'est-ce pas ?

Victoria acquiesça, mais au fond d'elle-même elle redoutait de quitter Wakefield pour affronter des centaines d'étrangers, surtout s'ils ressemblaient aux dames Kirby.

— Maintenant que nous avons résolu ce problème, conclut Charles en sortant un jeu de cartes d'un tiroir, dites-moi une chose : quand votre ami Andrew vous a appris à jouer aux cartes, vous a-t-il enseigné le piquet ?

Victoria hocha la tête.

— Parfait ! Faisons une partie dans ce cas.

Victoria accepta tout de suite et Charles feignit la suspicion :

— Vous promettez de ne pas tricher ?

— Promis, décréta-t-elle solennellement.

L'œil rieur, il lui passa le jeu de cartes :

— Montrez-moi d'abord comment vous les battez. Comparons nos techniques.

Victoria éclata de rire et ramassa les cartes qui s'animèrent tout à coup entre ses doigts agiles, glissant les unes contre les autres avec un bruit soyeux.

— Je vais d'abord vous laisser croire que vous êtes en veine, expliqua-t-elle en distribuant rapidement douze cartes à chacun.

Charles regarda sa main et leva vers la jeune fille un regard admiratif.

— Quatre rois ! Je vais miser une fortune sur ce coup-là.

— Vous perdriez, répliqua Victoria avec un sourire enjoué.

Elle dévoila son jeu : quatre as.

La partie de cartes dégénéra en farce et chacun distribua tour à tour des mains incroyablement gagnantes.

Incapable de se concentrer à cause des rires qui montaient de la bibliothèque, Jason sortit se rendre compte de ce qui se passait. Lorsqu'il entra dans la pièce, il tomba sur Charles et Victoria écroulés dans leurs fauteuils, riant aux larmes au-dessus d'un jeu de cartes.

— Les histoires que vous racontez doivent être encore plus drôles que celles que j'ai écoutées au souper, observa-t-il mi-figue mi-raisin, en fourrant les mains dans ses poches. Je vous entends rire jusque dans mon bureau.

— C'est ma faute, mentit Charles avec un clin d'œil à la jeune fille. Victoria voulait jouer au piquet et je ne fais que plaisanter. Je me sens d'humeur folâtre ce soir. Voulez-vous jouer avec elle ?

Victoria s'attendait qu'il refusât mais, après avoir jeté un regard curieux à Charles, Jason s'assit en face d'elle. Charles lui lança un coup d'œil espiègle qui signifiait de toute évidence : « Battez-le à plate couture. Trichez ! »

Encore grisée par leurs récents exploits, Victoria s'empressa d'entrer dans la combine.

— Qui de nous deux distribue ? s'enquit-elle innocemment.

— Allez-y, je vous en prie, répondit-il avec courtoisie.

Pour ne pas éveiller les soupçons de Jason, Victoria battit les cartes avec une feinte maladresse puis se mit à les distribuer. Pendant ce temps, Jason se tournait vers Charles et lui demandait un verre de cognac. Puis il s'enfonça dans son fauteuil avec indifférence et alluma un petit cigare.

— Vous ne regardez pas vos cartes ? demanda Victoria.

Jason plongea les mains dans ses poches, le cigare entre les dents, et leva un regard froid sur la jeune fille.

— Je préfère habituellement que l'on me distribue les cartes du haut du paquet, déclara-t-il nonchalamment.

Victoria étouffa le fou rire qui lui montait aux lèvres.

— Je ne comprends pas ce que vous voulez dire.

Jason haussa un sourcil noir, vaguement menaçant.

— Savez-vous ce qu'il advient des tricheurs ?

Cessant de feindre l'innocence, elle posa ses deux coudes sur la table et le fixa de ses yeux bleus où brillait une lueur de défi.

— Quoi donc ?

— Le plus fréquemment, cela se termine par un duel.

— Voudriez-vous me provoquer en duel ? rétorqua Victoria qui s'amusait comme une petite folle.

Paresseusement installé dans son fauteuil, Jason

contemplait son visage rieur et ses yeux espiègles, tout en faisant mine de réfléchir.

— Etes-vous aussi bonne au tir que vous le prétendiez lorsque vous avez menacé de me tuer cet après-midi ?

— Meilleure ! déclara-t-elle avec aplomb.

— Et au sabre ?

— Je n'en ai jamais tenu entre les mains mais lady Caroline pourrait peut-être me remplacer. Elle est très douée pour ce sport.

Avec un sourire ensorceleur, éblouissant, il déclara tranquillement :

— Je me demande ce qui m'a pris lorsque j'ai cru que Caroline Collingwood ferait une amie idéale pour vous.

Et ce qu'il ajouta résonna comme un compliment à ses oreilles :

— Que Dieu vienne au secours des galants cette saison. Vous allez faire des ravages...

Victoria se remettait à peine de son étonnement quand Jason se redressa dans son fauteuil et l'interpella avec brusquerie :

— Alors, jouons-nous cette partie oui ou non ?

Elle acquiesça et il lui ôta les cartes des mains :

— C'est moi qui distribue, si vous n'y voyez pas d'inconvénient.

Il avait déjà remporté deux plis quand Victoria le vit reprendre avec adresse une carte dans le pli précédent.

— Tricheur ! s'exclama-t-elle en riant. Je suis tombée sur des bandits ! Je vous ai vu !... Vous avez triché ce coup-ci !

— Vous vous trompez, rétorqua Jason, un large sourire aux lèvres. (Il se leva avec une grâce féline.) Je triche depuis le début.

Sans crier gare, il déposa un baiser sur son

front, caressa affectueusement ses longs cheveux, puis quitta la bibliothèque.

Victoria en resta tellement interloquée qu'elle ne vit pas l'expression de bonheur qui éclaira le visage de Charles pendant qu'il regardait partir son fils.

11

Deux jours plus tard, un entrefilet dans la *Gazette* et le *Times* annonçait que lady Victoria Seaton, comtesse de Langston, dont les fiançailles avec Jason Fielding, marquis de Wakefield, avaient été publiées peu de temps auparavant, ferait son entrée dans le monde au cours du bal que donnerait le duc d'Atherton, son cousin, en son honneur.

On vit alors se développer une activité fébrile dans le somptueux hôtel particulier du marquis de Wakefield situé au 6 Upper Brook Street.

Arrivèrent d'abord deux voitures qui transportaient entre autres Northrup, le majordome, O'Malley, le premier valet de pied et Mme Craddock, la cuisinière. Un énorme fourgon suivit avec la gouvernante, plusieurs femmes de chambre, trois marmitons, quatre valets et une montagne de bagages.

Peu de temps après, une autre voiture déposa Flossie Wilson, la tante célibataire du duc. C'était une femme rebondie d'un certain âge avec un visage poupin encadré de boucles blondes. Elle portait, perché au sommet du crâne, un charmant petit chapeau violet qui aurait davantage convenu à une femme plus jeune. L'ensemble lui donnait l'allure d'une poupée dodue et un peu défraîchie. Miss Flossie était un visage bien connu du Tout-Londres. Elle descendit du marchepied, agita gaiement sa menotte à l'intention de deux amies qui passaient par là et gravit en toute hâte les marches qui menaient à l'hôtel de son petit-neveu.

Les élégantes qui paradaient au bras de leurs cavaliers dans Upper Brook Street remarquèrent cette activité inhabituelle, mais ce ne fut rien en comparaison de leur émotion lorsqu'elles aperçurent le lendemain la calèche rouge foncé de Jason Fielding tirée par quatre chevaux piaffants.

De la somptueuse voiture armoriée sortit Charles Fielding, duc d'Atherton, suivi d'une jeune femme qui ne pouvait être que la future épouse de Jason. La jeune femme descendit gracieusement de la calèche, glissa sa main au creux du bras du duc et marqua une pause pour admirer le magnifique hôtel qui surplombait la rue de ses quatre étages agrémentés de bow-windows.

— Seigneur, mais c'est elle ! s'exclama le tout jeune lord Wiltshire qui avait la meilleure place de l'autre côté de la rue. C'est la comtesse de Langston, ajouta-t-il en décochant un coup de coude enthousiaste dans les côtes de son compagnon.

— Qu'en savez-vous ? riposta lord Crowley en aplatissant un faux pli imaginaire sur sa veste.

— Voyons, cela crève les yeux ! Regardez comme elle est belle. Incomparable !

— Vous ne pouvez pas voir son visage d'ici.

— Mais c'est inutile, sot que vous êtes. Elle est forcément ravissante. Avez-vous déjà vu Wakefield avec un laideron ?

— Non, reconnut lord Crowley.

Il chaussa son lorgnon et plissa les yeux avant de siffler tout bas :

— Ça alors, elle est rousse ! Si je m'attendais à cela.

— Pas rousse, je dirais plutôt auburn.

— Blond vénitien, corrigea lord Crowley.

Il réfléchit quelques secondes avant d'ajouter :

— Le blond vénitien est une couleur exquise. Ça a toujours été ma couleur préférée.

— Fadaises ! Vous n'avez jamais montré de penchant particulier pour le blond vénitien. Ça n'est d'ailleurs pas à la mode.

— Eh bien, ça le sera à présent, prédit lord Crowley en souriant. (Il remit son lorgnon en place et jeta à son ami un regard suffisant.) Ma tante Mersley est apparentée à Atherton, elle sera sûrement invitée au bal donné pour les débuts de la comtesse de Langston. Je ne la quitterai pas d'une semelle et...

Il s'interrompit au milieu de sa phrase et ouvrit des yeux ronds en voyant la jeune femme se tourner vers la calèche et appeler quelqu'un. Une seconde plus tard, un énorme animal au poil argenté jaillissait de la voiture et sautait à ses pieds. Puis le trio se dirigea vers le perron.

— Mais je rêve ou c'est un loup ! souffla lord Crowley, épouvanté.

— Elle a du chic, décréta son camarade. Je n'ai encore jamais rencontré une femme avec un loup pour compagnon. Elle a de la classe, notre petite comtesse. A coup sûr, c'est une originale.

Avides d'annoncer au monde qu'ils avaient été les premiers à apercevoir la mystérieuse lady Victoria Seaton, les deux mondains se séparèrent et se ruèrent vers leurs clubs respectifs.

Le lendemain soir, quand Jason descendit au White pour la première fois depuis des mois avec l'intention de s'y détendre avant d'aller au théâtre, il était de notoriété publique que sa fiancée était ravissante et quasiment excentrique. De ce fait, au lieu de jouer tranquillement aux cartes, Jason fut assailli par des connaissances qui le complimentaient sur son choix et le félicitaient pour sa bonne fortune, en lui souhaitant tous leurs vœux de bonheur.

Il endura cette comédie pendant deux heures avant de songer en frottant sa main et son épaule endolories, que Charles s'était trompé : il aurait mieux fait de démentir ces fiançailles, car aucun rival ne prendrait le risque de l'offenser en faisant ouvertement la cour à sa future femme.

— Rien n'est encore fait, murmura-t-il alors à l'un de ses amis. Lady Seaton n'est pas encore certaine de ses sentiments, souffla-t-il à un autre.

Toute cette histoire commençait à l'énerver prodigieusement et il était particulièrement agacé de devoir jouer le rôle du fiancé sur le point d'être éconduit.

A neuf heures, sa voiture déposa un Jason furibond devant l'élégante maison de William Street où vivait sa maîtresse. Il gravit les marches à grandes enjambées et frappa impatiemment à la porte.

La femme de chambre qui lui ouvrit recula devant son visage fermé et bredouilla d'une voix étranglée :

— M... Mlle Sybil m'a priée de vous dire qu'elle ne voulait plus vous voir.

— Tiens donc, fit Jason d'un ton doucereux. En êtes-vous bien sûre ?

La petite soubrette était bien consciente que ce

gentleman était celui qui lui payait ses gages, mais elle hocha la tête et ajouta misérablement :

— Oui, monsieur. C'est que... Mlle Sybil a lu dans le journal que vous assisteriez au bal donné en l'honneur de votre fiancée... alors elle s'est couchée. Elle est toujours au lit...

— Tant mieux ! commenta Jason, sardonique.

Il ne se sentait pas d'humeur à supporter les caprices de Sybil. Ecartant la femme de chambre, il monta l'escalier et fit irruption dans la chambre à coucher.

Il foudroya du regard l'exquise jeune femme qui reposait au milieu d'une pile de coussins en satin.

— Vous avez la migraine, ma chère ? demanda-t-il, glacial, en s'adossant à la porte.

Les yeux verts de Sybil étincelèrent de rage mais elle ne daigna pas lui répondre.

Soumis à rude épreuve depuis son arrivée à Londres, Jason sentit ses nerfs le lâcher.

— Sortez de ce lit et habillez-vous ! ordonna-t-il d'une voix dangereusement calme. Nous sortons ce soir, je vous avais envoyé un petit mot.

— Je n'irai nulle part avec vous ! Plus jamais !

Jason déboutonna tranquillement sa veste.

— Alors poussez-vous. Nous passerons cette soirée ici même.

— Espèce de goujat ! s'écria-t-elle en jaillissant du lit dans une envolée de crêpe rose pâle. Comment osez-vous venir ici après cet article paru dans le *Times* ! Déguerpissez de chez moi !

— Dois-je vous rappeler que vous êtes ici *chez moi* ? répliqua Jason, impassible. Cette maison m'appartient.

— Eh bien, je m'en irai, le défia-t-elle.

Mais tout à coup son menton se mit à trembler.

Elle enfouit son visage dans ses mains et éclata en sanglots.

— Jason, gémit-elle, comment pouvez-vous... vous m'aviez dit que ces fiançailles n'étaient qu'une comédie et je vous ai cru ! Je ne vous le pardonnerai jamais. Jamais...

L'expression sévère de Jason s'évanouit brusquement.

— Ceci suffira-t-il à me faire pardonner ? demanda-t-il d'une voix douce en tirant de sa poche un écrin plat.

Entre ses doigts qu'elle pressait sur ses yeux, Sybil aperçut un merveilleux bracelet en diamants qui lançait mille feux sur le velours noir. Elle s'en empara dévotement et le pressa contre sa joue. Puis elle leva vers lui des yeux brillants.

— Jason, si vous m'offrez le reste de la parure, je vous pardonnerai absolument tout ce que vous voudrez !

Jason, qui s'apprêtait à lui dire qu'il n'avait aucune intention d'épouser Victoria, renversa la tête en arrière et partit d'un grand éclat de rire.

— Sybil, dit-il en secouant la tête avec ironie, je crois que c'est la qualité que je préfère en vous !

— Laquelle ? s'enquit la jeune femme, intriguée.

— Votre passion pour les bijoux, répondit-il gentiment. Toutes les femmes aiment les bijoux mais vous êtes la seule qui ne s'en cache pas. Allons, venez ici et montrez-moi combien vous êtes heureuse de cette nouvelle babiole.

Sybil se lova docilement dans ses bras mais, lorsqu'il voulut l'embrasser, il lut le trouble dans ses yeux.

— Vous... vous ne tenez pas les femmes en très haute estime, n'est-ce pas, Jason ? Je ne suis pas la seule que vous méprisiez ainsi, n'est-ce pas ?

— Je trouve que les femmes sont d'exquises créatures dans un lit, murmura-t-il en dénouant le ruban qui fermait son déshabillé.

— Et hors du lit ?

Il laissa cette question sans réponse et fit adroitement glisser sa chemise sur ses épaules. Des deux mains, il caressa ses seins qui durcirent immédiatement sous l'effet du désir. Sa bouche ardente s'empara fiévreusement de la sienne puis il la souleva dans ses bras. Une fois dans le lit, Sybil oublia qu'il n'avait pas répondu à sa question.

12

Assise sur le canapé de sa chambre, Victoria était cernée par les cartons que venait de lui livrer Mme Dumosse. Ils contenaient des robes qui complétaient un incroyable assortiment de tenues de ville, de cheval et de bal sans parler des chapeaux, châles, gants et escarpins qui débordaient déjà de tous les tiroirs.

— Oh madame ! s'extasia Ruth en déballant une cape de velours bleu roi avec une grande capuche bordée d'hermine. Avez-vous jamais rien vu d'aussi beau ?

Victoria délaissa provisoirement la lettre de Dorothée et acquiesça distraitement.

— C'est ravissant. Combien de manteaux cela fait-il ?

— Onze, répondit Ruth en caressant la fourrure blanche. Non, douze. J'oubliais le manteau jaune doublé de martre. Ou treize peut-être ? Voyons...

quatre manteaux de velours, cinq en satin, deux en fourrure et trois en lainage. Quatorze !

— Dire que je m'en sortais très bien avec seulement deux, observa Victoria en souriant. Quand je rentrerai chez moi, trois ou quatre suffiront amplement. Lord Fielding gaspille son argent à m'habiller ainsi puisque, dans quelques semaines, je n'en aurai plus besoin. A Portage, dans l'Etat de New York, les femmes ne sont pas si élégantes, acheva-t-elle en reprenant sa lettre.

— Vous allez rentrer chez vous ? souffla Ruth, alarmée. Que voulez-vous dire ? Oh ! Pardonnez mon indiscrétion, madame.

Mais Victoria ne l'entendait plus : elle relisait pour la énième fois la lettre qu'elle avait reçue ce matin-là.

Ma petite Tory,

J'ai reçu ta lettre la semaine passée et j'ai été aux anges d'apprendre que tu venais à Londres. J'avais tellement envie de te revoir. Je l'ai dit à grand-mère mais celle-ci a décidé de quitter Londres dès le lendemain pour se rendre dans sa propriété à la campagne, à une heure de route de Wakefield Park. Me voilà à la campagne et toi à Londres ! Tory, j'ai l'impression que grand-mère veut nous éloigner l'une de l'autre et cela me désole. Il faut absolument trouver un moyen de nous voir ; occupe-t'en, tu as toujours eu de meilleures idées.

Je dresse peut-être un procès d'intention à grand-mère mais je ne comprends pas son attitude. Elle est sévère, mais on ne peut dire qu'elle soit méchante. Elle veut que je trouve ce qu'elle appelle « un beau parti » et elle m'a fait rencontrer à cet effet un gentleman du nom de Winston. J'ai des dizaines de robes de toutes les couleurs, mais je dois attendre pour les porter d'être présentée au monde. C'est une coutume étrange, non ! Et grand-mère m'a dit que je ne pouvais pas être officiellement présentée tant que tu ne serais pas fiancée, ce qui est une autre coutume d'ici. Les choses étaient tellement plus simples chez nous, tu ne trouves pas ?

J'ai expliqué une demi-douzaine de fois à grand-mère que tu étais presque fiancée à Andrew Bainbridge et que de mon côté je désirais poursuivre une carrière musicale, mais elle n'y a pas prêté la moindre attention.

Jamais elle ne parle de toi. Moi, par contre, j'en parle sans cesse pour lui donner mauvaise conscience et la pousser à te faire venir vivre avec nous. Ce n'est pas qu'elle me défende de parler de toi ; simplement, elle ne me répond jamais. Elle m'écoute avec un visage impassible et ne dit mot.

Pour être franche, je la bassine à ton sujet mais je le fais discrètement. Au début, j'insérais ton nom dans la conversation de façon parfaitement anodine, mais le plus souvent possible. Quand grand-mère me complimentait sur mon joli visage, je lui disais que tu étais bien plus jolie encore ; quand elle me félicitait sur mes dons de pianiste, je rétorquais que tu jouais divinement ; quand elle remarquait mes bonnes manières, je lui répondais que les tiennes étaient infiniment plus raffinées.

Voyant que cela ne suffisait pas à lui montrer à quel point tu me manquais, j'ai dû recourir à des mesures plus radicales. J'ai installé le petit portrait de toi que j'aime tant sur la cheminée du salon. Grand-mère n'a rien dit mais le lendemain, elle m'a envoyée visiter Londres et à mon retour j'ai retrouvé ton portrait dans ma chambre.

Quelques jours plus tard, alors qu'elle attendait des visiteuses, je me suis faufilée dans son boudoir et j'y ai disposé plusieurs de tes esquisses de Portage — tu sais, celles que tu m'as données en souvenir de la maison. Ces dames se sont toutes extasiées sur ton talent mais grand-mère n'a pas desserré les dents. Le lendemain, elle m'a envoyée dans le Yorkshire et deux jours plus tard, les dessins avaient réintégré l'armoire de ma chambre.

Ce soir, elle recevait une fois de plus et elle m'a priée de jouer un air de piano à ses hôtes. Je lui ai chanté la chanson que vous avions écrite, Sœurs pour la vie, *t'en souviens-tu? Oh! J'ai bien vu que grand-mère était furieuse contre moi. Quand ses invités ont prit congé, elle a déclaré que je passerais la semaine dans le Devonshire.*

A la prochaine incartade, j'ai bien l'impression qu'elle m'expédiera à Bruxelles ou ailleurs pour un mois au moins. Mais ça m'est égal et je compte bien continuer ainsi.

A présent, passons à un autre sujet.

J'imagine ta stupeur en apprenant que l'on a annoncé tes fiançailles avec lord Fielding! Andrew serait furieux s'il le savait. Maintenant que vous vous êtes expliqués et que ce malentendu est effacé, profite de tes jolies robes et ne te culpabilise pas. Moi je porte des gants noirs, grand-mère m'a dit que c'était ainsi que l'on portait le deuil ici, même si certaines portent le noir pendant six mois et du gris pendant les six autres mois.

Grand-mère désire que nous respections les usages et, bien qu'elle ait cru à tes fiançailles avec Andrew — puisque c'est la vérité —, je ne crois pas qu'elle me lâchera dans le monde avant le printemps prochain. Elle a décrété qu'il fallait attendre un an après le décès d'un membre de sa famille pour reprendre un train de vie normal. Ça ne me trouble absolument pas car la perspective de tous ces bals me terrifie. Ecris-moi vite pour me dire si c'est aussi terrible que cela paraît.

Grand-mère ira à Londres de temps à autre car elle adore le théâtre. Elle m'a promis de m'y conduire aussi. Je te préviendrai dès que je le saurai afin qu'on trouve un moyen de se voir.

Il faut que je te quitte. Grand-mère a engagé un précepteur pour m'apprendre les usages et l'étiquette. Le programme est si chargé que j'en ai le tournis...

Victoria glissa le papier dans un tiroir et soupira en regardant l'heure. Le dernier paragraphe de la lettre de Dorothée avait une résonance toute particulière dans sa tête car Flossie Wilson avait passé ces derniers jours à lui enseigner toutes les règles de l'étiquette et du protocole... Et l'heure de la leçon venait de sonner...

— Ah vous voici ! fit miss Flossie, radieuse, lorsque Victoria apparut dans le salon. Aujourd'hui nous étudierons les diverses manières de s'adresser aux pairs du royaume. Nous ne pouvons courir le risque de vous voir commettre une erreur demain soir à votre bal d'ouverture.

Victoria réprima son envie de partir en courant et s'assit à côté de Charles, en face de miss Flossie. Depuis deux semaines, elle avait enduré une série interminable de leçons de maintien, de danse et de français. Au cours de ces leçons, miss Flossie écoutait sa diction, observait chaque geste de la jeune fille et l'interrogeait sur ses goûts et ses talents.

— C'est bon, gazouilla-t-elle. Nous commencerons par les ducs... Souvenez-vous que si les fils de rois naissent princes, ils sont *élevés* au rang de duc. Bien sûr, les ducs ne sont pas forcément des princes. Comme notre cher Charles, par exemple, acheva-t-elle en se tournant triomphalement vers lui.

— Je vois... acquiesça Victoria, échangeant avec Charles un sourire compatissant.

— Après les ducs viennent les marquis. Les marquis sont les héritiers d'un duché. C'est la raison pour laquelle notre cher Jason a le titre de marquis ! Viennent ensuite les comtes, les vicomtes et enfin les barons. Voulez-vous que je vous le mette par écrit, mon enfant ?

— Oh non ! s'empressa de dire Victoria. Tout est gravé dans ma tête.

— Comme vous êtes intelligente, observa miss Flossie avec enthousiasme. Voyons maintenant comment on s'adresse à ces gens. Appelez toujours un duc « Votre Grâce », ne vous avisez jamais de l'appeler « milord ». Les duchesses elles aussi se font appeler « Votre Grâce ». En revanche, vous pouvez appeler les autres pairs « milord » et leurs épouses « milady ». Ainsi, l'on vous appellera « Votre Grâce » lorsque vous serez duchesse ! N'est-ce pas merveilleux ?

— Si, bredouilla Victoria, gênée.

Oncle Charles lui avait expliqué la raison pour laquelle il jugeait nécessaire de faire croire au monde que ses fiançailles tenaient encore. Comme cette bonne Flossie était aussi bavarde qu'une pie, il avait décidé de ne pas la mettre au courant.

— Ma chère, figurez-vous que j'ai obtenu de la directrice d'Almack qu'elle vous autorise à danser la valse pour vos débuts. Mais trêve de mondanités. Passons à quelques exemples concrets.

Victoria se vit épargner ce calvaire par Northrup qui entra et toussota discrètement avant d'annoncer la comtesse de Collingwood.

— Faites-la entrer, Northrup, répondit Charles d'un ton jovial.

Caroline pénétra dans le salon et, apercevant Flossie et ses manuels d'étiquette, lança un coup d'œil complice à Victoria.

— Une promenade en voiture dans le parc vous plairait-elle ?

— Plus que vous ne sauriez l'imaginer ! s'exclama Victoria. Oh, miss Flossie, y verriez-vous un inconvénient ? Et vous, oncle Charles ?

Tous deux lui accordèrent la permission et Victoria se précipita dans sa chambre pour y prendre son chapeau.

Pendant ce temps, Caroline se tournait poliment vers ses hôtes :

— Vous devez attendre demain avec impatience.

— Oh oui ! répondit énergiquement miss Flossie en secouant ses boucles blondes. Victoria est une jeune fille délicieuse, vous le savez comme moi puisque vous la connaissez. Ses manières sont exquises, elle a tant d'aisance et s'exprime si bien ! Et ces yeux ! Sa silhouette aussi est ravissante. Oh, je suis certaine qu'elle va avoir énormément de succès. Quel dommage qu'elle ne soit pas blonde ! soupira-t-elle, sans égard pour les tresses châtaines de lady Collingwood. Les blondes font fureur, vous savez. (Ses petits yeux ronds et fureteurs volèrent vers Charles.) Vous souvenez-vous de lord Hornby lorsqu'il était jeune ? demanda-t-elle, sautant du coq à l'âne. Je le trouvais incroyablement séduisant. Il était roux et tellement bien élevé ! Son frère en revanche était beaucoup trop petit...

Dans le parc, Victoria regarda autour d'elle puis se pencha par la portière du coupé en fermant les yeux.

— Quelle paix, dit-elle à Caroline. Comme vous êtes bonne de voler si souvent à mon secours pour m'emmener me promener au parc.

— Que vous enseignait-on lorsque je suis arrivée ?

— Les différentes façons de s'adresser aux pairs et à leurs femmes.

— Et vous avez réussi ?

— Absolument, répliqua Victoria en refoulant un petit rire nerveux. Je dois appeler les hommes « milord » comme si j'avais affaire à Dieu en personne, et leurs femmes « milady » comme si j'étais leur servante.

Toutes deux éclatèrent de rire.

— Le plus difficile, ce sont les leçons de français, reconnut-elle. Notre mère nous avait appris à le lire, et ma sœur et moi nous en sortions correctement, mais c'est autre chose de le parler. Je peine sur chaque mot.

Caroline qui parlait le français couramment tenta de l'aider.

— Il vaut mieux apprendre des phrases toutes simples plutôt que des mots séparément. Voyons un peu, comment me demanderiez-vous de vous prêter un nécessaire à écrire ?

— Mon pot d'encre peut vous emprunter votre stylo ? s'aventura Victoria en français.

Réprimant son hilarité, Caroline lui traduisit ce qu'elle venait de dire.

Leurs rires cristallins firent se retourner d'autres promeneurs et l'on releva une fois de plus que la ravissante comtesse de Collingwood témoignait d'une affection particulière envers lady Victoria

Seaton. Ce détail ajoutait encore au prestige de Victoria dont la réputation ne cessait de croître au sein de l'aristocratie.

Victoria allongea la main pour caresser Wolf qui l'accompagnait toujours pendant ses sorties.

— Je n'arrive pas à comprendre pourquoi je n'ai eu aucun mal à assimiler les mathématiques et la chimie avec mon père, alors que le français me pose tant de problèmes. C'est sans doute parce que je trouve cela parfaitement inutile.

— Pourquoi ?

— Eh bien, Andrew va bientôt venir me chercher.

— Vous allez me manquer, déclara pensivement Caroline. Il faut généralement des années pour bâtir une amitié comme la nôtre. Quand pensez-vous que votre Andrew arrivera ?

— Je lui ai écrit la semaine qui a suivi la mort de mes parents, répondit Victoria en glissant distraitement sous sa capeline une boucle rebelle. La lettre a dû mettre trois mois pour lui parvenir et il lui en aura fallu autant pour revenir en Amérique. Il faut encore compter quatre à six semaines pour la traversée jusqu'ici. Cela fait au total seize à dix-huit semaines. Demain, cela fera exactement dix-huit semaines que ma lettre est partie.

— Le courrier entre l'Europe et l'Amérique est souvent fantaisiste. Il n'a peut-être pas reçu votre lettre.

— J'ai donné à la mère d'Andrew une deuxième lettre juste avant de partir, en pensant à cette éventualité, soupira Victoria. Si j'avais su que j'irais en Angleterre, je lui aurais épargné un voyage. Je l'ignorais malheureusement et je lui ai simplement écrit que mes parents étaient morts dans un accident. Je suis convaincue qu'il est aussitôt rentré en Amérique.

— Alors pourquoi n'est-il pas revenu avant que vous quittiez votre pays ?

— Il n'en a probablement pas eu le temps. J'imagine qu'il a dû rentrer une semaine ou deux après notre départ.

Caroline lança un regard hésitant à Victoria.

— Victoria, avez-vous prévenu le duc d'Atherton qu'Andrew allait venir vous chercher ?

— Bien sûr, mais il ne veut pas me croire. Et comme il s'obstine, il tient absolument à ce que je fasse cette saison.

— Vous ne trouvez pas bizarre qu'il souhaite maintenir la fable de ces fiançailles avec lord Fielding ? Je ne voudrais pas me mêler de ce qui ne me regarde pas, s'excusa-t-elle avec vivacité. Et si vous préférez parler d'autre chose, je le comprendrais parfaitement.

— Au contraire ! protesta Victoria. Je mourais d'envie de vous en parler mais je ne voulais pas vous importuner avec mes soucis personnels.

— Je vous ai bien raconté les miens, c'est aussi à cela que sert l'amitié, non ? Vous ne pouvez savoir à quel point je me félicite de vous avoir pour amie, vous êtes la seule qui sache tenir sa langue.

— Puisqu'il en est ainsi... reprit Victoria en souriant. Oncle Charles prétend que la seule façon pour moi d'être libre d'aller et venir au sein de la haute société est de laisser croire à ces fiançailles. Selon lui, une fiancée peut savourer tous les plaisirs d'un début dans le monde sans être assaillie par des prétendants avides de trouver un beau parti.

— Il n'a pas entièrement tort, observa Caroline en fronçant toutefois les sourcils avec perplexité.

Mais il aura du mal à repousser ceux qui se mettront néanmoins sur les rangs.

Victoria promena un regard pensif sur les plates-bandes de jonquilles qui bordaient l'allée.

— Oncle Charles m'aime beaucoup et j'ai l'impression qu'au fond de lui-même, il nourrit l'espoir de me voir épouser lord Fielding, au cas où Andrew ne viendrait pas me chercher.

Une ombre soucieuse voila les beaux yeux gris de Caroline.

— Le feriez-vous ?

— Non, répliqua résolument Victoria.

Caroline soupira de soulagement et s'adossa à la banquette.

— Tant mieux. Je ne veux pas que vous épousiez lord Fielding.

— Pourquoi ? questionna Victoria, étonnée.

— J'aurais mieux fait de me taire, murmura Caroline en se mordant les lèvres. Mais au point où j'en suis, autant tout vous dire. Car si votre Andrew devait ne pas venir, il faut que vous sachiez qui est en réalité lord Fielding. Il est des salons où sa présence est indésirable…

— Et pour quelle raison ?

— Il traîne une réputation épouvantable liée à un scandale qui a éclaté il y a quatre ans. Je n'en connais pas les détails car j'étais trop jeune à l'époque. J'ai demandé à mon mari de me le raconter mais, comme il est très proche de lord Fielding, il n'a rien voulu me dire. Il prétend que c'est un mensonge colporté par une femme méprisable et m'a interdit d'aborder le sujet avec qui que ce soit pour ne pas relancer l'affaire.

— Miss Flossie dit que les gens sont toujours à l'affût de scandales qui sont la plupart du temps de pures inventions, commenta Victoria. Quel que soit le sujet, je suis sûre d'en entendre parler dans les semaines à venir.

— Détrompez-vous. Vous n'êtes pas mariée, jeune de surcroît et personne n'évoquera le moindre scandale en présence de vos chastes oreilles. Par ailleurs, les gens évitent de dire en face de quelqu'un ce qu'ils colportent dans son dos.

— C'est ainsi qu'ils font le plus de mal, acheva Victoria. Les mauvaises langues existaient aussi à Portage et, là-bas aussi, ce n'était souvent que du vent.

— Certes, mais il y a encore autre chose contre quoi je dois vous mettre en garde, poursuivit Caroline, honteuse mais bien décidée à protéger son amie. Son rang et sa fortune font de lord Fielding l'un des plus beaux partis du royaume, et nombreuses sont celles qui rêvent de l'épouser. Mais son attitude à l'égard de ces femmes n'est pas toujours des plus correctes! Il a même souvent fait preuve d'une franche grossièreté! Victoria, conclut-elle sans appel, lord Fielding n'est pas un gentleman.

Elle attendit une réaction qui ne vint pas et, déçue, enfonça le clou:

— Les hommes le redoutent presque autant que les femmes, non seulement parce qu'il est froid et distant mais aussi à cause des bruits qui ont couru sur son passé aux Indes. On raconte qu'il s'y battait sans cesse en duel et qu'il tuait ses adversaires sans manifester d'émotion ni de regret...

— Je n'en crois pas un mot, coupa Victoria, prenant involontairement la défense de Jason.

— Vous peut-être... mais les autres le croient.

— Le tiennent-ils à l'écart?

— Bien au contraire! Ils se traînent pratiquement à ses pieds. Personne n'ose l'affronter en face.

— Vous ne voulez tout de même pas dire que tous ceux qui le connaissent ont peur de lui ? fit Victoria, incrédule.

— Presque tous. Robert a beaucoup d'affection pour lui et il m'a rétorqué en riant qu'il s'agissait de mensonges. J'ai pourtant entendu la propre mère de Robert souffler à des amies que lord Fielding était possédé du diable. Quand il s'est lassé d'une femme, il la jette comme un mouchoir.

— Il ne peut pas être aussi noir qu'on le prétend. Vous êtes la première à dire que c'est un parti en or…

— C'est exact, c'est actuellement le meilleur parti en Angleterre.

— Vous voyez bien ! S'il était aussi terrible, aucune jeune fille ne chercherait à l'épouser.

— Il y en a qui seraient prêtes à épouser Barbe Bleue en échange d'un duché et d'une fortune colossale, expliqua Caroline avec mépris.

Comme Victoria éclatait de rire, Caroline rougit de confusion :

— Victoria, vous ne le trouvez pas bizarre, vous ? Et terriblement inquiétant ?

Victoria pesa soigneusement sa réponse tandis que la calèche prenait le chemin du retour. Elle se souvenait des réflexions cinglantes de Jason à son arrivée à Wakefield, de sa fureur quand il l'avait surprise en train de nager dans la rivière. Mais elle se rappelait aussi la partie de cartes où ils avaient triché tous les deux, et la nuit où il l'avait consolée dans sa chambre. Elle n'avait pas oublié non plus la force de son étreinte et son baiser à la fois tendre et fougueux, mais elle rejeta immédiatement cette dernière vision.

— Lord Fielding s'emporte facilement, commença-t-elle, mais j'ai remarqué que ses colères ne durent pas. En cela je lui ressemble beaucoup, même si je me fâche moins souvent. Et je dois dire qu'il ne m'a pas provoquée en duel le jour où j'ai menacé de le tuer, précisa-t-elle avec humour. J'ai du mal à croire à sa prétendue cruauté. Puisque vous me demandez mon avis, je le décrirais comme un homme généreux qui cache même une certaine douceur sous ses...

— Vous plaisantez !

— Je ne le vois pas avec les mêmes yeux que vous, objecta Victoria. Moi, j'essaie de voir les gens comme mon père m'a enseigné à le faire.

— Vous a-t-il appris à ignorer leurs défauts ? s'insurgea Caroline, un peu choquée.

— Absolument pas. Mais en tant que médecin, il m'a appris à chercher l'origine des maux au lieu de m'attarder sur leurs symptômes. Quand une personne se conduit de façon étrange, j'essaie de comprendre pourquoi elle agit ainsi. Il y a toujours une raison. Savez-vous par exemple que les gens s'emportent plus facilement lorsqu'ils ne se sentent pas bien ?

Caroline hocha la tête.

— C'est exact, mes frères étaient de vraies teignes dès qu'ils avaient le moindre bobo.

— Vous voyez ! Et pourtant vos frères ne sont pas méchants.

— Se pourrait-il que lord Fielding soit malade ?

— Je pense qu'il n'est pas heureux. Ce qui revient à peu près au même. D'autre part, mon père m'a aussi appris à m'attacher davantage aux actes des gens plutôt qu'à leurs propos. Sous cet angle, lord Fielding a fait preuve d'une grande bonté à mon égard. Il m'a offert un foyer et plus de robes que je n'en porterai jamais. Il m'a même permis de faire entrer Wolf dans sa maison.

— Vous avez une faculté de compréhension supérieure à la moyenne, déclara Caroline, pensive.

— Pas du tout, riposta Victoria avec malice. Je m'emporte et je me vexe aussi souvent que les autres. Ce n'est qu'ensuite que je me souviens qu'il vaut mieux essayer de comprendre le pourquoi d'une attitude qui vous a fait souffrir.

— Vous n'avez pas peur de lord Fielding, pas même lorsqu'il est colère ?

— Un peu seulement, reconnut-elle, espiègle. Mais il faut dire que je ne l'ai pas revu depuis mon arrivée à Londres. Ma bravoure est peut-être due à la distance qui nous sépare, qui sait ?

— Vous allez bientôt pouvoir le vérifier, observa Caroline en montrant du menton une élégante voiture noire ornée d'un blason doré qui s'était arrêtée devant le 6 Upper Brook Street. Ce sont les armoiries de lord Fielding. La voiture qui est garée derrière est la nôtre. Mon mari a dû régler ses affaires plus rapidement que prévu et il est venu me chercher.

Le cœur de Victoria fit un drôle de petit bond dans sa poitrine. Elle allait revoir Jason... Puis elle se sentit vaguement coupable à cause de la discussion qu'elle venait d'avoir avec Caroline.

Les deux hommes se tenaient au salon où miss Flossie leur infligeait un monologue interminable sur les progrès réalisés par Victoria au cours des deux dernières semaines. La jeune fille comprit tout de suite au visage fermé de Jason qu'il se retenait pour ne pas étrangler la brave dame.

— Victoria ! s'exclama miss Flossie en battant des mains. Enfin vous voilà ! Je vantais à ces messieurs vos talents de pianiste et ils meurent d'envie de vous entendre jouer.

Sans relever le sourire sardonique qu'esquissa Jason en apprenant qu'« il mourait d'envie de l'entendre jouer », miss Flossie poussa Victoria vers le piano et insista pour qu'elle leur jouât un morceau.

Impuissante, Victoria s'installa sur le tabouret et glissa un coup d'œil vers Jason qui époussetait son pantalon marine impeccablement coupé. Il avait l'air de s'ennuyer mortellement mais jamais il ne lui avait paru aussi beau. Un frisson la parcourut, puis un deuxième devant le sourire nonchalant qu'il lui adressa.

— C'est la première fois que je rencontre une femme qui sait à la fois nager, tirer à la carabine, apprivoiser des bêtes féroces et aussi... jouer du piano, conclut-il, narquois. Nous vous écoutons.

A son tour, Victoria comprit qu'il s'attendait à une piètre exécution et elle aurait bien aimé éviter cette épreuve.

— M. Wilheim nous donnait des leçons de piano pour remercier notre père qui le soignait, expliqua-t-elle. Mais ma sœur Dorothée joue beaucoup mieux que moi. Voilà des mois que je n'ai pas joué et je suis encore un peu rouillée. Mon interprétation de Beethoven est médiocre et...

Son faible espoir de se voir épargner ce récital s'évanouit lorsqu'elle vit Jason hausser les sourcils et lui désigner ostensiblement le clavier.

Elle capitula en soupirant :

— Qu'aimeriez-vous entendre ?

— Beethoven, déclara-t-il sèchement.

Le coup d'œil exaspéré que lui lança la jeune fille ne fit qu'accentuer son sourire et, à contrecœur, elle se prépara à jouer. Elle fit courir ses doigts sur le clavier puis s'arrêta. Quand elle reprit son mouvement, la pièce s'emplit des accords vibrants et envoûtants de la *Sonate pour piano en fa mineur* de Beethoven.

Dans le hall, Northrup cessa de frotter une coupe en argent et ferma les yeux avec ravissement. Dans le vestibule, O'Malley, qui admonestait un subordonné, inclina la tête en direction du salon et sourit.

Quand Victoria eut fini de jouer, les applaudissements éclatèrent spontanément, sauf chez Jason... qui se renversa dans son fauteuil avec un sourire ironique.

— Possédez-vous d'autres talents aussi « médiocres » ? la taquina-t-il.

Mais ses yeux révélaient une sincère admiration et Victoria sentit une bouffée de bonheur l'envahir.

Caroline et son mari les quittèrent sur ces entrefaites et promirent de venir le lendemain soir pour le bal. Victoria se retrouva seule avec Jason. Prise d'un embarras inexplicable, elle se mit à parler pour dissimuler son trouble :

— Je... je ne m'attendais pas à vous voir ici...

— Vous ne pensiez tout de même pas que j'allais vous laisser faire vos débuts toute seule ? plaisanta Jason avec un sourire charmeur. J'ai encore quelques principes et nous sommes supposés être fiancés. De quoi aurais-je eu l'air si je ne m'étais pas montré ?

— Milord... commença Victoria.

— Comme vous voilà cérémonieuse, fit-il en riant. Vous ne m'avez jamais appelé ainsi auparavant.

Victoria le regarda avec une sévérité feinte :

— Et je ne le ferais pas si miss Flossie ne m'avait bourré le crâne avec tous ces titres depuis deux semaines. En revanche, j'allais vous dire qu'à l'idée de laisser croire à tous ces gens que nous sommes fiancés, je me sens affreusement mal à l'aise. Oncle Charles ne veut rien savoir mais toute cette comédie me déplaît souverainement.

— Je partage votre sentiment, acquiesça Jason. Mais ce bal est destiné à vous ouvrir des opportunités pour trouver un mari...

Victoria ouvrait déjà la bouche pour citer le nom d'Andrew quand Jason leva une main et acheva :

— Pour vous trouver un mari dans l'éventualité où Ambrose ne volerait pas à votre secours, bien sûr.

— Andrew, corrigea Victoria. Andrew Bainbridge.

Jason haussa les épaules, comme si cela revenait au même.

— Quant à nos prétendues fiançailles, je veux que vous disiez exactement ce que j'ai dit de mon côté.

— A savoir ?

— J'ai raconté que l'affaire n'était pas encore conclue et j'ai aussi dit que vous ne me connaissiez pas suffisamment pour être sûre de vos sentiments à mon égard. Cela laissera une ouverture à vos soupirants et Charles lui-même n'y trouve rien à redire.

— Je préférerais dire la vérité.

Jason se frotta la nuque avec humeur.

— C'est impossible. Si nous rompions nos fiançailles — que ce soit vous ou moi — alors que vous êtes à peine arrivée en Angleterre, vous n'imaginez pas ce que raconteraient les gens.

Victoria se rappela les mots de Caroline sur l'attitude de la haute société envers Jason et elle comprit tout de suite ce qui se dirait si *elle* prenait l'initiative de rompre. Sous cet angle, elle était prête à jouer la comédie jusqu'au bout. Pour rien au monde elle ne voulait laisser croire à quiconque qu'elle trouvait Jason repoussant ou effrayant comme mari alors qu'il avait été si généreux avec elle.

— Très bien. Je dirai comme vous.

— C'est bien, approuva Jason. Charles a déjà eu une attaque qui a failli lui être fatale et son cœur est fragile. Je ne voudrais pas l'inquiéter inutilement et il désire tellement vous voir bien mariée.

— Mais que se passera-t-il quand Andrew viendra me chercher ? interrogea Victoria, à nouveau soucieuse. Et que penseront les gens lorsque je vous... je vous délaisserai pour épouser Andrew ?

Le vocabulaire employé fit briller une lueur amusée dans les yeux de Jason.

— Si cela devait se produire, nous dirons que cet engagement avait été pris par votre père et que vous êtes obligée de l'honorer. En Angleterre, ce sont les parents qui arrangent les mariages de leurs filles et tout le monde comprendra. Vous manquerez terriblement à Charles mais s'il vous sait heureuse, le coup sera moins rude. Cependant, je doute que cela se produise. Charles m'a parlé de Bainbridge et je partage son avis : ce doit être un garçon un peu faible que sa veuve de mère mène par le bout du nez. Vous n'êtes pas là-bas pour lui donner du courage et il n'osera probablement pas venir vous chercher contre la volonté de sa mère.

— Oh ! Pour l'amour du Ciel... explosa Victoria, furieuse de la piètre idée qu'il se faisait d'Andrew.

— Je n'ai pas terminé, l'interrompit Jason. Il me semble que ce mariage ne plaisait qu'à moitié à votre père, sinon pourquoi aurait-il insisté pour tester vos sentiments en vous éloignant l'un de l'autre, alors que vous vous connaissiez depuis toujours ? Victoria, vous n'étiez pas fiancée à Bainbridge quand votre père est mort, poursuivit Jason, implacable. Si ce garçon débarque devant ma porte, c'est donc à moi qu'il devra demander votre main et la permission de vous ramener en Amérique.

Victoria ne savait plus s'il fallait rire ou pleurer.

— Quel toupet ! suffoqua-t-elle, estomaquée. Vous faites le procès d'un homme que vous n'avez jamais vu ! Et maintenant vous déclarez que vous ne me laisserez pas repartir avec lui sans votre bénédiction ! Alors que vous m'avez pratiquement mise à la porte le jour de mon arrivée à Wakefield ! (Tout cela lui parut soudain tellement absurde qu'elle éclata de rire.) Je ne sais jamais ce que vous allez faire ou dire pour me surprendre ! Vous êtes décidément imprévisible !

Un petit sourire se dessina sur les lèvres de Jason.

— Tout ce que je vous demande, c'est de passer en revue tous ces jeunes dandys londoniens dans les semaines qui viennent, d'en choisir un qui vous plaira et de me l'amener pour que je vous donne ma bénédiction. Rien de plus facile : je serai dans mon bureau tous les jours.

— Ici ? articula Victoria en réprimant un fou rire devant cette étrange façon de se trouver un mari. Je croyais que vous deviez habiter chez oncle Charles.

— J'y dormirai, mais je préfère travailler chez moi. L'hôtel de Charles est affreusement inconfortable. D'ailleurs pourquoi trouverait-on choquante ma présence ici dans la journée puisque vous avez un chaperon ? Je ne vois pas pourquoi mon travail devrait en pâtir. A propos de chaperon, Flossie Wilson ne vous soûle pas trop de ses bavardages ?

— Elle est très gentille, répliqua Victoria en réprimant à nouveau son hilarité.

— Je n'ai jamais vu une femme parler autant pour ne rien dire.

— Elle a le cœur sur la main.

— C'est exact, acquiesça-t-il distraitement en se tournant vers l'horloge. Je vais à l'Opéra ce soir. Quand Charles rentrera, pouvez-vous lui dire que je suis passé et que je serai là demain soir pour accueillir nos invités ?

— Entendu, fit Victoria qui ajouta en lui jetant un regard espiègle : Mais sachez que je me réjouis d'avance en pensant à la tête que vous ferez lorsque Andrew arrivera. Vous serez alors contraint de réviser votre jugement.

— N'y comptez pas trop.

— Oh si ! Je demanderai à Mme Craddock de vous assaisonner votre chapeau et je vous obligerai à le manger sous mes yeux.

Déconcerté, Jason dévisagea ses traits rieurs.

— Vous n'avez donc peur de rien ?

— Pas de vous en tout cas, riposta joyeusement la jeune fille.

— Vous avez tort.

Et sur cette remarque énigmatique, il quitta le salon.

13

— Ils sont presque tous arrivés, bredouilla miss Flossie, surexcitée, tandis que Ruth terminait de coiffer Victoria. Voici venu le moment de faire vos débuts dans le monde, ma chère.

Victoria se leva docilement mais ses jambes la soutenaient à peine.

— Je suis prête, dit-elle d'une voix tremblante en relevant sa traîne.

Elle franchit le palier et s'immobilisa pour jeter un coup d'œil dans le grand hall d'entrée transformé en jardin d'hiver en son honneur : dans d'énormes potiches, de gracieuses fougères tremblaient au moindre courant d'air et d'immenses corbeilles de roses blanches embaumaient toute la maison. Elle respira profondément puis gravit l'escalier qui conduisait à la salle de bal située à l'étage supérieur. Des valets en livrée vert et or se tenaient au garde-à-vous sur les marches, devant des vasques en argent qui débordaient elles aussi de roses blanches. Victoria sourit à ceux qu'elle connaissait et salua poliment les autres. O'Malley, en tant que premier valet, se trouvait en haut des marches.

— Comment va votre dent malade ? lui demanda-t-elle gentiment.

Subjugué, il lui sourit d'un air béat.

— Je n'en souffre plus du tout, madame.

— Tant mieux.

Il attendit que Victoria eût disparu à l'angle du corridor pour se pencher vers le valet posté une marche plus bas :

— Elle est formidable, pas vrai ?

— C'est une vraie lady, approuva l'autre. Vous nous l'aviez dit dès le début.

— Elle va nous changer la vie, je vous le prédis. Tout comme celle du maître. Une fois qu'elle sera bien au chaud dans son lit. Elle lui donnera un fils et il sera heureux.

Northrup se tenait près de la rampe en surplomb de la salle de bal. Raide comme la justice, il se préparait à annoncer chacun des invités au moment où ils franchiraient les colonnes de marbre. Victoria s'approcha d'un pas mal assuré.

— Oh, je vous en prie, laissez-moi au moins le temps de reprendre mon souffle, supplia-t-elle. J'ai un trac abominable.

L'ébauche de ce qui ressemblait à un sourire apparut sous le masque impassible du majordome qui examina d'un œil connaisseur la ravissante jeune femme.

— Pendant que vous reprenez votre souffle, madame, puis-je vous confier à quel point j'ai apprécié votre exécution de la *Sonate en fa mineur* de Beethoven ? C'est l'un de mes morceaux préférés.

Cette cordialité si inhabituelle chez ce domestique fit tellement plaisir à Victoria qu'elle en oublia presque la foule rieuse et bavarde qui se pressait devant elle.

— Merci beaucoup, répliqua-t-elle, reconnaissante. Y a-t-il un autre morceau que vous aimez ?

Il parut surpris par l'intérêt que lui prêtait la jeune fille mais répondit néanmoins à sa question.

— Je vous le jouerai demain, promit Victoria.

— Vous m'en voyez extrêmement heureux, madame.

Et lorsqu'il se tourna pour annoncer son nom, la voix de Northrup vibrait de fierté :

— Lady Victoria Seaton, comtesse de Langston ! proclama-t-il. Miss Florence Wilson !

Un frisson se propagea dans la foule qui retint son souffle. Les conversations s'interrompirent et les rires se turent tandis que les quelque cinq cents invités se retournaient comme un seul homme pour dévisager la jeune Américaine qui portait le titre de sa mère et qui allait sous peu recevoir celui, plus convoité encore, de marquise de Wakefield.

C'était une ravissante jeune déesse auréolée d'or, drapée dans une tunique bleu roi qui soulignait le saphir de ses yeux et révélait sans les montrer chaque courbe de son corps. Ses longs gants soulignaient la finesse de ses bras et l'on avait relevé sa somptueuse chevelure en entrelaçant ses boucles fauves de tresses en saphirs et diamants. Son visage était parfait, d'une beauté inoubliable, aux pommettes hautes et finement ciselées, un petit nez droit, une bouche généreuse et un menton creusé d'une drôle de petite fossette.

En la voyant ainsi, aucun des convives n'aurait pu imaginer que cette jeune beauté olympienne était à deux doigts de s'évanouir de frayeur.

Cette mer de visages qui la dévisageaient parut se fendre en deux tandis que Victoria descendait les marches, et soudain Jason apparut dans la foule, se frayant un chemin jusqu'à elle. Il lui offrit son bras et Victoria posa instinctivement sa main dans la sienne. Elle tourna vers lui des yeux agrandis d'effroi.

Se penchant à son oreille comme pour lui murmurer un compliment, Jason souffla :

— Vous avez l'air morte de peur. Préférez-vous que je commence par les présentations ou voulez-vous que nous dansions ? Cela donnera à nos invités le temps de satisfaire leur curiosité.

Victoria eut un petit rire étranglé.

— C'est un choix cornélien !

— Donnons le signal aux musiciens, décida sagement Jason.

Il la prit dans ses bras tandis que s'élevaient les premiers accords d'une valse lente.

— Savez-vous danser la valse ? s'inquiéta-t-il brusquement.

— Il serait temps de vous en soucier ! fit-elle, au bord de la crise de nerfs.

— Victoria ! la reprit sévèrement Jason tout en lui décochant un sourire éblouissant pour la galerie. C'est bien vous qui m'avez froidement menacé de me tirer une balle dans la tête ! Ce n'est pas le moment de perdre votre sang-froid.

— Non, milord.

Elle s'efforçait de conserver la cadence. Il valsait avec la même aisance qu'il portait son superbe habit de soirée.

Soudain il lui serra la taille et l'attira contre son corps musclé pour lui souffler à l'oreille :

— La coutume veut qu'un couple bavarde ou flirte un peu pendant une danse, sans quoi les gens concluent à une hostilité entre les danseurs.

Victoria le dévisagea, la bouche sèche.

— Dites quelque chose, morbleu !

Ce juron proféré derrière un sourire ensorceleur lui arracha un rire involontaire, et elle oublia provisoirement leur public. Elle essaya de faire comme il le lui demandait et dit la première chose qui lui venait à l'esprit :

— Vous valsez très bien, milord.

Jason se détendit et sourit.

— C'est la phrase que j'étais censé vous dire.

— Vous autres Anglais, vous avez des règles pour tout, riposta Victoria, railleuse.

— Mais vous êtes aussi anglaise, mademoiselle, lui rappela-t-il avant d'ajouter : miss Flossie est un excellent professeur. Vous a-t-elle appris autre chose que la danse ?

Piquée, Victoria lui adressa un regard de défi :

— Vous pouvez dormir tranquille, je possède désormais tous les talents requis pour faire une jeune Anglaise de bonne famille.

— Lesquels ? s'enquit Jason, amusé.

— Outre le piano, je sais chanter, valser sans me prendre les pieds dans ma traîne, et broder aussi. J'ai également appris à lire le français et je peux vous exécuter une révérence sans perdre l'équilibre. Tout cela me porte à croire, acheva-t-elle avec un sourire impertinent, que les Anglaises ne s'attachent qu'à ce qui est parfaitement inutile.

Jason rejeta la tête en arrière et rit de bon cœur. Quel stupéfiant mélange de paradoxes elle était ! songea-t-il. Elle alliait le raffinement à l'innocence, la féminité à la bravoure et la sensualité à un incroyable sens de l'humour. Son corps était fait pour l'amour, ses yeux pouvaient rendre un homme fou de désir, son sourire tour à tour candide ou sensuel et cette bouche... sa bouche était une véritable invite aux baisers.

— C'est très impoli de dévisager les gens, le sermonna Victoria.

Jason s'arracha à la contemplation de ses lèvres.

— Pardonnez-moi.

— Vous disiez que nous devions flirter, lui rappela-t-elle, espiègle. Qu'est-ce que ça signifie ? Je n'ai aucune expérience en la matière, et vous ?

— Je suis très doué pour ça, répliqua-t-il en admirant son teint qui avait brusquement rosi.

— Eh bien, allez-y, montrez-moi comment il faut faire.

Interloqué, Jason plongea son regard dans ses yeux bleus et rieurs qu'ourlaient de longs cils. Une vague de désir l'envahit et il resserra instinctivement son étreinte.

— Nul besoin d'explications, murmura-t-il d'une voix sourde. Vous êtes très douée pour ça.

— Pour quoi ?

Son étonnement rendit à Jason ses esprits et il la relâcha un peu.

— Pour vous mettre dans des situations embarrassantes.

Sur le bord de la piste, le jeune lord Crowley chaussa son lorgnon et examina Victoria de la tête aux pieds.

— Exquise ! dit-il à son ami. Je vous l'avais dit dès le début. Incomparable. Tout bonnement divine. Céleste. Un ange.

— Ravissante ! Un vrai bijou ! renchérit le jeune lord Wiltshire.

— Sans ce Wakefield déjà sur les rangs, je lui ferais la cour ! commenta Crowley. Je ferais le siège de sa demeure et je mettrais en déroute ses soupirants !

— Rien ne vous en empêche, rétorqua lord Wiltshire avec humour. Mais il vous faudrait dix ans de plus et vingt fois plus d'argent que vous n'en possédez. J'ai entendu dire que le mariage n'était pas encore conclu.

— Dans ce cas, j'ai bien l'intention de me faire présenter à elle dès ce soir.

— Moi aussi ! riposta lord Wiltshire, tout excité.

Et les deux amis se lancèrent à la recherche de leur mère respective afin que les présentations soient faites dans les règles.

Pour Victoria, la soirée fut un succès sur toute la ligne. Elle qui avait craint de se retrouver livrée à des aristocrates de la même espèce que lady Kirby, fut accueillie très courtoisement par la plupart. Certains même, les hommes surtout, lui adressaient des compliments pleins d'esprit et faisaient preuve d'une grande prévenance. Elle fut assiégée de messieurs qui brûlaient de l'inviter à danser. Ensuite ils lui tournaient autour et quémandaient son attention, la suppliant de les laisser lui rendre visite. Rieuse et amicale, Victoria les laissait parler sans marquer de préférence.

De temps à autre, elle apercevait fugitivement Jason et une bouffée de tendresse l'envahissait. Il avait fière allure dans sa chemise à jabot éclatante de blancheur. A côté de lui, tous ces messieurs lui paraissaient fades, insignifiants.

Elle n'était pas la seule à penser ainsi et s'en aperçut quelques heures plus tard. Une ravissante jeune femme, blonde et sensuelle, essayait en vain de capter l'attention de Jason. Celui-ci s'était nonchalamment adossé à une colonne et son visage trahissait un profond ennui.

Jusqu'à ce soir, Victoria avait cru qu'il n'adoptait ces airs blasés et ironiques qu'avec elle. Mais elle se rendait compte à présent qu'il traitait toutes les femmes ainsi. C'était certainement ce que Caroline qualifiait de grossièreté chez lui. Et en dépit de cela, les femmes tournaient autour de lui comme des papillons autour d'une flamme, prêtes à se brûler les ailes. Elles n'avaient pas entièrement tort, conclut Victoria avec philosophie. Jason était incontestablement, irrésistiblement séduisant...

Robert Collingwood rejoignit Jason et hocha la tête en direction des soupirants de Victoria qui s'étaient agglutinés autour de Flossie Wilson, car la jeune fille était déjà en train de danser.

— Jason, si tu as toujours l'intention de la marier à quelqu'un d'autre, tu n'auras pas longtemps à attendre. Elle va devenir la coqueluche de toute la bonne société.

— Tant mieux, rétorqua Jason en suivant son regard avant de hausser les épaules avec indifférence.

14

La prédiction de Robert se révéla exacte et, dès le lendemain, une vingtaine de visiteurs vinrent frapper à la porte de Victoria. Une pluie d'invitations tomba sur la jeune fille et tous la supplièrent de leur montrer le fameux loup qu'elle avait réussi à apprivoiser. Northrup connut son heure de gloire ce jour-là et dirigea un véritable ballet d'allées et venues entrecoupées de collations servies par des valets en livrée.

Le soir venu, Victoria soupa en compagnie de Charles et Jason. Elle s'était couchée à l'aube et ses yeux se fermaient tandis qu'elle picorait dans son assiette. Jason en revanche semblait aussi frais et dispos qu'à l'ordinaire, bien qu'il eût travaillé dans son bureau tout l'après-midi.

— Victoria, vous avez remporté un franc succès hier soir, la félicita-t-il. Crowley et Wiltshire ne jurent plus que par vous. Tout comme lord Makepeace, et ce dernier est paraît-il le meilleur parti de cette saison.

Fatiguée, la jeune fille éclata de rire.

— A vous entendre, on croirait que vous parlez d'un oiseau rare !

Quelques instants plus tard, elle les pria de l'excuser et monta se coucher. Jason lui souhaita gentiment une bonne nuit. Un sourire de Victoria, même ensommeillée, suffisait à illuminer la pièce où elle se trouvait. Sous son élégance naturelle se cachait une véritable intelligence du cœur. Tout en sirotant son cognac, il se souvint de l'aisance avec laquelle elle avait conquis toute la haute société la veille ; son rire et sa beauté avaient suffi. Northrup lui était dévoué corps et âme depuis qu'elle lui avait joué son morceau préféré de Mozart avant le souper. A la fin du morceau, les yeux du vieux maître d'hôtel s'étaient embués de larmes. Ensuite elle avait fait venir O'Malley et avait interprété une ballade irlandaise. Une dizaine de serviteurs s'étaient réunis derrière la porte du salon pour tenter de profiter de ce concert improvisé. Au lieu de les renvoyer à leurs tâches respectives — comme Jason s'apprêtait à le faire —, Victoria leur avait demandé s'ils souhaitaient entendre un morceau particulier. Elle les connaissait tous par leurs prénoms et, malgré sa fatigue, elle avait continué à jouer pour eux pendant plus d'une heure.

Jason se rendit soudain compte que tous les domestiques l'adoraient. Les valets lui souriaient et se mettaient en quatre pour lui faire plaisir. Les femmes de chambre se précipitaient pour devancer le moindre de ses désirs et à chacun Victoria distribuait sourires et remerciements. On ne pouvait s'empêcher de l'aimer ; barons ou majordomes, tous succombaient à sa gentillesse et à sa sollicitude.

Jason fit distraitement courir ses doigts sur le

rebord de son verre. Victoria partie, la salle à manger lui parut soudain vide, sinistre. Sans remarquer la jubilation de Charles, il contemplait fixement la chaise que la jeune fille venait de quitter.

— Elle est extraordinaire, tu ne trouves pas ? observa enfin Charles d'un air innocent.

— Oui.

— Elle est belle comme le jour et d'une drôlerie ! Ma parole, je ne t'ai pas vu rire ainsi depuis des années ! Reconnais que nous avons hérité d'un bijou !

— C'est vrai, répliqua Jason en se souvenant de la facilité incroyable avec laquelle Victoria passait d'un personnage à un autre.

Selon le contexte, elle pouvait être tour à tour comtesse ou bergère, petite orpheline ou femme fatale.

— L'homme qu'aimera Victoria saura faire de l'enfant qu'elle est encore une femme brûlante de passion. Alors elle illuminera sa vie.

Charles s'interrompit mais Jason garda le silence. Alors il poursuivit d'une voix chargée de sous-entendus :

— Son Andrew ne l'épousera pas. J'en suis convaincu, sans quoi nous aurions déjà reçu de ses nouvelles.

Jason restait toujours silencieux.

— Ce pauvre garçon est plus à plaindre que Victoria, ajouta fermement Charles. Dire qu'il est assez bête pour passer à côté d'une telle perle ! Jason ! Tu m'écoutes, oui ou non ?

Jason lui lança un regard intrigué.

— Je n'ai pas perdu une miette de ce que vous venez de dire, mais en quoi cela me concerne-t-il ?

— En quoi... ? répéta Charles, excédé.

Mais il se reprit bien vite et poursuivit en choisissant soigneusement ses mots :

— Cela précisément te concerne, toi autant que moi. Victoria est très jeune et elle n'est pas mariée. Même avec miss Flossie comme chaperon, elle ne pourra indéfiniment habiter sous le même toit que deux hommes célibataires. Si cette situation dure trop longtemps, les gens s'imagineront que ces fiançailles sont une excuse... hem... et qu'en réalité, elle est l'une de tes innombrables maîtresses. Si cela devait se produire, toutes les portes se refermeraient devant elle. Tu ne voudrais pas lui infliger une telle humiliation, n'est-ce pas ?

— Non, bien sûr, répondit Jason en contemplant d'un air absent son verre de cognac.

— Alors il ne reste qu'une seule solution. Marions-la au plus vite. (Il attendit mais Jason demeurait muet.) Tu n'es pas de mon avis ?

— Si.

— Mais *qui* lui ferons-nous épouser ? demanda Charles, faussement embarrassé. De *qui* pourrait-elle tomber éperdument amoureuse ? *Qui* aurait besoin d'une telle femme comme épouse et comme mère de ses enfants ?

Agacé, Jason haussa les épaules.

— Comment diable le saurais-je ? L'entremetteur de la famille, c'est vous ! Pas moi.

Charles, sidéré, le dévisagea :

— Tu ne vois vraiment pas qui elle pourrait épouser ?

Jason avala d'un trait son cognac, le reposa sèchement sur la table. Puis il se leva et décréta :

— Victoria sait chanter, jouer du piano, faire la révérence et broder, résuma-t-il. Trouvez-lui un homme qui a de l'oreille, du goût et qui aime les chiens. Mais veillez toutefois à ce qu'il ait un caractère paisible, conciliant, sans quoi il risquerait de devenir fou. C'est aussi simple que ça.

Voyant que Charles en restait bouche bée de stupeur, il ajouta avec impatience :

— Ecoutez-moi, j'ai six propriétés à gérer, une flotte de navires à surveiller et cent autres choses à régler. Laissez-moi faire mon travail et occupez-vous de dénicher un mari à Victoria. Je veux bien être son cavalier pour les quelques semaines à venir. Elle a déjà fait un tabac hier soir. Encore quelques sorties en ville, et elle aura des soupirants à ne savoir qu'en faire. Je vous charge de les passer en revue et de me dresser une liste des candidats éventuels. Je choisirai parmi eux.

Vaincu, Charles baissa les bras :

— Comme tu voudras.

15

— Je n'ai pas vu une jeune fille créer de tels remous depuis les débuts de Caroline, observa Robert Collingwood en lançant à Jason un sourire complice.

Une semaine plus tard, les deux hommes regardaient danser Victoria au cours d'un bal.

— Son nom est sur toutes les lèvres, poursuivit Robert, amusé. Est-ce vrai qu'elle a menacé Roddy Carstairs de le tuer avec son propre pistolet ?

— Non. Elle lui a dit que s'il ne cessait pas de l'importuner de ses avances, elle le tuerait. Et que, si elle le manquait, elle lâcherait Wolf sur lui. Et que si Wolf n'en venait pas à bout, elle était sûre que *moi* je terminerais volontiers son travail.

(Jason éclata de rire et secoua la tête.) C'est la première fois qu'elle me fait jouer le rôle du héros. J'ai tout de même été un peu vexé de passer après son chien.

Robert le regarda d'un air étrange mais Jason n'y prêta pas attention. Il observait Victoria. Perdue parmi une troupe de jeunes gens qui sollicitaient tous son attention, elle demeurait sereine, telle une princesse habituée à être vénérée par ses sujets. Elle arborait une robe en satin bleu pâle avec de longs gants assortis qui remontaient jusqu'aux coudes. Avec ses cheveux qui flottaient librement sur ses épaules, sa beauté envoûtante attirait tous les regards.

Soudain, Jason s'aperçut que lord Warren serrait Victoria de près et qu'il lorgnait sans vergogne son décolleté. Il pâlit et siffla à l'intention de Robert :

— Si tu veux bien m'excuser un instant. J'ai deux mots à dire à Warren.

Au cours des deux semaines qui suivirent, des incidents similaires se répétèrent à plusieurs reprises sous les yeux sidérés de la haute aristocratie. Lord Fielding fondait tel un aigle sur les amoureux téméraires dont les attentions devenaient trop pressantes à l'égard de sa fiancée...

Trois semaines après la première sortie de Victoria dans le monde, Charles entra dans le bureau de Jason.

— Voici la liste des prétendants de Victoria, annonça-t-il du ton de celui qui, contraint d'exécuter une corvée, a hâte de s'en débarrasser. J'aimerais que nous les passions en revue au plus vite.

Jason leva le nez du rapport qu'il lisait et fronça

les sourcils en voyant le feuillet que lui tendait Charles.

— Je suis occupé.

— Je désirerais toutefois régler cette affaire. Ce travail m'a souverainement déplu et j'ai retenu sept candidats suivant des critères extrêmement rigoureux. Mais laisse-moi te dire que ça n'a pas été chose aisée.

— Je n'en doute pas, persifla Jason. Tout ce que Londres compte de bellâtres lui court après. Allez-y, je vous écoute, puisqu'il le faut.

Surpris par la réaction de Jason, Charles s'assit de l'autre côté de la table et chaussa ses lunettes.

— En premier, j'ai retenu le jeune lord Crowley qui m'a déjà demandé la permission de lui faire sa cour.

— C'est non ! Trop impulsif, décréta Jason.

— Qu'est-ce qui te fait dire ça ? interrogea Charles, déconcerté.

— Crowley ne connaît pas suffisamment Victoria pour être en mesure de « faire sa cour », comme vous dites.

— Tu es ridicule. Les quatre premiers candidats que j'ai retenus m'ont tous demandé la même chose, sous réserve bien sûr que vos fiançailles ne soient pas officialisées.

— C'est non pour les quatre, et pour la même raison, coupa Jason en se renversant dans son fauteuil et en faisant mine de s'absorber dans la lecture de son rapport. Suivant ?

— Le meilleur ami de Crowley, lord Wiltshire.

— Trop jeune. Suivant ?

— Arthur Lancaster.

— Trop petit. Après ?

— William Rogers. Il est grand, mûr, intelligent et beau. C'est également l'héritier de l'une des plus coquettes fortunes d'Angleterre. Il conviendrait à merveille pour Victoria.

— Faux.

— Comment, faux ! explosa Charles. Et pourquoi cela ?

— Je n'aime pas la façon dont il monte à cheval.

— Tu n'aimes pas... répéta Charles qui n'en croyait pas ses oreilles.

Mais en voyant le visage dur et impassible de Jason, il soupira :

— Très bien. Le nom suivant sur ma liste est celui de lord Terrance. Outre ses qualités de cœur, c'est un excellent cavalier. Il est également grand, beau, intelligent et riche. Alors, acheva-t-il, triomphant. Que trouves-tu à redire cette fois ?

La mâchoire de Jason se durcit et la sentence tomba :

— Je ne l'aime pas.

— On ne te demande pas de l'épouser ! riposta Charles, excédé.

Jason se redressa et son poing s'abattit violemment sur son bureau.

— J'ai dit qu'il ne me plaisait pas, grinça-t-il, les dents serrées. C'est non, un point c'est tout.

Chez Charles, la colère laissa place à la surprise puis à un sourire sans joie.

— Tu ne veux pas d'elle, mais tu ne veux pas qu'elle appartienne à un autre. C'est bien ça ?

— Exact, riposta aigrement Jason. Je ne veux pas d'elle.

La voix de Victoria jaillit alors depuis l'embrasure de la porte :

— Moi non plus !

Les deux hommes firent volte-face tandis qu'elle pénétrait dans la pièce en foudroyant Jason de ses magnifiques yeux bleus. Elle appuya ses paumes sur la table, furieuse.

— Puisque vous avez tellement hâte de vous débarrasser de moi dans l'éventualité où Andrew ne viendrait pas, je lui trouverai un remplaçant ! Mais ce ne sera certainement pas vous ! Vous ne lui arrivez pas à la cheville. Andrew est la bonté, la gentillesse en personne, alors que vous, vous êtes froid, cynique, blasé et hypocrite... Vous n'êtes qu'un... scélérat ! Indigne de porter le nom illustre qui est le vôtre.

Ces derniers mots pétrifièrent Jason qui serra les poings.

— Si j'étais vous, riposta-t-il d'une voix mauvaise, je me mettrais en quête d'un remplaçant dès aujourd'hui, car ce brave Andrew a l'air de partager mon point de vue. Je ne le trouve pas très pressé.

Victoria chancela sous la violence du choc et s'enfuit de la pièce avec une seule idée en tête : elle prouverait à ce Jason Fielding qu'il y avait des hommes qui voulaient d'elle. Dire qu'elle avait failli croire qu'il était devenu son ami. Elle avait imaginé qu'il éprouvait de l'affection pour elle. L'odieux personnage ! Elle aurait souhaité ne jamais le revoir...

Après le départ de la jeune fille, Charles se tourna vers Jason :

— Félicitations, lâcha-t-il d'une voix amère. Tu as tout fait pour qu'elle te méprise depuis le premier jour où elle a mis les pieds à Wakefield. Je sais pourquoi maintenant. J'ai vu les regards que tu posais sur elle. Tu la désires et tu redoutes le moment de faiblesse passagère où tu la demanderas en mar...

— Ça suffit !

— Tu la veux ! insista Charles avec emportement. Tu la désires, tu tiens à elle et tu te détestes pour ce que tu prends pour de la faiblesse. Mais ne te fais donc pas tant de souci... Tu l'as tellement humiliée qu'elle ne te pardonnera jamais. Vous aviez tous les deux raison. Tu es bel et bien un salaud et son Andrew ne viendra pas la chercher. Réjouis-toi, Jason, elle te haïra encore plus le jour où elle comprendra qu'Andrew l'a oubliée. Tu peux savourer ton triomphe.

Reprenant son rapport, Jason articula d'une voix glaciale :

— Préparez-moi une autre liste cette semaine et apportez-la-moi.

16

Cette fois-ci, la tâche fut plus ardue pour Charles qui dut effectuer un tri sévère parmi l'essaim de soupirants qui bourdonnaient autour de Victoria. A la fin de la semaine, l'hôtel d'Upper Brook Street croulait littéralement sous les fleurs offertes par un défilé ininterrompu de galants, qui tous espéraient s'attirer les faveurs de la jeune fille.

Jusqu'au marquis de Salle, un Français particulièrement séduisant qui lui aussi succomba à son charme, à cause précisément de la difficulté qu'avait la jeune fille à parler sa langue. Il fit son apparition un beau jour en compagnie de son ami russe, le baron Arnoff.

— Vous parlez parfaitement le français, mentit galamment le marquis.

Victoria lui jeta un regard incrédule :

— Mon français est épouvantable. J'ai l'impression de parler apache.

— Apache ? s'enquit-il avec courtoisie. Qu'est-ce donc que cela ?

— La langue d'une tribu indienne.

— Des sauvages américains ? s'exclama le baron.

Le baron Arnoff était un personnage légendaire de la cavalerie russe. L'ennui qui se lisait sur son visage fit place à un vif intérêt.

— J'ai entendu dire que ces indigènes sont des cavaliers hors pair. Est-ce exact ?

— Je n'en ai rencontré qu'un seul, baron Arnoff. C'était un vieillard très courtois et qui n'avait rien d'un sauvage. Mon père l'avait trouvé à moitié mort de faim dans la forêt et il l'avait ramené à la maison. Il s'appelait Rivière Bondissante et il est resté chez nous, il assistait mon père dans son travail. Mais pour répondre à votre question, c'était effectivement un excellent cavalier. A douze ans, je me souviens d'une démonstration éblouissante. Il montait à cru et...

— A cru ! s'exclama le baron, littéralement époustouflé.

Victoria hocha la tête.

— Les Apaches ne montent qu'à cru.

— Et que faisait-il ? s'enquit le marquis, plus intéressé par son ravissant visage que par ses paroles.

— Une fois, Rivière Bondissante m'a demandé de lâcher mon mouchoir au milieu d'un champ ; puis il a éperonné son cheval et il l'a ramassé en se laissant glisser contre le flanc de sa monture lancée au galop. Il m'a appris à le faire moi aussi, ajouta Victoria en riant.

— Je vous croirai quand je l'aurai vu, objecta le

baron, fort impressionné. M'autorisez-vous à réclamer une démonstration de vos talents ?

— Hélas ! c'est impossible, le cheval doit être dressé par un Apache.

— Peut-être pourriez-vous nous dire un mot ou deux en apache, la taquina le marquis avec un sourire enjôleur. En échange, je vous donnerais des leçons de français.

— Vous êtes trop aimable, répliqua Victoria. Mais vous y perdriez car j'ai beaucoup à apprendre et peu à enseigner. J'ai oublié la plupart des mots que m'avait appris Rivière Bondissante.

— Vous devez au moins vous souvenir d'une phrase, non ? insista-t-il.

— Non, je vous assure...

— Voyons...

— Comme il vous plaira, capitula Victoria avec un soupir.

Elle prononça quelques mots gutturaux et regarda le marquis :

— A votre tour, répétez à présent.

Le marquis s'y prit à deux fois avant de répéter la phrase en apache et sourit, fier comme un coq.

— Qu'est-ce que cela veut dire ? demanda-t-il. Qu'ai-je dit ?

— Vous avez dit : « Cet homme piétine mon aigle », traduisit Victoria, désolée.

— Piétine mon... ?

Et le marquis, le baron et le reste de l'assistance s'esclaffèrent sous les lambris dorés du petit salon.

Le lendemain, le Russe et le Français avaient rejoint les rangs des soupirants attitrés de Victoria, ajoutant encore à son prestige et à sa popularité.

Dès qu'elle se trouvait dans une pièce, la gaieté s'installait et les rires fusaient. Par contre, dans le reste de la maison pesait une tension lourde et menaçante dont lord Fielding était responsable. Les semaines défilaient et le nombre des amoureux de Victoria ne cessait de croître. L'humeur de Jason passa de l'exaspération aux envies de meurtre. Où qu'il allât et quoi que l'on fît, rien ne lui convenait. Il fustigea la cuisinière qui avait eu le malheur de préparer trop souvent son plat favori, il fit punir une servante qui avait oublié un grain de poussière sur la rampe et il alla jusqu'à menacer de renvoyer un valet pour un simple bouton décousu sur sa livrée.

Dans le passé, lord Fielding avait été un maître exigeant mais juste. Dorénavant, il trouvait à redire sur tout et chaque domestique qui se trouvait sur son chemin était certain de s'attirer une remarque cinglante. Hélas, au fur et à mesure que l'irascibilité de leur maître grandissait, le travail du personnel s'en ressentait. Nerveux, les domestiques commettaient maladresse sur maladresse.

Autrefois, les maisons de lord Fielding fonctionnaient comme des horloges bien réglées. A présent, les serviteurs expédiaient leurs tâches à toute vitesse et couraient du matin au soir afin de ne pas encourir les foudres de leur maître. Résultat : un vase de prix fut cassé, un seau d'eau répandu sur un tapis d'Aubusson et le chaos le plus total régna bientôt dans la maison.

Victoria était consciente de la tension écrasante qui pesait sur la domesticité mais, chaque fois qu'elle essayait d'aborder le sujet, Jason l'accusait de vouloir susciter une mutinerie parmi son personnel.

Quant à Charles, il tenta à deux reprises de lui présenter une seconde liste de prétendants, mais les deux fois, Jason le mit sans ménagement à la porte de son bureau.

Le jour où Northrup en personne reçut une cinglante réprimande de son maître, ce fut l'édifice entier qui chancela.

Et un mois plus tard, l'abcès creva.

Jason travaillait dans son bureau et appela Northrup, lequel était en train d'arranger des fleurs dans un vase.

Désireux de ne pas faire attendre son maître à l'humeur si chatouilleuse, Northrup se précipita les fleurs à la main dans son bureau.

— Votre Seigneurie désire quelque chose ?

— Comme c'est charmant ! s'exclama Jason avec un ricanement sarcastique. Encore des fleurs ? Me sont-elles destinées ?

Avant même que Northrup eût le temps de répondre, il poursuivit sur un ton mordant :

— Cette satanée maison empeste ! J'en ai assez de ces fleurs ! Jetez-moi ce bouquet et envoyez-moi Victoria. Amenez-moi aussi cette fichue invitation pour ce soir. J'ai oublié à quelle heure nous étions conviés ! Dites à mon valet de me préparer mes habits. Alors, qu'attendez-vous ? Dépêchez-vous, bon sang !

— Oui, monsieur, tout de suite.

Et Northrup se précipita dans le hall, bousculant au passage O'Malley que Jason venait de tancer parce que ses bottes n'étaient pas correctement lustrées.

— Je ne l'ai jamais vu dans cet état, souffla O'Malley, interloqué, au majordome qui fourrait ses fleurs dans un vase. Sa Seigneurie m'avait demandé du thé puis il s'est mis dans une colère noire parce qu'en réalité c'était du café qu'il voulait.

— Sa Seigneurie ne boit jamais de thé, objecta Northrup avec hauteur.

— C'est bien ce que je lui ai dit, rétorqua amèrement O'Malley. Alors il m'a traité d'insolent.

— Il avait raison, répliqua Northrup, donnant libre cours à la secrète animosité qu'il nourrissait envers l'Irlandais depuis vingt ans.

Il sourit d'un air satisfait et planta là son rival.

Dans le petit salon, aveuglée par les larmes, Victoria fixait la lettre de Mme Bainbridge qu'elle venait de recevoir. Les mots se brouillaient devant ses yeux.

... Ce sont là les seules paroles réconfortantes qui me viennent pour vous annoncer qu'Andrew a épousé sa cousine en Suisse. Je vous l'avais laissé entendre avant votre départ pour l'Angleterre mais vous avez délibérément choisi d'ignorer mes avertissements. Maintenant que les faits sont là, je vous conseille charitablement de chercher un mari qui convienne davantage à une fille de votre milieu.

— Non ! Par pitié ! murmura la jeune fille.

Tous ses espoirs et ses rêves s'écroulaient comme un château de cartes. Plus jamais elle ne croirait les hommes. Elle revit le visage rieur d'Andrew qui se penchait vers elle tandis qu'elle galopait à ses côtés :

— *Tory, tu es la meilleure cavalière que je connaisse...*

Elle se souvint du baiser léger qu'il lui avait donné le jour de ses seize ans :

— *Si tu étais plus grande*, avait-il murmuré d'une

voix rauque, *c'est une bague que je t'offrirais et non un bracelet...*

— Menteur ! chuchota Victoria. Espèce de menteur !

Des larmes brûlantes jaillirent de ses yeux. Lentement, une à une, elles tombèrent sur le papier.

Northrup pénétra à cet instant dans le salon et déclama :

— Lord Fielding vous demande dans son bureau, mademoiselle. Lord Crowley vient juste de sonner et souhaiterait vous...

Il se tut, hébété, en voyant Victoria tourner vers lui ses immenses yeux myosotis baignés de larmes ; elle se leva brusquement, cacha son visage dans ses mains et s'enfuit en courant. Un sanglot rauque lui échappa tandis qu'elle volait chercher refuge dans sa chambre.

Affreusement inquiet, Northrup la suivit des yeux. Instinctivement, il ramassa la lettre qu'elle avait laissée tomber dans sa précipitation. Il la parcourut pour savoir quelle terrible nouvelle avait pu briser le cœur d'une si charmante jeune fille.

— Northrup, venez ici ! tonna lord Fielding depuis son bureau.

Comme un automate, Northrup obéit, la missive toujours à la main.

— Avez-vous prévenu Victoria que je voulais la voir ? Qu'est-ce que c'est que ça ? L'invitation de lady Frigley ? Donnez-la-moi !

Il tendit impatiemment le bras, suprêmement agacé par l'attitude réticente de son majordome qui s'approchait à pas comptés.

— Quelle mouche vous pique, sapristi ! s'exclama Jason en lui arrachant la lettre des mains. Et que signifient ces taches ?

— Ce sont des larmes, expliqua Northrup avec raideur en fixant le mur devant lui.

— Des larmes? répéta Jason, les sourcils froncés. Mais ce n'est pas mon invitation, c'est...

Un silence pesant s'établit tandis qu'il prenait connaissance du contenu de la lettre. Il retint son souffle et, lorsqu'il eut achevé sa lecture, il leva un regard furibond vers Northrup.

— Ce sale type a demandé à sa mère de la prévenir qu'il en épousait une autre. Le lâche! L'ignoble individu!

Northrup avala sa salive avant d'approuver d'un ton ému:

— Les mêmes mots me sont venus à l'esprit, monsieur.

Pour la première fois depuis un mois, la voix de Jason s'éleva sans la moindre trace d'animosité:

— Je vais aller lui parler.

Repoussant son fauteuil, il monta chez Victoria.

Comme l'autre fois, celle-ci ne répondit pas lorsqu'il frappa et, comme l'autre fois, Jason entra quand même. Ce coup-ci, Victoria ne sanglotait pas, enfouie dans son oreiller. Elle regardait par la fenêtre, mortellement pâle, le regard fixe et si raide que Jason perçut l'effort qu'elle faisait pour ne pas s'abandonner à son chagrin. Il referma la porte derrière lui et hésita un instant.

— Allez-vous-en, s'il vous plaît.

Ignorant cette remarque, Jason s'approcha d'elle.

— Victoria, je suis désolé... commença-t-il, mais la lueur fulgurante qui brilla dans ses yeux bleus le réduisit au silence.

— Je ne le sais que trop! Mais ne vous inquiétez pas, milord. Je n'ai pas l'intention de rester ici plus longtemps à votre charge!

Il voulut la prendre dans ses bras mais elle bondit en arrière comme s'il l'avait brûlée.

— Ne me touchez pas! siffla-t-elle. Ne vous avisez pas de me toucher! Je ne veux plus qu'un seul homme me touche, surtout pas vous!

Elle respira longuement, tentant de reprendre son sang-froid, puis poursuivit d'une voix hachée:

— J'ai bien réfléchi. Je saurai me débrouiller. Je ne suis pas aussi nulle que vous le pensez, déclara-t-elle en relevant le menton avec défi. Je couds très bien. Mme Dumosse qui s'y connaît...

— Ne soyez pas ridicule! l'interrompit Jason.

— Mais je *suis* ridicule! Je suis une comtesse aux pieds nus, je n'ai pas un shilling, pas de toit et je n'ai même plus de fierté. Je ne sais même pas si je serai capable de tenir une aiguille...

— Taisez-vous! Je ne tolérerai pas que vous travailliez comme une vulgaire couturière, un point c'est tout!

Elle allait riposter quand il continua:

— Est-ce ainsi que vous me remerciez de mon hospitalité? Voulez-vous nous embarrasser Charles et moi devant tout Londres?

Victoria laissa retomber ses épaules et secoua la tête.

— Parfait. Alors ne me parlez plus de ça.

— Mais alors que vais-je faire? murmura Victoria en levant vers lui ses grands yeux noyés de chagrin.

Une émotion étrange traversa fugitivement les traits de Jason et il serra les mâchoires comme s'il se retenait de parler.

— Faites comme les autres femmes, dit-il au bout d'un long silence. Epousez un homme qui saura vous offrir la vie que vous désirez. Une douzaine de jeunes gens ont déjà demandé votre main. Epousez l'un d'entre eux.

— Jamais je n'épouserai quelqu'un que je n'aime pas, riposta Victoria d'un ton résolu.

— Vous changerez bientôt d'avis, affirma Jason.

— Peut-être le devrais-je, vous avez raison. On souffre trop quand on aime. P... parce que ensuite, si l'on trahit cet amour, on... Oh Jason, mais qu'est-ce que j'ai qui ne va pas ? fit-elle en éclatant en sanglots. Vous me détestez, et Andrew...

Alors Jason abandonna toute réserve. Il l'enveloppa de ses bras et la serra très fort contre lui.

— Vous n'avez rien, chuchota-t-il en lui caressant les cheveux. Andrew est un âne bâté. Et moi encore plus que lui.

— Il m'a abandonnée, sanglotait Victoria contre sa poitrine. Ça fait tellement mal...

Jason ferma les yeux et articula péniblement :

— Je le sais bien.

Ses larmes brûlantes émurent Jason comme il ne l'avait pas été depuis de longues années. Sans lâcher Victoria blottie contre lui, il attendit que ses sanglots s'apaisent, puis il effleura sa tempe d'un baiser et chuchota :

— Vous vous souvenez de ce jour à Wakefield où vous m'avez demandé si nous pouvions être amis ?

Elle hocha la tête en frottant sans s'en rendre compte sa joue contre sa poitrine.

— Cela me ferait immensément plaisir, souffla-t-il d'une voix rauque. Me donnerez-vous une seconde chance ?

Victoria leva les yeux et le contempla, encore méfiante. Puis elle acquiesça.

— Merci, murmura-t-il avec l'ombre d'un sourire.

17

Au cours des semaines qui suivirent, Victoria ressentit dans toutes les fibres de son corps la trahison d'Andrew. A la souffrance succéda la colère, puis une tristesse morne, lancinante. Mais son tempérament fort et déterminé la poussa à reprendre le dessus, à affronter la réalité. Elle devait se rendre à cette douloureuse évidence et couper définitivement les ponts avec sa vie d'autrefois. Elle apprit à pleurer en cachette tout ce qu'elle avait perdu, après quoi elle mettait sa plus jolie robe et arborait un sourire éclatant pour recevoir ses amis et connaissances.

Elle réussit à donner le change à tous, tous sauf à Jason et à Caroline Collingwood qui chacun à leur façon l'aidèrent à supporter cette épreuve. Caroline s'ingéniait à lui changer les idées en l'entraînant dans unc valse étourdissante de sorties et de divertissements, tandis que Jason l'escortait partout où elle allait.

La plupart du temps, son attitude à l'égard de Victoria était celle d'un grand frère. Il l'accompagnait au théâtre, à l'Opéra, au bal. Une fois là-bas, il la confiait à ses amis tandis que lui-même allait rejoindre les siens. Ce qui ne l'empêchait pas de garder un œil attentif et de fondre sur le premier galant qui ne lui plaisait pas. Ils étaient d'ailleurs très nombreux à ne pas trouver grâce à ses yeux. Victoria, qui connaissait à présent sa réputation de libertin, s'amusait de le voir foudroyer du regard ses admirateurs trop empressés et souriait devant l'air déconfit des malheureux qui battaient en retraite en bredouillant des excuses.

Pour le reste du monde, l'attitude du marquis de Wakefield était non seulement amusante, mais aussi bizarre, pour ne pas dire un peu suspecte. Plus personne ne croyait à un mariage entre les jeunes gens puisque Jason recevait quotidiennement chez lui les soupirants de Victoria et qu'il répétait à l'envi que leurs fiançailles n'étaient pas encore conclues. On supposait que cet arrangement avait été prématurément décidé par le vieux duc — qui ne cachait pas sa vive affection pour les deux jeunes gens — et que ces derniers maintenaient cette fable pour lui faire plaisir.

Mais à cette théorie vint s'ajouter une autre, moins tendre à l'égard des intéressés. Dès le début, des esprits chagrins s'étaient élevés contre le mode de vie de Victoria. Personne n'y avait prêté attention, mais du fait des apparitions en public de plus en plus fréquentes de Jason et Victoria, les mauvaises langues se dépêchèrent d'en conclure que le célèbre lord Fielding avait entrepris de conquérir une nouvelle maîtresse.

Les plus hargneux insinuaient même que c'était déjà chose faite, au nez et à la barbe de la pauvre Flossie Wilson. Mais on accorda peu de crédit à ce dernier ragot. Victoria comptait, en effet, bon nombre de partisans dévoués, parmi lesquels la comtesse de Collingwood et son influent mari. C'était une preuve indéniable de respectabilité.

La curiosité que suscitait sa relation avec Jason n'échappait pas à Victoria, pas plus qu'elle ne se leurrait sur la mauvaise réputation dont il jouissait. Elle apprit à déceler les expressions diverses que manifestaient ses interlocuteurs quand Jason était dans les parages. Ils se méfiaient de lui et se tenaient aux aguets. Au début, elle crut qu'elle se faisait des idées mais elle surprit des bribes de conversation, des ragots murmurés, un mot ici ou là. Tous malveillants ou au moins désapprobateurs.

Caroline l'avait prévenue : Jason n'était pas populaire. Un soir, sa sœur elle-même tenta de la mettre en garde.

— Tory, oh Tory, toi ici ! s'exclama Dorothée en surgissant d'une foule d'admirateurs qui entouraient Victoria devant l'hôtel de lord et lady Potham.

Victoria, qui n'avait pas revu Dorothée depuis leur arrivée en Angleterre, se jeta dans ses bras.

— Où étais-tu ? la gronda-t-elle affectueusement. Tu écris si peu, je te croyais encore « au vert » à la campagne !

— Grand-mère et moi sommes rentrées à Londres il y a trois jours. Je voulais courir te retrouver mais grand-mère s'y oppose catégoriquement. Alors je t'ai cherchée partout où j'allais. Mais laissons cela, mon temps est compté. Mon chaperon doit me chercher partout à l'heure qu'il est. (Elle jeta un coup d'œil inquiet par-dessus son épaule.) Oh Tory ! Je suis morte d'inquiétude à ton sujet ! Je suis au courant pour Andrew, c'est dégoûtant, ce qu'il a fait, mais je t'en supplie, n'épouse pas ce Wakefield ! Ne te laisse pas influencer, ce serait dramatique. Tout le monde le déteste, tu dois bien le savoir. J'ai entendu lady Faulklyn, la dame de compagnie de grand-mère, parler de lui. Sais-tu ce qu'elle a dit ?

Victoria tourna le dos à leur public.

— Dorothée, lord Fielding a été très bon pour moi. Ne me demande pas de prêter foi à des ragots. Par contre, laisse-moi te présenter à...

— Non ! Pas maintenant, fit Dorothée, désespérée.

Elle essaya de chuchoter mais c'était impossible au milieu de ce tohu-bohu et elle fut au contraire obligée d'élever la voix :

— Sais-tu ce qu'on dit de Wakefield ? Lady Faulklyn prétend qu'on le reçoit *uniquement* parce que c'est un Fielding ! Il a une réputation épouvantable. Il se sert des femmes et ensuite il leur tourne le dos ! Tout le monde a peur de lui, toi aussi tu devrais le craindre ! On dit...

Elle s'interrompit en voyant une femme d'un certain âge descendre d'une calèche et se frayer un chemin dans la foule.

— Je dois partir. Voilà mon chaperon.

Dorothée rejoignit précipitamment la vieille dame et Victoria les vit remonter dans la calèche.

A côté d'elle, M. Warren observa :

— Cette jeune femme n'a pas entièrement tort, vous savez.

S'arrachant à ses pensées, Victoria jeta un regard méprisant au jeune dandy et contempla ses autres soupirants qui arboraient des expressions similaires. Ils n'avaient visiblement pas perdu une miette de leur conversation.

Quels imbéciles, songea-t-elle. Aucun d'eux ne levait le petit doigt de la journée pour gagner son pain. Jason, lui, travaillait du matin au soir. Ils étaient sots, futiles, et ils se réjouissaient d'entendre dire du mal de Jason parce qu'ils enviaient sa richesse et son succès auprès des femmes.

Victoria esquissa un sourire enjôleur que démentait une lueur meurtrière dans ses yeux bleus :

— Oh, monsieur Warren, ne me dites pas que vous aussi, vous vous faites du souci pour moi ?

— Mais si, mademoiselle, mais si.

— C'est absurde! jeta Victoria avec mépris. Si la vérité vous intéresse davantage que les commérages, la voici: je suis arrivée ici, seule et sans famille ni fortune. Je dois tout — tout, vous m'entendez? — à Sa Grâce le duc et à lord Fielding. Et maintenant, poursuivit-elle avec un sourire contraint, regardez-moi bien.

Elle sentit le fou rire la gagner en voyant le jeune bellâtre suivre ses instructions à la lettre et chausser ses lunettes.

— Ai-je vraiment l'air si malheureuse? M'a-t-on poignardée pendant mon sommeil? Non, monsieur! Au contraire, lord Fielding m'a offert un toit et sa protection. Alors en toute honnêteté, cher monsieur Warren, je crois qu'il y a beaucoup de femmes dans cette ville qui meurent d'envie d'être aussi «malheureuses» que moi, et surtout à cause de *cet homme-là*. J'ajoute pour terminer que c'est la jalousie qui suscite ces ridicules commérages.

Warren rougit de confusion et Victoria, se tournant vers les autres, poursuivit avec véhémence:

— Si vous connaissiez lord Fielding comme moi je le connais, vous découvririez un être excessivement bon, attentionné, raffiné et... et aimable!

Dans son dos résonna alors la voix amusée de Jason:

— Ma chère, vos efforts pour blanchir ma réputation sont louables, mais vous me faites passer pour un vieux barbon!

Rougissante, Victoria fit volte-face.

— Néanmoins, reprit-il avec un petit sourire, je vous le pardonnerai si vous m'accordez cette danse.

Victoria posa la main sur son bras et monta avec lui les marches du perron.

La fierté qui l'avait saisie lorsqu'elle s'était trouvé le courage de prendre la défense de Jason s'évanouit soudain. Gênée, elle se demanda s'il lui en voulait. Comme il dansait sans un mot, elle regarda avec hésitation ses yeux verts et pensifs.

— Vous êtes fâché? interrogea-t-elle. Je veux dire... parce que nous parlions de vous?

— Seulement surpris, répliqua-t-il en haussant les sourcils. Depuis quand suis-je bon, attentionné, raffiné et aimable?

— Vous êtes fâché, constata Victoria avec un soupir.

Jason éclata de rire et la serra contre lui.

— Non, je ne suis pas fâché, dit-il d'une voix grave et douce. Je suis gêné.

— Gêné? répéta-t-elle, surprise, en sondant ses yeux verts. Mais... pourquoi?

— Mettez-vous à ma place. Moi un homme mûr, fort et doté d'une réputation détestable, je suis gêné de voir un petit bout de femme comme vous me défendre contre le reste du monde.

Subjuguée par la tendresse qu'elle lisait dans son regard, Victoria réprima une envie irrésistible de l'embrasser sur la joue.

La nouvelle se répandit comme une traînée de poudre: Victoria avait publiquement pris la défense de lord Fielding. La bonne société en conclut qu'un mariage demeurait possible. Cela alarma à tel point les admirateurs de Victoria qu'ils redoublèrent leurs efforts pour lui plaire, ce qui donna lieu à des rivalités et des querelles. Quant à lord Crowley et lord Wiltshire, ils allèrent jusqu'à se battre en duel.

— Ni vous ni moi ne l'intéressons, déclara lord Crowley à lord Wiltshire un après-midi qu'ils sortaient désappointés d'une visite chez Victoria.

— Vous vous trompez, rétorqua son compagnon.

Elle témoigne à mon égard d'une bienveillance toute particulière !

— Imbécile ! A ses yeux, nous ne sommes que des snobs anglais et elle n'aime pas les Anglais ! Elle préfère ces abrutis d'Américains. Je ne la crois pas aussi douce que vous le dites et, dans notre dos, elle se moque de nous...

— Mensonges !

— Me traiteriez-vous de menteur, Wiltshire ?

— Non, mon ami. Je vous traite d'idiot.

— Très bien, rendez-vous demain à l'aube chez moi, riposta Crowley avant de galoper en direction de son club.

La nouvelle de leur duel se répandit comme une traînée de poudre et finit par arriver aux oreilles de l'établissement très fermé où le marquis de Salle jouait aux dés en compagnie du baron Arnoff.

— Petits crétins, commenta de Salle, agacé. Lady Victoria sera profondément affectée en apprenant cela.

Le baron se mit à rire.

— Aucun des deux ne sait tirer correctement.

— Je ferais peut-être mieux d'y mettre le holà, décréta le marquis.

— Le pire qui puisse arriver, ce serait qu'ils descendent leurs chevaux.

— Non, je songeais à la réputation de lady Victoria.

— Très juste, se réjouit le baron. Si sa popularité baissait, nous aurions peut-être une chance de la conquérir...

Quelques heures plus tard, Robert Collingwood entendit à son tour parler de ce duel. Il prit immédiatement congé de ses amis et se rendit chez le duc d'Atherton. Le valet de Jason lui révéla que son maître avait raccompagné lady Victoria chez elle et qu'il s'était ensuite rendu chez une femme demeurant 21 Williams Street.

Robert bondit dans sa calèche et ordonna au cocher de se dépêcher.

Il tambourina à la porte jusqu'à ce qu'une soubrette ensommeillée vînt lui ouvrir en déclarant que lord Fielding n'était pas là.

— Annoncez-moi tout de suite à votre maîtresse, ordonna Robert, impatienté. Je suis pressé.

La jeune femme aperçut les armoiries sur la portière de la calèche, hésita une seconde et finit par obéir.

Après un long intermède, une ravissante jeune femme brune vêtue d'un déshabillé transparent descendit l'escalier.

— Juste Ciel, que se passe-t-il donc, lord Collingwood? demanda Sybil.

— Jason est-il là?

Sybil acquiesça.

— Dites-lui que Crowley et Wiltshire se battent en duel demain à l'aube à cause de Victoria.

Jason allongea le bras tandis que Sybil s'asseyait au bord du lit. Les paupières closes, il trouva l'ouverture de son déshabillé et caressa sa jambe nue.

— Viens te recoucher, dit-il d'une voix rauque. J'ai besoin de toi.

Un sourire rêveur effleura les lèvres de sa maîtresse qui caressa son épaule bronzée.

— Tu n'as besoin de personne, murmura-t-elle tristement. Tu n'en as jamais eu besoin.

Eclatant de rire, Jason roula sur le dos et l'attira sur son corps nu.

— Et ça, qu'est-ce que c'est?

— Ce n'est que le désir, et tu le sais très bien,

chuchota Sybil en déposant un baiser sur ses lèvres chaudes. Collingwood est en bas. Il m'a dit de te prévenir que Crowley et Wiltshire allaient se battre en duel demain matin.

Les yeux verts de Jason s'ouvrirent instantanément mais sans trahir la moindre émotion.

— C'est à cause de Victoria, précisa-t-elle.

En un tour de main Jason la repoussa, bondit du lit et enfila ses vêtements.

— Quelle heure est-il ?

— Le jour se lèvera d'ici une heure.

Il hocha la tête, effleura son front d'un baiser furtif pour s'excuser et quitta la pièce, faisant résonner les talons de ses bottes sur le parquet verni.

Le ciel pâlissait déjà quand Jason découvrit enfin le bosquet dans le parc des Crowley où les deux adversaires s'apprêtaient à en découdre. Sinistre présage, la calèche noire d'un médecin se tenait en retrait à une cinquantaine de mètres. Jason éperonna sauvagement son cheval et l'étalon noir fit voler des mottes de terre sous ses sabots.

Il s'immobilisa en dérapant, sauta à bas de sa monture et courut vers les deux jeunes hommes.

— Que diable se passe-t-il ? lança-t-il à Crowley.

Puis il fit volte-face et n'en crut pas ses yeux lorsque le marquis de Salle sortit d'un fourré à quelques mètres derrière lui.

— Qu'est-ce que vous fabriquez ici ? lança-t-il, irrité. Je vous croyais plus sensé que ces deux imbéciles.

— Je suis venu faire la même chose que vous, déclara nonchalamment le marquis avec un pâle sourire. Mais comme vous pouvez le constater, ma tentative a échoué.

— Crowley m'a tiré dessus ! explosa Wiltshire d'un ton accusateur.

La stupeur se lisait encore sur ses traits et il parlait d'une voix rendue pâteuse par l'alcool qu'il avait ingurgité pour se donner du courage.

— Crowley ne s'est pppas cconduit en gentleman, bredouilla-t-il. Je vais le tttuer !

— Je n'ai pas voulu vous tirer dessus, riposta Crowley, enragé. Sans quoi je vous aurais touché !

— Vous n'avez pas vvvisé... en l'air ! hurla Wiltshire. Vous nnn'êtes pas... un gentleman. Vous méritez de mourir et je vais m'en charger !

Wiltshire tendit un bras tremblant et visa son adversaire. Le coup partit alors que le marquis se précipitait pour désarmer Wiltshire. De son côté, Jason plongea sur Crowley, figé de stupeur, et le plaqua au sol. La balle effleura en sifflant l'oreille de Jason, ricocha contre un tronc d'arbre et revint lui déchirer le bras.

Après un moment de stupeur, Jason se laissa lentement glisser à terre tandis qu'une expression incrédule se peignait sur son visage. Il posa la main sur son bras et contempla, hébété, le sang qui ruisselait entre ses doigts. N'eût été le tragique de la situation, son étonnement aurait été comique.

Le médecin, le marquis et le jeune Wiltshire se précipitèrent d'un seul élan.

— Laissez-moi voir votre blessure, ordonna le docteur Worthing en repoussant les autres et en s'agenouillant près de lui.

Il déchira sa chemise et Wiltshire émit un son étranglé en voyant le sang qui coulait à flots de la plaie.

— Seigneur ! gémit-il. Lord Fielding, je ne voulais pas...

— Taisez-vous ! coupa le docteur Worthing. Apportez-moi la bouteille de whisky qui se trouve dans ma mallette. Jason, la blessure est nette mais assez profonde, je vais la désinfecter et vous recoudre. (Il saisit la bouteille que lui tendait le marquis de Salle et s'excusa du regard.) Ça brûle, vous allez souffrir comme un damné...

Jason hocha la tête et serra les dents. Alors le médecin versa rapidement l'alcool sur la plaie béante. Puis il tendit la bouteille à Jason.

— Buvez-moi ça ! La suite ne sera guère plus réjouissante.

— Je ne l'ai pas visé ! lâcha Wiltshire, terrorisé à l'idée d'affronter un jour prochain lord Fielding, duelliste si célèbre.

Quatre paires d'yeux méprisants se tournèrent vers le jeune homme.

— C'est vrai, insista Wiltshire avec l'énergie du désespoir. C'est la faute de cet arbre. J'ai visé le tronc, et... la balle a ricoché et ensuite seulement elle a touché lord Fielding.

Jason toisa l'infortuné et articula d'une voix lourde de sous-entendus :

— Wiltshire, si vous êtes un tant soit peu malin, restez hors de ma vue jusqu'à ce que je sois trop vieux pour pouvoir vous corriger.

Le jeune homme recula, tourna les talons et prit ses jambes à son cou. Jason dévisagea alors l'autre duelliste qu'il transperça de ses yeux verts :

— Quant à vous, Crowley, votre présence m'offense.

Crowley fit demi-tour et courut jusqu'à son cheval.

Quand ils eurent disparu au triple galop, Jason avala une grande rasade de whisky en se mordant les lèvres, pendant que l'aiguille effilée du docteur Worthing passait et repassait dans sa chair. Puis il tendit la bouteille à Salle.

— Dommage que nous n'ayons pas de verre, mais si vous voulez vous joindre à moi?

Le Français s'empara sans hésiter du flacon et expliqua à Jason la raison de sa présence ici:

— Je suis passé chez vous lorsque j'ai entendu parler de ce duel, mais votre valet n'a pas voulu me dire où vous étiez. (Il but une rasade de whisky puis rendit la bouteille à Jason.) Du coup, je suis allé chercher le docteur Worthing et nous sommes venus ici pour essayer de les empêcher de se battre.

— Nous aurions mieux fait de les laisser s'entretuer, commenta Jason avec dédain, avant de serrer les dents et de se raidir à un nouveau passage de l'aiguille.

— Probablement.

Jason but encore quelques gorgées et sentit que l'alcool commençait à engourdir ses sens. Il appuya sa tête contre l'écorce rêche et soupira, faussement exaspéré:

— Qu'a encore fait ma petite comtesse pour susciter ce duel?

Salle se raidit devant la tendresse qui vibrait dans sa voix et répondit sur un ton nettement moins amical:

— Pour autant que je sache, lady Victoria a traité Wiltshire de snob anglais et prétentieux.

— Eh bien, Wiltshire n'avait qu'à la provoquer en duel, répliqua Jason en buvant une nouvelle gorgée de whisky. Elle au moins n'aurait pas manqué son but!

La plaisanterie ne fit pas sourire le marquis qui demanda avec brusquerie:

— « Ma petite comtesse? » Que voulez-vous dire par là? Si elle vous appartient, vous mettez du temps à officialiser les choses... Vous êtes le premier à raconter partout que le mariage ne se fera pas. A quel jeu jouez-vous, Wakefield ?

Jason contempla le visage hostile de son interlocuteur et ferma les yeux, tandis qu'un petit sourire narquois se dessinait sur ses lèvres.

— Si vous avez l'intention de me provoquer en duel, j'espère au moins que vous savez tenir une arme ! Je trouve fichtrement vexant de me faire blesser par un arbre !

Victoria se tournait et se retournait dans son lit sans trouver le sommeil. Epuisée, elle ressassait sans cesse les mêmes pensées. A l'aube, elle renonça à s'endormir et s'assit dans son lit, contemplant au-dehors le ciel qui virait lentement du noir au gris pâle. Elle se sentait aussi triste et morose que la journée qui s'annonçait. Adossée contre ses oreillers, elle épluchait distraitement le couvre-lit en satin tandis que sa vie future se déroulait devant elle, semblable à un long tunnel noir et effrayant. Elle pensa à Andrew qui en avait épousé une autre et qu'elle avait perdu à jamais ; elle songea aux gens de son petit village qu'elle aimait et qui l'aimaient en retour. Maintenant, il n'y avait plus personne pour l'aimer. Sauf oncle Charles, bien sûr, mais son affection ne réussissait pas à combler l'immense vide qu'elle ressentait.

Elle avait toujours été active et adorait rendre service. Or sa vie n'était plus qu'une succession effrénée de frivolités mondaines... et Jason payait la note. Elle se sentait si... si inutile, si vaine, si encombrante.

Elle avait voulu suivre le conseil cynique de Jason et tenter de se trouver un mari. Mais c'était plus fort qu'elle : elle ne pouvait se résoudre à épouser l'un de ces bellâtres qui se disputaient ses faveurs. Ce n'était pas une épouse qu'ils cherchaient, mais plutôt un ornement ou une décoration. A part quelques rares exceptions, les mariages ici ne se faisaient que pour des raisons de convenance et d'intérêts. Rien de plus. Quant aux enfants, on les confiait dès leur plus jeune âge à des nourrices et à des précepteurs. Comme le mariage avait une signification différente dans ce pays !

Elle se rappela avec mélancolie les ménages unis qu'elle avait connus à Portage. C'étaient des gens qui travaillaient ensemble, qui s'aidaient mutuellement à passer les épreuves de la vie ; des gens qui riaient ensemble, qui élevaient leurs enfants ensemble, qui pleuraient parfois ensemble aussi.

Victoria pensa à ses propres parents. Même si Katherine n'aimait pas son mari d'amour, elle avait créé un foyer chaleureux avec lui et elle avait été sa compagne jusqu'au bout. L'hiver, ils aimaient jouer aux échecs devant la cheminée et, l'été, ils partaient se promener longuement au crépuscule.

A Londres, Victoria était adulée pour la simple et unique raison qu'elle était « à la mode ». Une fois mariée, elle n'aurait d'autre rôle que celui de décorer la table de son mari lorsqu'il recevrait des invités. Elle demandait autre chose à la vie. Elle voulait la partager avec quelqu'un qui aurait besoin d'elle, le rendre heureux et avoir de l'importance à ses yeux. Elle ne voulait pas être un objet décoratif.

L'affection que lui portait le marquis de Salle était sincère, elle le sentait, mais il ne l'aimait pas, malgré ses déclarations enflammées.

Elle se mordit les lèvres pour ne pas crier en se souvenant des tendres promesses d'Andrew. Et pourtant il l'avait trahie. Le marquis de Salle ne l'aimait pas non plus. C'était peut-être la richesse qui empêchait ces personnes-là, Andrew compris, d'éprouver un amour authentique. Peut être que...

Victoria se dressa brusquement en entendant résonner dans le hall un bruit de pas lourds et traînants. Il était encore trop tôt pour qu'il s'agît d'un domestique. Quelque chose heurta le mur avec un bruit sourd et un homme gémit. Oncle Charles ! songea Victoria. Il doit être malade ! Elle rejeta ses couvertures, sauta hors du lit et ouvrit à toute volée la porte de sa chambre.

— Jason !

Son cœur bondit dans sa poitrine lorsqu'elle l'aperçut effondré contre la paroi, le bras gauche en écharpe.

— Que s'est-il passé ? murmura-t-elle, affolée. (Puis elle retrouva son sang-froid.) Aucune importance. Ne parlez pas, je vais aller chercher quelqu'un.

Elle pivota mais il la retint d'une poigne de fer et l'attira à lui, un drôle de sourire sur les lèvres.

— Vous, aidez-moi, dit-il en passant un bras par-dessus son épaule.

Elle manqua de vaciller sous son poids.

— Emmenez-moi jusqu'à ma chambre, Victoria, ordonna-t-il d'une voix caressante, un peu pâteuse.

— Où se trouve-t-elle ? chuchota Victoria tandis qu'ils progressaient cahin-caha.

Il parut vexé.

— Vous l'ignorez donc ? Je sais bien où est la vôtre, moi !

— Et alors ?

— Rien, fit-il aimablement tandis qu'ils s'arrêtaient devant une porte.

Victoria l'ouvrit et l'aida à entrer dans la pièce.

A l'autre bout du hall, une autre porte s'ouvrit et le visage inquiet de Charles Fielding apparut. Il enfila une robe de chambre et s'immobilisa en entendant Jason déclarer jovialement :

— Maintenant, ma petite comtesse, aidez-moi à gagner mon lit !

Victoria releva l'étrange façon dont il parlait et le ton cajoleur qu'il employait. Devenait-il fou ?

Ils atteignirent le grand lit à baldaquin. Jason lâcha Victoria et attendit docilement qu'elle repoussât les couvertures. Puis il s'assit et la regarda avec un sourire béat. Dissimulant son anxiété, Victoria soutint son regard et lui demanda du ton dégagé et naturel que son père adoptait avec ses malades :

— Pourriez-vous me dire ce qui vous est arrivé ?

— Mais bien sûr ! répondit-il comme si elle l'avait insulté. Je ne suis pas idiot.

— Alors, qu'est-ce qui s'est passé ?

— Aidez-moi à enlever mes bottes.

Victoria hésita.

— Je devrais peut-être aller chercher Northrup.

— C'est bon, oublions ces bottes, fit-il, magnanime, en s'allongeant et en croisant les jambes sur le couvre-lit lie-de-vin. Asseyez-vous et prenez-moi la main.

— Ne dites pas de bêtises.

Il la regarda d'un air profondément blessé :

— Vous devriez être plus gentille avec moi, Victoria. Après tout, j'ai été blessé au cours d'un duel où je tentais de sauver votre honneur.

Il attrapa sa main et refusa de la lâcher.

Horrifiée, Victoria obéit à sa muette injonction et s'assit à côté de lui.

— Un duel ? O mon Dieu ! Mais pourquoi, Jason ?

Elle scruta anxieusement ses traits tirés et vit un sourire se profiler sur ses lèvres.

— Je vous en supplie, dites-moi pourquoi vous vous êtes battu en duel, l'implora-t-elle.

Son sourire s'élargit.

— Parce que Wiltshire vous avait traitée d'Anglaise snob.

— Comment ? Jason, reprit-elle, affreusement inquiète, avez-vous perdu beaucoup de sang ?

— Il ne m'en reste pratiquement plus, rétorqua-t-il sans sourciller. Cela vous désole-t-il ?

— Oh oui, beaucoup, répondit-elle machinalement. Essayez d'être un peu plus clair. Wiltshire vous a tiré dessus parce que...

Il leva les yeux au ciel avec dédain :

— Non, Wiltshire est incapable de toucher une cible à deux pas devant lui. C'est un arbre qui m'a tiré dessus.

Il tendit les bras et prit entre ses mains son petit visage décomposé, puis il l'attira contre lui en murmurant d'une voix rauque :

— Comme vous êtes belle !

Cette fois, Victoria reçut en pleine figure les effluves de whisky.

— Mais vous êtes ivre ! s'écria-t-elle en reculant.

— Z'avez raison, acquiesça-t-il cordialement. Je me suis enivré avec votre ami Salle.

— Seigneur Jésus ! Lui aussi y était ?

Jason hocha la tête sans répondre tandis qu'il promenait un regard ravi sur la jeune fille. Sa brillante chevelure tombait en cascade sur ses épaules, encadrant l'ovale de son visage d'une masse de boucles mordorées. Sa peau semblait douce comme l'albâtre le plus pur et sous une arcade sourcilière délicieusement incurvée battaient des cils noirs et épais. Ses yeux, semblables à des saphirs lumineux, l'examinaient avec inquiétude. Tout chez elle révélait la fierté et le courage : des pommettes hautes, un petit nez têtu, jusqu'au menton creusé de cette adorable fossette. Et pourtant sa bouche était vulnérable et douce, aussi douce que ces seins qui palpitaient sous la chemise de dentelle, à portée de sa main. Mais c'était d'abord cette bouche que Jason brûlait de goûter... Il lui étreignit plus fort le bras et l'attira à lui.

— Lord Fielding ! gronda-t-elle, outrée, en tentant de se dégager.

— Il y a une minute, vous m'appeliez Jason.

— C'était une erreur, protesta désespérément Victoria.

Il esquissa un léger sourire.

— Si nous en commettions une autre ?

Et tout en parlant, il glissa une main derrière sa nuque et l'approcha de lui.

— Non, je vous en prie, supplia Victoria dont le visage n'était plus qu'à quelques centimètres du sien. Ne m'obligez pas à me débattre, votre blessure se rouvrirait.

La pression sur sa nuque s'estompa légèrement, mais pas suffisamment pour qu'elle s'écartât de lui. Jason scrutait rêveusement ses traits angoissés.

Elle attendit patiemment qu'il la relâchât, sachant que l'alcool, la perte de sang et la douleur brouillaient ses sens. Pas une seconde elle ne crut qu'il la désirait sincèrement et elle finit par soutenir son regard, une lueur amusée dans ses yeux bleus.

— Avez-vous déjà été embrassée, vraiment embrassée, par quelqu'un d'autre que ce vieil Arnold ? murmura-t-il, le regard embrumé.

— Andrew! corrigea Victoria en éclatant de rire.
— Les hommes n'embrassent pas tous de la même façon, le saviez-vous?
— Vraiment? se moqua-t-elle. Et combien d'hommes avez-vous embrassés avant d'arriver à ce constat?
Un sourire apparut sur ses lèvres sensuelles mais il ignora la raillerie.
— Penchez-vous, ordonna-t-il d'une voix rauque en augmentant son étreinte. Et posez vos lèvres sur les miennes. Je vais vous montrer comment j'embrasse, moi.
La complaisance de Victoria s'évanouit et elle prit peur.
— Jason, cessez ce jeu. Pourquoi m'embrasser? N'avez-vous donc aucune sympathie pour moi?
Un rire sans joie lui échappa.
— Plus que vous ne le croyez, au contraire, murmura-t-il, amer.
Et l'attirant à lui, il s'empara de ses lèvres dans un baiser avide. Paniquée, Victoria se débattit en agitant désespérément les bras et en le repoussant.
— Arrêtez! fit-il, les dents serrées. Vous me faites mal.
— C'est *vous* qui me faites mal. Lâchez-moi!
— Je ne peux pas, gémit-il.
Mais il fit glisser ses longs doigts sur sa nuque tandis que ses yeux verts ensorcelants fouillaient les siens. Comme s'il arrachait cet aveu du fin fond de son être, il reprit d'une voix hachée:
— Cent fois j'ai essayé de vous éloigner de moi, Victoria, mais je n'y arrive pas.
Victoria sentit tout tourner autour d'elle, mais à cet instant Jason la reprit dans ses bras et lui vola un long, un interminable baiser qui lui coupa le

souffle. Ses lèvres caressaient les siennes, mais avec tendresse cette fois. Il goûtait au parfum de sa bouche, suivait le contour de ses lèvres, les modelait à son gré et revenait sans cesse savourer le miel de sa bouche comme si cela ne suffisait pas à le rassasier. Tout au fond d'elle-même, Victoria comprit le vide désespéré que cherchait à combler Jason et, instinctivement, elle répondit à son baiser. Lorsqu'il sentit qu'elle réagissait à sa pression sensuelle, il darda sa langue dans sa bouche.

Une succession de vagues brûlantes envahit Victoria et, grisée, elle osa timidement caresser sa langue de la sienne. La réaction de Jason fut immédiate : il gémit et l'enveloppa de son bras valide en pressant son torse contre ses seins, sans cesser de l'embrasser avec fougue.

Après un moment qui leur parut une éternité, il s'arracha à sa bouche et fit courir ses lèvres le long de sa joue brûlante, déposant de petits baisers tendres sur ses tempes et dans son cou. Et tout à coup, sans prévenir, il s'arrêta.

Victoria reprit lentement ses esprits et prit conscience avec horreur de sa scandaleuse conduite : elle pressait sa joue contre son torse et se tenait à moitié allongée sur lui comme... comme une vulgaire fille de joie ! Tremblant de tous ses membres, elle s'obligea à relever la tête pour affronter le regard de Jason. Il allait certainement la mépriser !

— Mon Dieu, murmura-t-il d'une voix enrouée alors que ses yeux verts brillaient de fièvre.

Victoria recula instinctivement lorsqu'il souleva la main mais, au lieu de la repousser, il caressa tendrement sa joue, suivant le contour de son visage. Décontenancée, elle fouilla ses yeux emplis de passion.

— Votre prénom ne vous convient pas, observa-t-il, pensif. C'est trop long, « Victoria », et trop froid pour un petit être aussi passionné.

Subjuguée par la tendresse qu'elle lisait dans ses yeux et par sa voix si douce, elle retint son souffle puis répondit :

— Mes parents m'appelaient Tory.

— Tory, répéta-t-il en souriant. J'aime ce surnom... il vous va à merveille.

Hypnotisée, elle demeura immobile tandis que la main de Jason montait et descendait sensuellement le long de son bras et sur son épaule.

— J'aime aussi la couleur de vos cheveux sous le soleil, poursuivit-il. Et j'aime aussi vous entendre rire. J'aime la flamme qui brille dans vos yeux lorsque vous êtes en colère... Et savez-vous également ce que j'aime chez vous ? interrogea-t-il en refermant les paupières.

Victoria secoua négativement la tête.

Les yeux fermés, un sourire dansant sur sa belle bouche, il murmura :

— Plus encore... j'aime ce qu'essaie de cacher votre chemise de nuit...

Victoria, offensée dans sa pudeur, se dégagea et bondit en arrière, repoussant sa main qui retomba mollement sur l'oreiller. Jason dormait à poings fermés...

Stupéfaite, incrédule, elle le dévisageait sans savoir quoi penser. Cet homme avait vraiment une assurance et un toupet... Mais elle eut beau l'appeler de tous ses vœux, la colère ne vint pas et à la place un petit sourire apparut sur ses lèvres. Le sommeil adoucissait ses traits et sa bouche avait perdu son pli cynique ; soudain elle lui trouva l'air incroyablement juvénile, presque vulnérable.

Son sourire s'accentua quand elle s'aperçut de

la longueur de ses cils : il avait des cils longs et épais comme rêvent d'en posséder toutes les filles. Elle imagina l'enfant qu'il avait dû être. Il était impossible qu'il eût été aussi cynique et blasé.

— Andrew a détruit tous mes rêves, songea-t-elle tout haut. Je me demande qui a bien pu détruire les vôtres.

Sa tête bougea sur l'oreiller et une mèche bouclée retomba sur son front. Prise d'un instinct maternel et vaguement espiègle, Victoria effleura le front de Jason et chassa la boucle rebelle du bout des doigts.

— Jason, je vais vous dire un secret, confessa-t-elle en sachant qu'il ne l'entendait pas. Je vous aime bien.

Dans le hall, une porte se referma doucement et Victoria sursauta. Elle arrangea le désordre de sa tenue et lissa sa chevelure. Mais lorsqu'elle glissa un coup d'œil vers la porte, il n'y avait personne...

18

Au petit déjeuner, Victoria constata avec surprise qu'oncle Charles l'avait devancée et qu'il était déjà installé à table. Le vieil homme était rayonnant.

— Toujours aussi jolie, ma chère, la complimenta-t-il en se levant pour lui offrir une chaise.

— Pour ma part, je vous trouve plus alerte que jamais, oncle Charles, répondit Victoria en se servant une tasse de thé.

— Je ne me suis jamais senti en meilleure forme, en effet ! Dites-moi, comment va Jason ?

Victoria en laissa tomber sa cuillère.

— J'ai entendu du bruit dans le hall ce matin, expliqua son oncle, et j'ai aussi entendu votre voix. Jason m'a paru... hem... un peu éméché. Est-ce que je me trompe ?

— Soûl comme un Polonais, renchérit Victoria en riant.

Mais Charles enchaîna sans faire de commentaires :

— Northrup m'a prévenu que votre ami Wiltshire est passé il y a une heure de cela, il voulait à tout prix prendre des nouvelles de Jason. (Il posa sur la jeune fille un regard amusé.) Il paraît que Jason s'est battu en duel cette nuit et qu'il a été blessé.

Victoria comprit qu'il était inutile de lui cacher la vérité et acquiesça :

— C'est exact. D'après ce que j'ai pu tirer de Jason, ils se sont battus parce que lord Wiltshire m'avait insultée.

Charles fronça les sourcils.

— Wiltshire a insisté pour que je vous transmette ses compliments. Permettez-moi donc de douter de la véracité de ces propos.

— Mais je n'en crois rien ! Pour la bonne raison que cela me paraît absurde.

— Parfaitement, renchérit Charles. Quel qu'ait été le motif de ce duel, Wiltshire a donc blessé Jason ?

Une lueur espiègle éclaira les yeux de Victoria.

— Lord Fielding prétend que c'est un arbre qui l'a blessé !

— Bizarre, constata oncle Charles, amusé. C'est aussi la version que Northrup a recueillie. (Il marqua une pause.) C'est le docteur Worthing qui a soigné Jason. C'est un ami et un excellent médecin de surcroît. Jason est certainement hors de danger et nous pouvons compter sur Worthing pour étouffer l'affaire... Les duels sont illégaux en Angleterre.

Victoria pâlit mais oncle Charles pressa affectueusement sa main.

— Ne vous inquiétez pas. (Une tendresse inexplicable vibrait dans sa voix.) Mon enfant, je ne puis vous dire à quel point... je suis heureux de vous avoir parmi nous. J'ai tant de choses à vous dire au sujet de Ja...

Il s'interrompit et rectifia maladroitement :

— Sur beaucoup de sujets. Mais le temps viendra bientôt de vous en parler.

Victoria en profita pour le supplier de lui parler de sa mère, mais il secoua la tête gravement.

— Bientôt, promit-il comme à l'accoutumée.

Le reste de la matinée se déroula avec une lenteur insupportable pour Victoria qui attendait nerveusement l'apparition de Jason. Quelle serait son attitude après la nuit dernière ? Elle échafaudait mille suppositions pour les repousser la minute d'après. Serait-ce le mépris, ou encore l'hostilité pour s'être laissé aller à reconnaître qu'il l'aimait bien et qu'il ne souhaitait plus son départ ? Peut-être même ne pensait-il rien de ce qu'il lui avait si tendrement murmuré la veille ?

Elle aurait tellement aimé que s'établît une amitié solide entre eux. Elle en était venue à beaucoup l'apprécier au cours des semaines précédentes ; elle éprouvait pour lui une sincère affection et de l'admiration. Au-delà de ces sentiments, elle... Mais elle se refusait à fouiller davantage ses pensées.

Sa nervosité ne fit que croître au fur et à mesure que se succédaient les visiteurs à l'affût de nouvelles. A tous, Northrup répondait que lady Victoria s'était absentée pour la journée.

En début d'après-midi, Jason descendit et s'enferma aussitôt dans son bureau en compagnie de lord Collingwood et de deux autres messieurs.

A trois heures, Victoria se rendit dans la bibliothèque où, profondément agacée, elle essaya de se concentrer sur une lecture tant elle se sentait incapable de mener avec oncle Charles, qui feuilletait un magazine à quelques pas de là, une conversation cohérente.

Tant et si bien que lorsque Jason fit enfin son apparition, Victoria avait les nerfs à fleur de peau et sursauta en le voyant.

— Que lisez-vous ? demanda-t-il, très décontracté, les mains dans les poches de son pantalon.

Prise d'un trou de mémoire, elle essaya désespérément de s'en souvenir et finit par balbutier :

— Des poèmes de Shelley.

— Victoria... commença Jason.

Elle s'aperçut soudain que sa bouche était crispée. Il hésita, comme s'il cherchait ses mots.

— Ai-je fait quoi que ce soit cette nuit qui mérite que je vous présente des excuses ?

Le cœur de Victoria chavira. Il ne se rappelait plus rien !

— Rien dont je me souvienne, dit-elle, s'efforçant de cacher sa déception.

Un sourire se dessina sur sa bouche.

— D'habitude, c'est la personne qui a commis des excès qui ne se souvient plus de rien, et non l'inverse.

— Je sais, mais rassurez-vous, vous ne m'avez rien fait de particulier.

— Parfait. Dans ce cas, nous nous verrons tout

à l'heure au moment de partir pour le théâtre... Tory, acheva-t-il avec un petit sourire en coin.

Victoria écarquilla les yeux.

— Je pensais que vous ne vous souveniez de rien! s'exclama-t-elle.

Jason pivota, follement amusé.

— Je me rappelle parfaitement de tout, Tory. Je voulais simplement savoir si, à votre avis, j'avais commis quelque chose dont je devais m'excuser.

Remise de sa stupeur, Victoria émit un rire embarrassé.

— Vous êtes l'être le plus exaspérant que je connaisse!

— Vrai! reconnut-il sans vergogne. Mais vous *m'aimez bien* tout de même!

Victoria devint rouge comme une pivoine. Jamais, dans ses pires suppositions, elle n'avait envisagé qu'il ait pu entendre ces paroles. Elle s'effondra dans son fauteuil et ferma les yeux, affreusement mortifiée. Quelques instants plus tard, un bruit lui rappela la présence d'oncle Charles dans la bibliothèque. Elle ouvrit instantanément les yeux et le vit qui la regardait avec un air de triomphe.

— Bravo, mon enfant, remarqua-t-il d'une voix très douce. J'ai toujours espéré qu'un jour vous viendriez à l'apprécier, je vois que c'est chose faite.

— Oui, oncle Charles. Mais je ne le comprends pas.

Cet aveu parut mettre le duc au comble du ravissement.

— Si maintenant vous l'appréciez sans le comprendre, vous l'apprécierez mille fois plus le jour où vous y parviendrez, je vous le promets. (Il se leva.) Je vous quitte, mon enfant, je dois retrouver un vieil ami.

Quand Victoria descendit au salon ce soir-là, Jason l'attendait superbement vêtu d'un costume lie-de-vin. Une épingle à cravate ornée d'un rubis scintillait sur sa chemise d'un blanc immaculé et elle aperçut à ses poignets deux rubis identiques lorsqu'il allongea le bras pour saisir un verre de vin.

— Votre bras n'est plus en écharpe ! s'écria-t-elle soudain.

— Vous n'êtes pas habillée pour le théâtre, riposta Jason. Et le bal des Mortram ? Nous y sommes conviés après le spectacle.

— Je n'ai pas envie de sortir ce soir. Je me suis déjà excusée auprès du marquis de Salle avec qui je devais souper chez les Mortram.

— Il sera au trente-sixième dessous, prédit Jason, enchanté. Surtout lorsqu'il saura que vous avez dîné avec moi.

— Mais c'est impossible !

— Oh si, assura-t-il. Ça l'est.

— J'aimerais que vous attachiez votre bras, demanda Victoria pour faire diversion.

Il la regarda, mi-amusé mi-exaspéré.

— Si je porte mon bras en écharpe en public, ce gamin de Wiltshire ira clamer sur tous les toits que j'ai été blessé par un arbre.

— Ça m'étonnerait, répliqua Victoria avec un clin d'œil. Il est si jeune. Moi je le verrais très bien se vanter de vous avoir défié et battu en duel.

— Cette dernière version me vexerait encore davantage. Wiltshire ne sait même pas par quel bout tenir son pistolet.

Victoria étouffa un rire.

— Mais pourquoi faut-il que je vous accompagne ?

— Parce que sans votre présence à mes côtés, une prétendante au titre de duchesse va forcément se suspendre à mon bras blessé. En outre, votre compagnie m'enchante littéralement.

Victoria ne put résister davantage et se mit à rire :

— Très bien. Pour rien au monde je ne voudrais ruiner votre réputation de duelliste invincible.

Elle allait s'éloigner quand elle s'immobilisa en esquissant un sourire impertinent.

— Est-ce vrai que vous avez tué en duel une dizaine d'hommes aux Indes ?

— Non, trancha-t-il. Maintenant dépêchez-vous d'aller vous changer.

Tout Londres semblait s'être donné rendez-vous au théâtre ce soir-là, et mille paire d'yeux se posèrent sur eux à l'instant où ils entrèrent dans la loge de Jason. Les têtes se tournèrent, les éventails s'agitèrent et les murmures s'élevèrent. Au début, Victoria s'imagina que les gens s'étonnaient de voir Jason en pleine forme, mais elle dut bientôt changer d'avis. Elle s'aperçut lors des entractes que quelque chose avait changé. Beaucoup de personnes qui lui avaient témoigné de la sympathie par le passé lui opposaient à présent un visage fermé et des regards réprobateurs. Elle finit par comprendre la raison d'un tel revirement : Jason s'était battu en duel pour elle. Sa réputation venait de recevoir un coup fatal.

Non loin, une vieille dame qui portait un turban blanc orné d'une énorme améthyste les observait en fronçant les sourcils.

— Alors comme cela, siffla la duchesse de Claremont à sa compagne, Wakefield s'est battu en duel pour cette fille.

— C'est ce que j'ai entendu dire, Votre Grâce.

La duchesse de Claremont s'appuya sur sa canne en ébène et examina attentivement son arrière-petite-fille.

— C'est le portrait de Katherine.
— Oui, Votre Grâce.
Ses yeux d'un bleu délavé la parcoururent de la tête aux pieds puis vinrent se poser sur Jason.
— Il est d'une beauté machiavélique, vous ne trouvez pas ?
Lady Faulklyn s'abstint prudemment de répondre.
La duchesse pianota impatiemment sur le pommeau serti de sa canne et poursuivit son examen de ses petits yeux cruels.
— Il ressemble à Atherton.
— Un peu, s'aventura lady Faulklyn.
— Un peu ? Sotte que vous êtes ! grinça la duchesse. On dirait Atherton du temps de sa jeunesse.
— Tout à fait ! opina lady Faulklyn.
Un sourire mauvais s'épanouit sur les lèvres minces de la duchesse.
— Atherton s'imagine qu'il va sceller une alliance entre nos deux familles contre ma volonté. Il aura attendu vingt-deux ans pour ça et il se figure qu'il va réussir.
Elle gloussa méchamment sans quitter des yeux le couple.
— Atherton se trompe, conclut-elle.
Victoria détourna nerveusement son regard de la vieille dame au visage sévère qui portait un drôle de turban. Elle avait l'impression que tout le monde les dévisageait comme cette vieille dame. Elle lança un coup d'œil inquiet à Jason.
— Nous avons eu tort de venir, souffla-t-elle tandis qu'il lui tendait une coupe.
— Pourquoi donc ? La pièce vous a plu, non ? (Il sourit en plongeant son regard dans ses beaux

yeux troublés.) Et moi j'ai passé un moment délicieux à vous regarder.

— Vous ne devriez pas me regarder ainsi, surtout avec cet air béat, reprocha Victoria malgré le plaisir que lui causait ce compliment.

— Ah ?

— Voyons, tous les yeux sont braqués sur nous.

— Ça n'est pas la première fois qu'ils nous voient ensemble, rétorqua Jason en haussant les épaules.

Ce fut encore bien pire lorsqu'ils arrivèrent chez les Mortram. Dès l'instant où ils entrèrent dans la salle de bal, tous les invités se retournèrent pour les dévisager d'un air franchement hostile.

— Oh Jason, c'est affreux ! Je vous en supplie, cessez de me sourire avec cet air charmeur... Tout le monde nous regarde !

— Suis-je charmeur ? la taquina-t-il tout en promenant un coup d'œil sur les invités. Moi je ne vois qu'une demi-douzaine de vos soupirants qui meurent d'envie de me couper la gorge !

Victoria faillit taper du pied de frustration.

— Vous faites exprès de ne pas comprendre. Caroline Collingwood, qui est au courant de tout, m'a dit que personne ne croyait à nos prétendues fiançailles. Les gens racontent que nous maintenons cette fable pour faire plaisir à oncle Charles. Mais voilà que vous vous êtes battu en duel à cause de moi, cela change tout. Ils vont commencer à compter les heures que vous passez à la maison avec moi...

— Il se trouve que c'est aussi chez moi, précisa lentement Jason dont les yeux verts viraient à l'orage.

— Je le sais bien, mais c'est pour le principe. Tout le monde, surtout les femmes, va maintenant colporter de vilains ragots sur nous. La bienséance...

La voix de Jason baissa jusqu'à devenir un murmure glacé :

— Je me moque de ce que pensent les gens, vous compris. Alors ne vous fatiguez pas à me donner des leçons sur les principes en vigueur car je n'en ai pas, et ne me prenez pas pour le gentleman que je suis pas non plus. J'ai vécu dans des endroits que vous n'imagineriez pas et j'ai fait certaines choses qui offenseraient votre pudibonderie. Vous n'êtes qu'une enfant innocente et naïve. Moi je n'ai jamais connu l'innocence. Je n'ai pas eu d'enfance. Mais si vous vous souciez tellement du qu'en-dira-t-on, ne vous en faites pas. Passez le reste de la soirée avec vos galants qui bêleront à vos pieds, et moi je trouverai quelqu'un pour me tenir compagnie.

Cette violente diatribe que rien ne laissait présager laissa Victoria si bouleversée qu'elle eut du mal à reprendre ses esprits. Elle fit néanmoins ce qu'il lui avait sèchement suggéré et passa une soirée épouvantable. Par fierté, elle feignit de s'amuser et d'écouter les compliments de ses cavaliers, mais elle guettait partout la présence de Jason et son cœur se serrait dès qu'elle le sentait dans les parages.

Piteuse, elle s'aperçut qu'il s'était tout bonnement entouré de trois blondes ravissantes qui quêtaient ses faveurs et se mettaient en quatre pour lui arracher un sourire. Pas une fois depuis la veille, elle n'avait osé songer au plaisir que lui avait procuré son baiser. A présent elle ne pouvait penser à rien d'autre ! Elle mourait d'envie de le sentir à ses côtés, et au diable les convenances !

Un beau jeune homme s'approcha pour la danse

suivante. Victoria la lui accorda sans enthousiasme et lui demanda l'heure.

— Onze heures et demie, répondit-il en bombant le torse.

Victoria étouffa un gémissement. L'épreuve était loin d'être terminée.

Charles introduisit sa clé dans la serrure et se retrouva nez à nez avec un Northrup essoufflé.

— Vous n'auriez pas dû m'attendre, lui reprocha gentiment Charles en lui tendant sa canne et son chapeau. Quelle heure est-il ?

— Onze heures et demie, Votre Grâce.

— Jason et Victoria ne rentreront qu'à l'aube, allez donc vous coucher.

Northrup lui souhaita bonne nuit et disparut en direction de sa chambre. Charles se dirigea vers le salon pour y déguster un verre de porto. Alors qu'il traversait le vestibule, un coup impérieux frappé à la porte le fit se retourner. Il crut que Jason et Victoria avaient oublié leur clé et ouvrit la porte en souriant. Son sourire s'évanouit lorsqu'il aperçut un jeune homme élégant.

— Pardonnez cette intrusion, Votre Grâce, s'excusa le gentleman. Je me présente : Arthur Winslow, je travaille pour un cabinet d'avoués en Amérique et j'ai reçu l'ordre de vous porter cette lettre sans tarder. En voici une autre pour Mlle Victoria Seaton.

Un épouvantable pressentiment envahit Charles et une veine se mit à battre sur sa tempe.

— Lady Seaton est sortie.

— Je le sais, Votre Grâce. Voilà plusieurs heures que j'attends dans ma voiture le retour de l'un d'entre vous. Dans l'éventualité où lady Seaton serait absente, j'ai reçu l'instruction de vous donner cette lettre afin que vous la lui remettiez sans tarder.

Il confia la seconde missive à Charles puis effleura son chapeau.

— Bonsoir, Votre Grâce.

Une sueur glacée coula dans le dos de Charles qui ouvrit la lettre qui lui était destinée. Le nom de l'expéditeur lui sauta aux yeux : Andrew Bainbridge. Le regard fixe, il considérait la lettre alors que son cœur battait douloureusement dans sa poitrine. Dans un effort surhumain, il commença à lire et, au fur et à mesure, toute couleur se retira de son visage tandis que les mots se mettaient à danser devant ses yeux.

Lorsqu'il eut achevé sa lecture, Charles laissa retomber ses bras et pencha la tête. Une larme coula le long de sa joue, emportant avec elle ses rêves et ses espoirs anéantis. Le sang cognait sourdement contre ses tempes. Il resta longtemps ainsi, le regard fixé sur le plancher. Puis lentement, il se redressa.

— Northrup, appela-t-il d'une voix très faible.

Il s'éclaircit la gorge et répéta plus fort :

— Northrup !

Le majordome se précipita dans le vestibule en enfilant sa veste à la hâte.

— Votre Grâce m'a appelé ? s'inquiéta-t-il en voyant le duc accroché à la rampe de l'escalier.

— Appelez le docteur Worthing. Dites-lui que c'est urgent.

— Dois-je faire appeler aussi lord Fielding et lady Victoria ?

— Pas question, sacrebleu !

L'aube pointait quand le cocher de Jason fit stopper ses chevaux gris devant le 6 Upper Brook Street. Jason et Victoria n'avaient pas échangé un seul mot depuis le départ de chez les Mortram mais il se redressa soudain en changeant de visage. Victoria se raidit et suivit son regard.

— A qui appartient cette voiture? demanda-t-elle.

— Au docteur Worthing.

Jason sauta de la calèche et l'entraîna à sa suite sans ménagement. Il grimpa quatre à quatre les marches du perron, laissant Victoria se débrouiller toute seule. Celle-ci ramassa ses jupes et courut derrière lui, le cœur battant. Northrup, hagard, ouvrait déjà la porte.

— Que se passe-t-il? l'apostropha Jason.

— Votre oncle, milord. Il a eu une attaque... c'est son cœur. Le docteur Worthing est à son chevet.

— Seigneur! gémit Victoria en s'accrochant, affolée, au bras de Jason.

Ils se précipitèrent dans l'escalier tandis que Northrup précisait dans leur dos:

— Le docteur a demandé que vous ne montiez pas tout de suite. Il veut d'abord que je le prévienne de votre retour.

Sans l'écouter, Jason allait frapper mais déjà le docteur ouvrait la porte. Il sortit de la chambre de Charles et referma derrière lui.

— Je vous ai entendus arriver, dit-il en passant une main dans ses cheveux blancs, visiblement épuisé.

— Comment est-il?

Le médecin ôta ses lunettes et se mit à les nettoyer silencieusement. Au bout d'un long moment, il soupira:

— C'est grave, Jason.

— Nous autorisez-vous à le voir?

— Oui, mais ne dites rien qui puisse le contrarier.

— Il ne va pas... mourir, n'est-ce pas, docteur? balbutia Victoria, horrifiée.

— Tout le monde doit mourir un jour, ma chère, répondit ce dernier d'une voix lugubre.

Ils pénétrèrent dans la chambre et s'approchèrent du lit. Un chandelier était allumé sur la table de chevet mais il faisait sombre et froid comme dans un tombeau. La main de Charles reposait inerte sur le couvre-lit et la jeune fille s'en empara en ravalant ses larmes. Elle la serra dans les siennes comme pour lui insuffler un peu de ses propres forces.

Charles battit faiblement des paupières et posa ses yeux sur elle.

— Ma chère enfant, murmura-t-il. Je ne pensais pas mourir si vite. Moi qui désirais tant vous voir mariée et heureuse. Qui donc veillera sur vous après ma mort?

Les larmes coulaient à présent sur les joues de Victoria. Elle l'aimait tant et voilà qu'elle allait le perdre. Elle essaya de parler mais aucun son ne franchit ses lèvres, elle se contenta de presser plus fort la main glacée de Charles.

Celui-ci se tourna alors vers Jason:

— Tu me ressembles tellement, chuchota-t-il. Obstiné comme moi. Et tu vas te retrouver aussi seul que je l'ai été.

— Ne parlez pas, lui ordonna Jason d'une voix enrouée. Reposez-vous.

— Je ne peux pas, protesta faiblement Charles. Je ne mourrai pas en paix en sachant que je laisse Victoria toute seule. Il faudra qu'elle quitte cette maison, Jason. Les gens ne pardonneront jamais...

Epuisé, il dut s'interrompre. Dans un suprême effort, il se tourna à nouveau vers la jeune fille.

— Victoria, c'est à cause de moi que vous vous appelez ainsi. Je m'appelle Charles Victor Fielding. Votre mère et moi nous nous aimions. Je... je voulais tout vous dire un jour. A présent, il est trop tard...

Cette fois, la jeune fille donna libre cours à son chagrin et pencha la tête, les épaules secouées de sanglots.

Charles s'arracha péniblement à ce spectacle et regarda Jason.

— J'ai toujours rêvé de te voir épouser Victoria, tu sais. Je... je l'espère encore...

Le visage de Jason se durcit pour masquer sa peine. Il hocha la tête en serrant les mâchoires.

— Je veillerai sur elle. Je l'épouserai, déclara-t-il avec vivacité.

Stupéfaite, Victoria leva des yeux brouillés de larmes vers Jason, puis elle comprit qu'il essayait simplement d'adoucir l'agonie de Charles.

Ce dernier ferma les yeux avec lassitude et murmura :

— Jason, tu n'en penses pas un mot.

Affolée de chagrin, Victoria serra convulsivement la main de Charles.

— Oh! Oncle Charles, ne vous faites pas de souci pour nous. Je me débrouillerai, je trouverai un moyen...

Charles remua faiblement sa tête sur l'oreiller et ouvrit les yeux.

— Jason, jure-le-moi, souffla-t-il. Jure-moi que tu épouseras Victoria et que tu veilleras toujours sur elle.

— Je le jure, déclara Jason dont le visage grave

suffit à convaincre Victoria qu'il ne plaisantait pas.

— Et vous, mon enfant ? Me promettez-vous de le prendre pour époux ?

Victoria se raidit. Le temps n'était plus aux discussions. Elle se souvint des baisers de Jason, de ses caresses et, bien qu'elle craignît sa dureté apparente, elle savait qu'au fond c'était un être généreux.

— Victoria ? la pressa faiblement le vieillard.

— Je l'épouserai, murmura-t-elle d'une voix brisée.

— Merci, soupira Charles avec un pâle sourire.

De sa main libre, il saisit celle de Jason et acheva :

— Maintenant, je peux mourir en paix.

Soudain Jason se raidit et son regard croisa celui de son père. Un air cynique apparut sur son visage et il acquiesça d'un ton mordant :

— Maintenant, vous pouvez mourir en paix.

— Non ! s'écria Victoria en larmes. Oncle Charles, ne partez pas ! Restez, je vous en supplie ! Si vous mourez, qui me conduira à l'autel ?

Le docteur Worthing sortit de la pénombre et les invita gentiment à quitter la pièce.

— Laissez-le, mon enfant, dit-il à Victoria d'une voix apaisante. Vous allez vous rendre malade.

— Croyez-vous qu'il vivra ? demanda-t-elle en levant vers lui un visage maculé de larmes.

Le bon docteur lui tapota affectueusement le bras.

— Je vais rester à son chevet et je vous tiendrai au courant de son état.

Et sans rien ajouter, il retourna dans la chambre, fermant la porte derrière lui.

Victoria et Jason se rendirent au salon. Jason s'assit à côté d'elle et passa un bras autour de ses épaules pour la réconforter. Il cala doucement sa tête contre sa poitrine et Victoria pleura jusqu'à l'épuisement. Ils veillèrent durant de longues heures, priant en silence.

Quant à Charles, il passa le reste de la nuit à jouer aux cartes avec le docteur Worthing.

19

Le lendemain, le docteur leur annonça qu'oncle Charles s'accrochait « désespérément à la vie ». Le surlendemain, il rejoignit Jason et Victoria qui déjeunaient et les prévint que son patient bénéficiait d'une « rémission ».

Victoria contint difficilement sa joie mais Jason se contenta de hausser un sourcil et invita le médecin à partager leur repas.

— Heu... merci beaucoup, accepta M. Worthing en lui jetant un regard en coin. Je crois que je peux laisser mon malade quelques instants.

— J'en suis convaincu, approuva Jason d'un ton légèrement moqueur.

— Oh, docteur Worthing, croyez-vous qu'il s'en sortira ? demanda Victoria en s'étonnant de la maîtrise qu'avait Jason sur ses sentiments.

Evitant soigneusement le regard d'aigle de Jason, le médecin, embarrassé, toussota :

— Hem... difficile à dire. Il m'a dit qu'il souhaitait vous voir mariés tous les deux. C'est devenu en quelque sorte sa raison de vivre.

Victoria se mordit les lèvres et jeta un coup d'œil craintif à Jason :

— Et que... que se passera-t-il s'il se remet de

son attaque et si nous... nous lui disons que nous avons finalement changé d'avis ?

— Ce sera la rechute à coup sûr, se moqua Jason. N'est-ce pas, docteur ?

Worthing se troubla :

— Vous le connaissez mieux que moi, Jason.

Victoria avait l'impression qu'ils la torturaient délibérément. Ils l'avaient arrachée à son pays et à ses amis, ils l'avaient obligée à s'expatrier et voilà qu'ils voulaient lui faire épouser un homme qui ne l'aimait pas.

Longtemps après le départ des deux hommes, elle resta assise devant son assiette à se creuser la tête pour trouver une solution. Elle qui espérait fonder un foyer avec quelqu'un qui l'aimerait ! Quelle dérision, songea-t-elle en s'apitoyant pour la première fois sur son sort. Elle ne rêvait ni de fourrures ni de bijoux, encore moins d'être adulée comme une reine dans les grands bals londoniens. Non, elle désirait seulement la vie qu'elle avait connue en Amérique, avec en plus un mari et des enfants. C'était tout.

Soudain le mal du pays la submergea et ses épaules s'affaissèrent. Oh, revenir un an en arrière ! Retrouver le sourire de ses parents, écouter son père lui parler de l'hôpital qu'il rêvait de construire, revoir tous ceux qui étaient pour elle comme une seconde famille. A cet instant précis, elle aurait tout donné pour retourner là-bas. Le beau visage d'Andrew, espiègle et tendre, surgit devant ses yeux, mais Victoria le chassa résolument de son esprit.

Elle repoussa sa chaise et partit à la recherche de Jason. Andrew l'avait abandonnée mais Jason était là, lui, et il l'aiderait à trouver un moyen d'éviter ce mariage que ni l'un ni l'autre ne souhaitaient.

Il était dans son bureau, tout seul, son bras en écharpe accoudé sur la cheminée, contemplant l'âtre vide. Son cœur se serra de compassion car elle songea qu'en dépit de ses airs froids, il était venu ici donner libre cours à son inquiétude.

— Jason ?

Il leva vers la jeune fille un regard impénétrable.

— Qu'allons-nous faire ?

— A quel sujet ?

— A propos de ce mariage absurde.

— Pourquoi absurde ?

Victoria, déconcertée, s'efforça de poursuivre avec calme et franchise :

— C'est absurde parce que je ne veux pas vous épouser.

Son regard se durcit :

— Il faudrait être aveugle pour ne pas le remarquer, Victoria.

— Mais vous ne le souhaitez pas non plus, si ?

— C'est exact.

Ses yeux revinrent se poser sur l'âtre et il retomba dans son mutisme. Victoria attendit en vain la suite. En désespoir de cause, elle soupira et fit demi-tour. Mais les paroles qu'il prononça alors la firent sursauter :

— Je crois cependant que ce mariage pourrait nous donner à chacun ce dont nous avons besoin.

— Que voulez-vous dire ? demanda-t-elle en scrutant son profil parfait.

Quelle mouche le piquait encore ? Les mains dans les poches, il croisa son regard.

— Vous rêvez de rentrer chez vous en Amérique, d'être indépendante et de vivre au milieu de vos amis. Peut-être même de construire cet hôpital dont votre père rêvait. Vous me l'avez déjà dit. Quant à moi, conclut Jason d'une voix parfaitement anodine, je veux un fils.

Elle demeura bouche bée tandis qu'il poursuivait calmement :

— Donnons à chacun ce que l'autre désire. Epousez-moi et donnez-moi un fils. En échange, je vous laisserai repartir en Amérique avec assez d'argent pour y vivre comme une princesse et construire une dizaine d'hôpitaux si cela vous chante.

Victoria le dévisageait sans en croire ses oreilles.

— Un fils ? répéta-t-elle. Vous voulez que je vous donne un fils et qu'ensuite je retourne en Amérique ? Vous me demandez de l'abandonner ?

— Mon égoïsme a des limites, vous pourrez le garder jusqu'à... mettons quatre ans. Un enfant a besoin de sa mère jusqu'à cet âge. Ensuite, je le reprendrai. Libre à vous de rester avec nous en Angleterre. Pour être franc, je préférerais vous garder ici, mais cette décision vous appartient. En revanche, je pose une condition, une seule, à ce marché.

— L... laquelle ? interrogea Victoria, médusée.

Il hésita avant de formuler soigneusement sa réponse et, pendant tout ce temps, il fixa la cheminée comme s'il évitait de croiser son regard.

— A cause de la façon dont vous avez pris mon parti l'autre nuit, les gens en ont conclu que vous m'estimiez et que vous ne me craigniez pas. Si nous nous marions, je veux que votre attitude à mon égard ne change pas. En d'autres termes, et quelles que soient nos relations dans l'intimité, je désire que vous vous conduisiez en public comme si vous m'aviez épousé pour autre chose que mon argent et mon titre. Ou pour être plus clair encore, comme si vous teniez réellement à moi.

Victoria se souvint tout à coup de sa réflexion chez les Mortram : « Je me moque de ce que pensent les gens... » Il mentait donc, songea-t-elle avec tendresse. L'opinion des autres comptait bel et bien pour lui.

Elle dévisagea l'homme froid et impassible qui se tenait devant elle. Il paraissait si fort, si distant et sûr de lui. Comment croire que cet homme-là désirait un fils, la désirait elle ou qui que ce fût... C'était aussi incroyable que de se dire qu'il se souciait de l'opinion d'autrui. Elle se souvint de son air juvénile la nuit du duel, lorsqu'il l'avait taquinée et cajolée pour lui voler un baiser. Quelle passion, quelle tendresse il avait montrées ! Et quelle solitude aussi, quand il avait murmuré : « Cent fois j'ai essayé de vous éloigner de moi, mais je n'y arrive pas. »

Peut-être cachait-il sous cette apparence glaciale, une solitude comparable à la sienne. Peut-être, sans se l'avouer, avait-il vraiment besoin d'elle. Mais peut-être aussi se leurrait-elle...

— Jason, déclara-t-elle enfin. Comment pouvez-vous imaginer un seul instant que je vous donnerais un enfant et qu'ensuite je le laisserais pour aller vivre ma vie ailleurs ? Vous n'êtes pas aussi cruel et insensible, si ?

— Je serai un bon mari, si c'est ce que vous voulez savoir.

— Ça n'a rien à voir ! s'énerva Victoria dont la voix monta d'un cran. Comment pouvez-vous parler de m'épouser comme si vous traitiez une... une affaire ou un contrat ! Sans chaleur, sans amour ou...

— Vous ne devriez plus vous faire d'illusions à

ce sujet, rétorqua-t-il, impatienté. Avec Bainbridge, vous en avez eu votre lot. L'amour ne sert qu'à manipuler les sots. Qu'il ne soit donc pas question de ça entre nous, Victoria.

Ces paroles lui firent l'effet d'un coup de fouet et elle dut s'agripper au dossier d'une chaise. Elle ouvrait la bouche pour refuser quand il l'interrompit :

— Réfléchissez avant de me donner votre réponse. Si vous m'épousez, vous serez libre de faire tout ce qu'il vous plaira. Vous pourriez construire un hôpital en Amérique et un à Wakefield. J'ai des domestiques à ne savoir qu'en faire. Rien qu'eux suffiraient à remplir vos lits. Et si cela ne suffisait pas, je les paierais pour être malades.

Mais Victoria était trop bouleversée pour sourire. Constatant que sa plaisanterie n'avait aucun succès, il reprit sur un ton léger :

— Je vous laisserais couvrir les murs de Wakefield de vos esquisses et, si vous manquiez de place, je ferais agrandir la maison.

Victoria fut étonnée : elle ignorait qu'il avait vu ses dessins. Effleurant sa joue, il promit avec détachement :

— Je serai un mari très généreux, vous verrez.

Le mot « mari » suscita un frisson chez Victoria et elle serra les bras sur sa poitrine comme pour se réchauffer.

— Pourquoi ? murmura-t-elle. Pourquoi moi ? Si vous désirez un fils, je connais des dizaines de femmes à Londres qui se damneraient pour pouvoir vous épouser.

— Parce que vous me plaisez. Vous le savez aussi bien que moi. Et aussi, ajouta-t-il, taquin, en la prenant par les épaules, parce que vous m'aimez bien. Vous me l'avez dit l'autre soir en croyant que je dormais... Vous vous souvenez ?

Victoria n'en revenait pas : ainsi il la trouvait séduisante ?

— J'aimais bien Andrew aussi, riposta-t-elle avec une impertinence mêlée de rancœur. Je ne suis pas très bon juge en ce qui concerne les hommes.

— C'est exact, reconnut-il, une lueur amusée dans les yeux.

Elle se sentit attirée brusquement contre sa poitrine.

— Vous perdez la tête ! s'écria-t-elle d'une voix étranglée. Vous êtes devenu fou !

— Mais je l'ai toujours été, répondit-il sereinement en glissant un bras dans son dos.

— Je ne veux pas vous épouser. Je ne peux pas...

— Victoria... vous n'avez pas le choix.

Sa voix devint rauque et persuasive tandis que ses seins venaient toucher sa chemise :

— Je vous donnerai tout ce qu'une femme peut désirer...

— Sauf l'amour, rétorqua Victoria tristement.

— Tout ce que les femmes désirent au fond d'elles-mêmes, corrigea-t-il.

Et sans laisser à Victoria le temps de décrypter cette remarque cynique, il approcha ses lèvres de sa bouche.

— Je vous couvrirai de bijoux et de fourrures, promit-il. Vous aurez tout l'argent que vous voudrez.

De sa main libre, il lui prit la nuque et renversa son visage en arrière pour l'embrasser.

— En échange, je ne vous demande que ça...

Alors sa bouche sensuelle prit possession de la sienne dans un interminable baiser. Un baiser qui fit naître en elle des sensations inconnues et la laissa tremblante d'émotion. Sa langue jouait avec ses lèvres, les caressait et les forçait à s'entrouvrir et lorsqu'elle y parvint, une succession de vagues de plaisir parcourut tout son corps. Victoria gémit et sentit ses bras se resserrer autour d'elle tandis que sa langue poursuivait sa danse lente et délicieusement érotique.

Quand il releva enfin la tête, Victoria avait l'impression que la pièce tournait autour d'elle.

— Regardez-moi, murmura-t-il en lui soulevant le menton. Mais... vous tremblez, s'étonna-t-il, scrutant ses grands yeux. Je vous fais donc si peur ?

Ignorant les sensations qui déferlaient dans son cœur et son corps comme un raz-de-marée, Victoria secoua la tête. Elle n'avait pas peur de lui : soudain, de façon inexplicable, elle avait peur d'elle-même.

— Non.

Un sourire flotta sur ses lèvres.

— Si, vous avez peur, mais vous avez tort.

Il posa une main contre sa joue écarlate et repoussa lentement ses cheveux en arrière.

— Je vous ferai souffrir une fois, et seulement parce c'est inévitable.

— Que... quoi ? Pourquoi ?

Il serra les mâchoires.

— Peut-être que non, après tout. C'est bien ça ?

— Quoi, ça ? s'exclama Victoria d'une voix aiguë. Quand cesserez-vous de parler par énigmes ?

Avec ces sautes d'humeur qui le caractérisaient, Jason haussa les épaules et reprit froidement :

— Aucune importance, trancha-t-il. Je me moque de ce que vous avez fait avec Bainbridge. C'était avant.

— Avant ? répéta Victoria qui comprenait de moins en moins. Mais avant quoi ?

— Avant moi, déclara-t-il sèchement. Maintenant, il faut que vous sachiez une chose : je ne tolérerai pas qu'on me cocufie. Compris ?

Victoria en resta bouche bée de stupeur.

— Cocufie ? Mais vous êtes fou. Complètement fou !

Ses lèvres esquissèrent un sourire ironique :

— Nous sommes déjà tombés d'accord sur ce point.

— Si vous continuez à m'insulter avec vos sous-entendus, je remonte dans ma chambre et je n'en sors plus.

Ses yeux bleus lançaient des éclairs.

— Très bien, soyons mondains dans ce cas. Que prépare Mme Craddock pour le souper ?

Victoria avait l'impression d'être complètement perdue.

— Mme Craddock ?

— La cuisinière ! Vous voyez, je connais son nom. Et j'ai également appris que O'Malley était votre chouchou. (Il sourit.) Alors qu'y a-t-il pour le souper ?

— De la pintade, répondit machinalement Victoria en tentant de reprendre ses esprits. Cela, heu... cela vous convient-il ?

— Mais oui. Nous dînons ici ?

— Moi oui, répliqua-t-elle prudemment.

— Alors moi aussi.

Suffoquée, elle comprit qu'il endossait déjà son rôle d'époux.

— Je vais prévenir Mme Craddock, déclara-t-elle précipitamment avant de s'éloigner, le cœur et la tête chavirés.

Jason la trouvait séduisante. Il voulait l'épouser… C'était impossible. Et des enfants. Jason désirait des enfants. Elle aussi en voulait, de toute son âme. Pourquoi ne seraient-ils pas heureux ensemble, après tout ? Jason pouvait être un compagnon charmant quand il le voulait, il avait parfois un sourire irrésistible… Elle allait quitter la pièce quand la voix de Jason, très calme, s'éleva dans son dos :

— Victoria…

Elle pivota machinalement.

— Il me semble que votre décision est prise. Si c'est oui, il faudrait monter chez Charles après le souper pour lui annoncer que nous sommes déjà convenus de la date du mariage. Cela lui fera plaisir et plus vite il se rétablira, mieux ce sera.

Etonnée, elle comprit que Jason brûlait de connaître sa décision. Mais pourquoi avait-il fallu qu'il présentât sa demande comme s'il s'agissait d'un marché ?

— Je… bafouilla-t-elle, éperdue.

Au même instant, les mots d'Andrew résonnèrent à ses oreilles :

— *Victoria, veux-tu devenir ma femme ?* avait-il murmuré d'une voix très tendre. *Je t'aime et je t'aimerai toujours…*

Jason au moins ne lui murmurait pas de fausses déclarations d'amour. Et il l'avait demandée en mariage sans faire étalage de sentiments, c'était le moins qu'on pût dire. Eh bien, elle allait accepter de la même façon. Elle le regarda droit dans les yeux et hocha brièvement la tête :

— Nous le lui annoncerons après le souper.

Elle aurait juré voir passer une expression de soulagement sur le visage de Jason.

Le soir venu, pieds nus devant son armoire, Victoria passa en revue sa garde-robe pour tenter de trouver une toilette acceptable. Elle porta finalement son choix sur une robe en mousseline bleu vert à la jupe pailletée d'or, et attacha à son cou un collier en or serti d'aigues-marines que Jason lui avait offert pour son premier bal. Ruth brossa longuement ses cheveux puis elle les sépara d'une raie médiane et les arrangea sur ses épaules en vagues soyeuses et scintillantes, auréolant d'or l'ovale si pur de son visage. Satisfaite de son apparence, Victoria quitta sa chambre et descendit au salon. Jason quant à lui portait un magnifique costume en velours bordeaux. Sur sa chemise immaculée brillaient les rubis de l'autre soir.

Il était en train de remplir une coupe de champagne et s'immobilisa en la voyant entrer. Il contempla la jeune femme avec un regard admiratif. La fierté était si évidente dans ses yeux déjà possessifs que Victoria sentit son estomac se nouer. Jamais jusqu'alors il ne l'avait dévisagée ainsi, comme si elle n'était qu'un plat appétissant qu'il s'apprêtait à dévorer.

— Je n'ai jamais vu quelqu'un passer comme vous d'une innocence quasi enfantine au charme troublant d'une femme fatale.

— Euh… hésita Victoria. Merci.

— C'était bien un compliment, vous savez. Les tournerais-je si mal que vous n'arrivez pas à les saisir ? Je ferai attention à l'avenir.

Touchée de constater qu'il avait bel et bien l'intention de faire un effort pour lui plaire, Victoria le regarda remplir deux coupes de liquide pétillant. Il lui en tendit une et elle se dirigeait vers le sofa quand il posa une main ferme mais douce sur son bras nu. De l'autre main, il ouvrit un écrin et en retira une triple rangée de perles énormes. Victoria n'en avait jamais vu de si belles. Sans un mot, il la conduisit devant un miroir et repoussa ses longs cheveux. Un petit frisson la parcourut quand ses mains remplacèrent le collier d'aigues-marines par la lourde parure de perles.

Dans la glace, elle observait son visage indéchiffrable tandis qu'il attachait le fermoir sur sa nuque. Son regard croisa ensuite celui de la jeune fille puis descendit sur le collier de perles.

— Merci, bredouilla-t-elle, confuse, en se tournant vers lui. Je...

— Je préférerais un baiser, répondit-il avec douceur.

Victoria se haussa sur la pointe des pieds et, docile, déposa un baiser sur sa joue fraîchement rasée. Elle n'appréciait pas le fait qu'il exigeât un baiser en échange de ses perles. Il avait l'air d'acheter ses faveurs. Ce qui suivit ne fit que renforcer ses craintes :

— Votre baiser est bien timide si l'on considère la valeur de ce bijou, dit-il avant de s'emparer de ses lèvres avec avidité.

Il la relâcha enfin et sourit d'un air moqueur en lisant l'appréhension dans ses yeux myosotis.

— Vous n'aimez donc pas les perles, Victoria ?

— Oh si... répondit nerveusement cette dernière, furieuse de ne pas mieux se dominer. Elles sont dignes d'une reine.

— Elles appartenaient à une princesse russe il y a de cela un siècle.

Victoria fut touchée d'apprendre qu'il la considérait digne d'un bijou aussi précieux.

Après le souper, ils montèrent voir Charles. A l'annonce de leur décision, le vieil homme manifesta une joie qui lui ôta plusieurs années. Il paraissait si heureux, si confiant dans l'avenir des jeunes gens que Victoria faillit y croire, elle aussi.

— Quand aura lieu le mariage? demanda-t-il.

— La semaine prochaine, répondit Jason pendant que Victoria le dévisageait, interdite.

— Parfait! Parfait! approuva Charles, rayonnant. J'ai bien l'intention d'y assister.

Victoria allait protester quand Jason l'avertit par une pression sur le bras de n'en rien faire.

— Qu'est-ce donc que cela, ma chère? reprit Charles en désignant le collier autour de son cou.

Elle porta la main à sa gorge:

— C'est un cadeau de Jason, pour sceller notre march... nos fiançailles.

Après l'intermède chez Charles, Victoria invoqua la fatigue pour se retirer et Jason l'accompagna jusqu'à ses appartements.

— Quelque chose vous tracasse, lui dit-il. De quoi s'agit-il?

— D'abord, j'ai honte de me marier avant même que mon deuil soit achevé. A chaque fois que je suis allée au bal cette saison, je me suis sentie coupable à l'égard de mes parents.

— Vous avez agi comme il le fallait et je suis sûr que vos parents l'auraient compris. D'ailleurs, c'est moi qui ai décidé de mettre un terme à votre deuil, et pas vous. Vous n'avez pas eu le choix et, en l'occurrence, c'est moi le coupable. D'autre part, en m'épousant tout de suite, vous rendez à Charles une raison de vivre. Vous avez vu comme son état s'est amélioré dès l'instant où nous lui avons parlé de la date du mariage?

Son raisonnement était juste et Victoria changea rapidement de sujet:

— Dites-moi une chose, reprit-elle avec un petit sourire accusateur. Maintenant que je sais que *nous*

nous marions dans une semaine, auriez-vous l'obligeance de me dire *où* notre mariage aura lieu ?

— Touché ! s'exclama-t-il en riant. J'ai décidé que nous nous marierions ici.

Victoria secoua la tête avec véhémence.

— Oh non, Jason, je vous en prie ! Pourquoi pas dans la petite église du village qui se trouve derrière Wakefield ? Nous pourrions attendre qu'oncle Charles soit remis pour faire le voyage.

Etonnée, elle vit une expression de dégoût traverser ses yeux verts à la mention de l'église. Mais après une seconde d'hésitation, il acquiesça sèchement :

— Si c'est un mariage à l'église que vous désirez, nous avons ici à Londres une nef assez vaste pour y loger tous nos invités.

— Non, insista Victoria en posant une main sur son bras. Je suis si loin de chez moi, milord. Or la petite église de Wakefield me rappelle celle de mon village et j'ai toujours rêvé, depuis que je suis toute petite, de m'y marier.

— Je veux que cela se passe à Londres, devant tout le monde, trancha Jason. Mais si vous y tenez vraiment, nous organiserons ensuite à Wakefield une petite cérémonie.

Victoria laissa retomber sa main.

— N'en parlons plus. Invitez qui vous voudrez. Il serait de mauvais goût d'attacher de l'importance à ce qui n'est autre chose qu'un arrangement, un contrat d'affaires. Quand nous prononcerons nos vœux, j'espère simplement que la foudre ne nous tombera pas dessus.

— Ne vous inquiétez pas, dans ce cas je paierai les frais d'une nouvelle charpente.

20

— Soyez la bienvenue, mon enfant, déclara Charles d'un ton enjoué. Asseyez-vous. Votre visite d'hier soir m'a rendu mes forces, vous savez, je me sens presque comme un jeune homme. Parlez-moi de vos projets au sujet de ce mariage.

Victoria s'assit docilement à ses côtés.

— Oh, oncle Charles, pour être franche, je ne sais plus très bien où j'en suis. Northrup vient de m'apprendre que Jason était reparti à Wakefield.

— Je sais, répondit Charles en souriant. Il est passé me voir avant de partir et m'a dit qu'il avait pris cette décision par souci des « convenances ». Moins on le verra ici, moins on jasera.

Le visage de Victoria s'éclaira.

— C'était donc ça !

Charles se mit à rire et hocha la tête.

— Je crois que c'est la première fois qu'il se plie aux règles du savoir-vivre ! Félicitations, vous avez une bonne influence sur lui, conclut-il gaiement.

Soulagée, Victoria lui rendit son sourire.

— Je ne sais rien de ce qu'il trame, avoua-t-elle. Si ce n'est que notre mariage aura lieu à Londres, dans une grande église.

— Jason s'occupe de tout. Il a emmené son secrétaire avec lui ainsi que la plupart du personnel. Après la cérémonie, une réception plus intime sera organisée à Wakefield. Les invitations ne tarderont pas à partir.

Victoria haussa les épaules et aborda en hésitant un sujet qui lui tenait plus à cœur :

— Quand vous étiez au plus mal, vous avez parlé

de ma mère et de vous... Vous vouliez me dire quelque chose.

Charles se détourna et regarda par la fenêtre. Alors Victoria reprit avec embarras :

— Ne me dites rien si cela vous dérange.

— Ce n'est pas ça, répondit-il lentement en reposant les yeux sur elle. Vous êtes bonne et intelligente, mais si jeune encore ! Lorsque je vous aurai dit ce que j'ai à vous dire, vous allez me mépriser, et pourtant je vous jure que je n'ai jamais cherché à revoir votre maman après son mariage.

Victoria lui prit gentiment la main.

— Comment pourrais-je mépriser quelqu'un qui a aimé ma mère ?

Il regarda sa main et poursuivit d'une voix émue :

— Vous avez aussi hérité de la grandeur d'âme de votre mère, le saviez-vous ?

Comme Victoria ne répondait pas, il regarda à nouveau par la fenêtre et se mit à lui raconter leur histoire. Lorsqu'il eut achevé son récit, il dévisagea Victoria et, dans ses yeux, il ne lut ni mépris ni reproche, seulement une immense compassion.

— Je l'aimais de tout mon cœur, voyez-vous, de toute mon âme. Je l'aimais et pourtant je l'ai chassée de ma vie.

— C'est mon arrière-grand-mère qui vous a forcé à le faire, répliqua Victoria, les yeux étincelants.

— Ont-ils été heureux... votre père et votre mère ? Je me suis toujours demandé quel couple ils formaient.

Victoria se souvint de la scène terrible dont elle avait été témoin un lointain soir de Noël. Mais dix-huit années d'estime et d'affection réciproque l'emportaient sur ce triste souvenir.

— Oui. Ils étaient heureux. Mais leur mariage était très différent de ceux que l'on voit chez vous.

Il décela tant d'aversion dans ces derniers mots qu'il sourit et l'interrogea avec curiosité :

— Comment sont les mariages chez nous ?

— Ce sont les couples que l'on voit partout dans Londres, à l'exception du ménage Collingwood. Ils apparaissent rarement ensemble et, lorsqu'ils se retrouvent en société, chacun se conduit à l'égard de l'autre comme un étranger. Les hommes se divertissent de leur côté et leurs épouses ont chacune leur chevalier servant. Mes parents, eux, vivaient unis sous le même toit, et nous formions une vraie famille.

— Je suppose que vous avez l'intention de fonder un foyer comme celui que vous venez de décrire ? la taquina-t-il tout en se réjouissant visiblement à cette perspective.

— Je crains que Jason ne partage pas mon point de vue, répondit-elle sans se résoudre à lui avouer leur marché.

Elle se consolait en se disant qu'il avait malgré tout précisé qu'il préférait la garder avec lui en Angleterre.

— Je ne suis pas sûr que Jason sache exactement ce qu'il veut à l'heure actuelle, déclara gravement Charles. Il a besoin de vous, mon petit. Il a besoin de votre chaleur et de votre entrain. Il se refuse à l'admettre — et lorsqu'il y viendra, il sera furieux, croyez-moi. Il luttera contre l'évidence et aussi contre vous. Mais tôt ou tard, il vous livrera son cœur et il trouvera une paix intérieure. En échange, il vous rendra heureuse au-delà de toute espérance.

Elle paraissait si sceptique que la bonne humeur de Charles s'évanouit.

— Soyez patiente. Son cœur souffre encore de

profondes cicatrices que vous seule avez le pouvoir de guérir.

— Quelles cicatrices ?

— Il vaut mieux que ce soit Jason qui vous raconte sa vie, et surtout son enfance. S'il ne le fait pas, alors revenez me voir.

Les jours suivants, Victoria n'eut guère le temps de penser à Jason ni à quoi que ce fût, d'ailleurs. Après son entretien avec Charles, Mme Dumosse avait débarqué avec quatre couturières.

— Lord Fielding m'a ordonné de confectionner votre robe de mariée, mademoiselle, décréta la Française. Il la veut superbe, très élégante. Unique. Digne d'une reine. Et surtout pas de fanfreluches.

Partagée entre l'agacement et l'amusement, Victoria lui jeta un regard en coin.

— A-t-il également choisi la couleur de la robe ?

— Oui, elle sera bleue.

— Bleue ? bondit Victoria toutes griffes dehors.

Mme Dumosse hocha la tête, un doigt posé sur les lèvres et une main sur la hanche.

— Parfaitement, bleue ! Bleu pâle. Il a dit que c'était une couleur qui vous allait à ravir. « En bleu, elle ressemble à un ange de la "Renaissance italienne", m'a-t-il précisé.

Victoria poussa un soupir.

— Après tout, pourquoi pas ? Allons-y pour le bleu.

— Lord Fielding possède un goût très sûr, poursuivit la couturière en haussant ses sourcils épilés. Vous ne trouvez pas ?

— Oh si ! répliqua Victoria, s'abandonnant de bonne grâce à ses mains expertes.

Quatre heures plus tard, lorsque Mme Dumosse

la délivra, on annonça à Victoria la visite de lady Caroline Collingwood.

— Victoria ! s'écria la jolie jeune femme en saisissant avec inquiétude les mains de son amie. Lord Fielding est passé chez nous ce matin pour nous faire part de votre mariage. Je suis très touchée que vous m'ayez choisie comme dame d'honneur mais... tout cela est si soudain. Enfin... ce mariage.

Victoria dissimula un sourire. Décidément, Jason avait tout organisé !

— Jamais je n'aurais pensé que vous vous étiez ainsi attachée à lord Fielding, poursuivit Caroline. Et je ne puis m'empêcher de me demander si... vous n'y êtes pas contrainte.

— Le destin seul m'y contraint, répliqua Victoria avec lassitude en se laissant tomber dans un fauteuil.

Comme Caroline fronçait les sourcils, elle se hâta d'expliquer :

— Personne ne m'y oblige, si c'est ce que vous voulez savoir.

Caroline, soulagée, se détendit et s'exclama :

— Je suis tellement heureuse ! J'appelais ce mariage de tous mes vœux. (En voyant le regard sceptique de son amie, elle sourit.) Ces derniers temps, j'ai appris à mieux le connaître et je suis d'accord avec Robert : la mauvaise réputation de lord Fielding provient des dires d'une seule et même personne, une femme méprisable. Ces médisances sont confortées par l'attitude hautaine de lord Fielding qui n'a jamais vu la nécessité de détromper ceux qui étaient assez naïfs pour y croire. Comme le dit Robert, lord Fielding est un homme fier et il n'a que du dédain pour ces gens-là.

Victoria réprima un petit rire en voyant son

amie défendre avec flamme celui-là même qu'elle condamnait peu de temps auparavant.

— Je me demande comment j'ai pu le trouver effrayant, reprit Caroline alors que Victoria lui versait une tasse de thé. Je me suis trop fiée à mon imagination et je crois que c'est dû à sa haute taille et à ses cheveux si noirs. C'est absurde, vraiment ! Savez-vous ce qu'il a dit en prenant congé ce matin ?

— Non, répondit Victoria en cachant un nouveau sourire. Qu'a-t-il dit ?

— Que je lui avais toujours fait penser à un ravissant papillon.

— Comme c'est joli.

— Certes, mais pas aussi joli que la façon dont il vous a décrite, vous !

— Moi ? Juste Ciel, mais comment en êtes-vous venus à parler de tout cela ?

— Je venais de lui faire part de ma joie d'apprendre que vous, ma plus chère amie, alliez épouser un Anglais et rester parmi nous, quand il a ri. Il a dit qu'il nous trouvait parfaitement assorties toutes les deux : parce que je ressemblais à un ravissant papillon et que vous, vous étiez comme ces fleurs sauvages qui s'épanouissent même au cœur des tempêtes et qui illuminent la vie. N'est-ce pas charmant ?

— Charmant ! approuva Victoria qui se sentit absurdement heureuse, tout à coup.

— Je crois qu'il est bien plus amoureux qu'il ne veut l'admettre. Il s'est tout de même battu en duel pour vous !

Lorsque Caroline prit congé, elle avait presque réussi à convaincre son amie que Jason tenait réellement à elle.

Victoria fut gaie comme un pinson tout le lendemain. Une procession ininterrompue de visiteurs défila pour lui présenter leurs vœux de bonheur.

Victoria recevait un groupe de jeunes femmes qui s'étaient précipitées chez elle précisément pour cette raison quand l'objet de leurs propos fit nonchalamment son apparition dans le petit salon bleu. Les rires laissèrent la place à des murmures admiratifs tandis que les invitées contemplaient la redoutable silhouette du marquis de Wakefield. Son impressionnante carrure était sanglée dans une veste de chasse et des leggings noirs mettaient en valeur ses jambes musclées. Il émanait de lui un charme incroyablement viril. Sans se soucier de l'effet qu'il produisait sur ces dames si impressionnables — dont la plupart avaient caressé secrètement l'espoir de le prendre dans leurs filets —, Jason leur adressa un sourire étincelant.

— Bonjour, mesdames, dit-il avant de se tourner vers Victoria à qui il décocha un sourire beaucoup plus tendre. Pourriez-vous me consacrer un moment ?

Victoria s'excusa auprès de ses invitées et le suivit dans mon bureau.

— Je vous rends tout de suite à vos amies, lui promit-il en fouillant dans sa poche.

Sans ajouter un mot, il prit sa main et glissa à son doigt une lourde bague. Victoria regarda la bague qui recouvrait la moitié de son doigt. Elle se composait d'une rangée d'énormes saphirs entourés de part et d'autre de deux rangs de diamants.

— Jason, elle est magnifique, murmura-t-elle, le souffle coupé. C'est une merveille. Merc...

— Remerciez-moi plutôt en m'embrassant, lui rappela-t-il gentiment.

Elle lui offrit ses lèvres et il s'en empara avec

ardeur. Il l'embrassa longuement, passionnément, et une langueur délicieuse envahit la jeune fille. Emue par sa fougue et incapable de maîtriser l'élan qui la poussait dans ses bras, elle plongea ses yeux dans son regard vert, impénétrable, essayant de comprendre pourquoi les baisers de Jason la bouleversaient à ce point.

— La prochaine fois, m'embrasserez-vous spontanément ou faudra-t-il que je vous le demande ?

La déception qu'elle crut déceler dans sa voix lui réchauffa le cœur. Elle se haussa sur la pointe des pieds et noua les bras autour de son cou pour atteindre ses lèvres. Elle sentit un frisson parcourir le grand corps de Jason tandis qu'elle promenait ses lèvres sur les siennes ; elle explora lentement les courbes de sa belle bouche, respirant son odeur virile, jusqu'à ce qu'il entrouvrît ses lèvres pour lui voler un nouveau baiser, encore plus sauvage que le précédent.

Victoria glissa ses doigts dans les cheveux noirs qui bouclaient sur sa nuque et se pressa instinctivement contre lui. Les bras de Jason se refermèrent sur elle avec violence. Il darda sa langue dans sa bouche, la taquinant jusqu'à ce qu'elle en fît de même. Puis il étouffa un gémissement et la serra plus fort contre lui, le corps raidi de désir.

Il releva enfin la tête pour la contempler avec une expression bizarre, mi-amusée mi-moqueuse.

— J'aurais dû vous offrir des saphirs et des diamants l'autre soir, à la place des perles, constata-t-il. Mais ne m'embrassez plus ainsi jusqu'à ce que nous soyons mariés.

Sa mère et miss Flossie avaient mis en garde Victoria contre les ardeurs des hommes. Un gentleman pouvait être amené à mal se conduire. Instinctivement, elle comprit le message : Jason avait failli perdre la tête. Et elle était suffisamment femme pour se réjouir que son baiser, si inexpérimentée fût-elle, ait pu ainsi troubler un homme aussi blasé. D'autant que ses baisers n'avaient jamais produit un tel effet sur Andrew. Mais elle n'avait jamais embrassé Andrew comme Jason.

— Je vois que vous avez compris, commenta-t-il, ironique. Je dois dire que je n'ai jamais fait grand cas de la virginité chez une femme. Il existe certains avantages à épouser une femme qui sait déjà comment s'y prendre avec les hommes...

Il garda le silence sans la quitter des yeux, comme s'il attendait une réaction de sa part. Mais Victoria évita son regard, affreusement déçue. Sa virginité aurait dû représenter un don inestimable aux yeux de Jason. Elle ignorait totalement comment « s'y prendre avec les hommes ».

— Je... je suis navrée, bredouilla-t-elle, affreusement embarrassée par cette discussion. Les choses ne se passent pas ainsi en Amérique.

Malgré la tension qui perçait dans la voix de Jason, ses mots furent doux :

— Vous n'avez pas besoin de vous excuser, Victoria. Ne prenez pas cet air de chien battu. N'ayez pas peur de me dire la vérité, si terrible soit-elle. Je suis prêt à l'entendre et je vous admirerai même d'avoir le courage de me la dire. (Il lui effleura la joue.) N'en parlons plus, conclut-il d'une voix apaisante. (Soudain ses manières brusques réapparurent.) Dites-moi si votre bague vous plaît et dépêchez-vous de rejoindre vos amies.

— Je la trouve merveilleuse, répondit Victoria, essayant de s'habituer à ces incompréhensibles sautes d'humeur. Elle est si belle que je tremble déjà à l'idée de la perdre.

Jason haussa les épaules avec indifférence.

— Je vous en achèterais une autre.

Et il quitta la pièce tandis que Victoria contemplait tristement sa bague. Elle avait donc si peu d'importance à ses yeux ! D'un autre côté, il ramenait les choses à leur juste valeur : comme ce bijou, elle n'avait aucune importance pour lui et était aussi facilement remplaçable.

« *Il a besoin de vous, mon petit.* » Les paroles de Charles lui revinrent en mémoire et elle sourit en se souvenant que dans ses bras au moins, Jason avait visiblement grand besoin d'elle.

Un peu rassérénée, elle retourna au salon où ces dames s'extasièrent sur sa bague.

Au cours de la semaine qui suivit, tout Londres défila chez la jeune fille pour la féliciter. Victoria recevait ses invités dans le petit salon et écoutait les conseils des unes, les confidences des autres et au cours de ces gais babillages, un sentiment agréable naquit en elle. Jusqu'alors, elle n'avait connu toutes ces femmes que fort superficiellement. Elle les croyait seulement intéressées par leurs robes, leurs bijoux et leurs divertissements. Or elle les voyait à présent sous un angle différent : elle avait sous les yeux des mères ou des épouses qui s'efforçaient de remplir leur tâche du mieux qu'elles pouvaient, et son estime pour elles remonta.

Jason fut le seul à se tenir à l'écart de Victoria mais elle savait pour quelle raison et lui en était reconnaissante, même si parfois elle avait l'impression qu'elle s'apprêtait à épouser un étranger toujours absent. Charles descendait souvent charmer ses invitées de sa conversation. Le reste du temps, il s'éclipsait pour « reprendre des forces » en vue du grand jour où il aurait l'honneur de la conduire à l'autel. Ni la jeune fille ni le docteur Worthing ne réussirent à l'en dissuader, Jason de son côté n'essaya même pas.

Cependant, un frisson d'appréhension circulait parfois chez ses hôtes lorsque l'on en venait à mentionner Jason. Ses nouveaux amis et connaissances étaient visiblement impressionnés par le statut dont elle jouirait en tant que marquise de Wakefield, mais Victoria sentait chez beaucoup une réticence au sujet de son futur époux. Cela la désolait car elle commençait à les apprécier et elle aurait voulu qu'ils aiment aussi Jason. Il lui arrivait, alors qu'elle s'entretenait avec un de ses visiteurs, d'entendre des bribes de conversation, mais dès qu'elle tendait l'oreille les gens se taisaient. De ce fait, elle était incapable de prendre la défense de Jason puisqu'elle ignorait ce dont on l'accusait.

La veille du mariage, les pièces du puzzle s'assemblèrent enfin, et Victoria manqua de s'évanouir devant le tableau terrifiant qui s'offrit à ses yeux. Sa dernière invitée, lady Clappeston, s'apprêtait à prendre congé quand elle serra affectueusement le bras de Victoria.

— Ma chérie, déclara-t-elle, vous êtes une jeune femme intelligente. Je ne ferai pas comme ces rabat-joie qui s'inquiètent pour votre avenir, car je suis convaincue que vous vous entendrez bien avec Wakefield. Vous êtes le contraire de ce qu'était sa première femme. Lady Melissa n'avait pas volé le traitement qu'il lui réservait et elle aurait mérité un châtiment encore plus exemplaire ! Cette femme était une garce, si vous me passez l'expression.

Sur ces mots, lady Clappeston quitta dignement le salon tandis que Victoria, interdite, se tournait vers Caroline.

— Sa première femme ? articula-t-elle lentement comme si elle nageait en plein cauchemar. Jason a été marié ? Mais pourquoi... pourquoi ne m'a-t-on rien dit ?

— Parce que tout le monde croyait que vous le saviez, répliqua Caroline, anxieuse. J'étais persuadée que votre oncle ou que lord Fielding vous avait prévenue. Ne me dites pas que vous n'en avez jamais entendu parler !

— Toutes les conversations sur Jason cessent dès que j'entre dans une pièce, riposta rageusement Victoria. J'ai déjà entendu le nom de lady Melissa associé à celui de Jason, mais personne n'en a jamais parlé comme étant sa femme ! Les gens y faisaient toujours allusion avec un tel mépris que j'ai cru... qu'elle avait été... sa maîtresse... voilà ! acheva-t-elle avec embarras. Exactement comme l'était cette Mlle Sybil.

— « Comme l'était » ? répéta Caroline, étonnée que Victoria utilisât le passé.

Elle se reprit immédiatement et affecta d'examiner avec un vif intérêt le motif du sofa bleu sur lequel elle était assise.

— Eh bien, Jason ne la voit plus depuis que nous sommes officiellement fiancés, déclara Victoria avant d'interroger avec inquiétude : La voit-il toujours ?

— Je n'en sais rien, balbutia piteusement Caroline. Certains, comme Robert, cessent d'avoir des maîtresses lorsqu'ils se marient. Mais les autres continuent à leur rendre visite.

Victoria se massa douloureusement les tempes pour tenter de chasser la confusion indescriptible qui régnait dans son esprit.

— Je ne comprends rien à votre pays, avoua-t-elle. Chez nous, les hommes ne donnent pas leur temps ni leur affection à une autre qu'à leur femme. Du moins pas que je sache. Et ici, j'ai maintes et maintes fois entendu des réflexions qui laissaient à penser qu'il est parfaitement normal que des hommes mariés et du meilleur milieu fréquentent des femmes qui ne sont pas leurs épouses.

Caroline ramena la conversation sur le sujet qui lui tenait à cœur :

— Cela vous contrarie-t-il beaucoup que lord Fielding ait été marié une première fois ?

— Evidemment ! Enfin... Oh et puis je ne sais plus ! Ce qui me fait le plus de peine, c'est que personne ici n'ait jugé bon de me le dire. (Elle se leva si brusquement que Caroline sursauta.) Je vous prie de m'excuser, il faut que je monte voir oncle Charles.

Le valet de Charles posa un doigt sur ses lèvres pour signifier à Victoria que son oncle était endormi. Mais dans son désarroi, la jeune fille ne put supporter d'attendre et fonça en direction de la chambre de miss Flossie. Au cours de ces dernières semaines, celle-ci avait peu à peu confié son rôle de chaperon à Caroline Collingwood. Du coup, Victoria ne la voyait plus guère qu'aux repas.

Victoria frappa à sa porte et entra dans le joli petit boudoir attenant à la chambre.

— Victoria, ma chère, vous êtes tout simplement rayonnante ! s'exclama miss Flossie avec son sourire distrait et son manque de perspicacité habituel. En effet, Victoria était blanche comme un linge et visiblement bouleversée.

— Miss Flossie, commença Victoria, décidée à aller droit au but. Oncle Charles dort et vous êtes la seule personne qui puisse me répondre. Il s'agit de Jason. C'est épouvantable !

— Dieu du Ciel ! s'écria miss Flossie en repoussant sa broderie. Que se passe-t-il ?

— Je viens d'apprendre qu'il a déjà été marié !

Miss Flossie se mit à hocher la tête, ce qui lui donna l'air d'une vieille poupée de porcelaine coiffée de dentelle.

— Ma chère, mais je pensais que Charles vous l'avait dit, ou Wakefield lui-même. Bon... quoi qu'il en soit... Jason a effectivement été marié une première fois... eh bien maintenant vous le savez !

Considérant qu'elle avait ainsi réglé le problème, miss Flossie sourit ingénument et reprit sa broderie.

— Non, je ne sais rien ! Lady Clappeston a dit quelque chose d'étrange, elle a dit que la femme de Jason avait bien mérité le traitement qu'il lui avait réservé. Que lui a-t-il fait ?

— Qu'a-t-il fait ? répéta miss Flossie en papillotant des yeux. Mais rien que je sache ! Lady Clappeston ne dit que des sottises, elle ne se trouvait tout de même pas dans leur chambre à coucher, que je sache ! Là. Vous sentez-vous mieux à présent ?

— Non ! s'exclama Victoria au bord de la crise de nerfs. Ce que je veux savoir, c'est *pourquoi* lady Clappeston est convaincue que Jason a causé du tort à sa femme. Elle doit avoir ses raisons et, si je ne m'abuse, beaucoup de monde pense comme elle.

— C'est possible, acquiesça miss Flossie. Je vais vous expliquer : l'abominable femme que Jason avait épousée — que Dieu ait son âme, mais permettez-moi d'en douter compte tenu de sa conduite scandaleuse — a crié sur tous les toits que Wakefield la martyrisait. Certains l'ont crue, de toute évidence, mais qu'il ne l'ait pas tuée prouve l'immense bonté de Jason. Si j'étais mariée — mais je ne le suis pas — et si je m'étais conduite comme Melissa — ce que jamais je ne ferais —, mon mari serait parfaitement autorisé à me battre. Alors permettez-moi de vous dire que si Wakefield a corrigé Melissa — mais je n'en suis pas certaine — ce châtiment était parfaitement mérité. Vous pouvez me croire sur parole.

Victoria revit les rares éclats de colère dont elle avait été témoin. Une rage sauvage avait brillé dans les yeux de Jason et elle avait perçu une violence terrifiante sous son vernis mondain. La vision d'une femme battue et sanglotante surgit devant ses yeux. Avait-elle enfreint l'une des règles qu'il lui avait fixées ?

— Que... que faisait donc Melissa ? murmura-t-elle d'une voix enrouée.

— Il n'y a pas de mot pour qualifier sa conduite. La vérité, c'est qu'on la voyait souvent en compagnie d'autres messieurs.

Victoria frissonna. Quelle femme de la haute société ne se montrait-elle pas en compagnie d'autres messieurs ? Ici, toutes les dames mariées et en vogue avaient leur soupirant.

— Et il la battait pour ça ? chuchota-t-elle, malade d'angoisse.

— Personne n'en est certain, précisa miss Flossie. Moi je n'y crois pas. J'ai entendu une fois un monsieur critiquer Jason — dans son dos bien évidemment, car personne n'a jamais eu le courage de le critiquer ouvertement. Il lui reprochait d'ignorer la conduite de Melissa.

Tout à coup une obsession grandit dans l'esprit de Victoria.

— Qu'est-ce que ce monsieur a dit ? interrogea-t-elle. Quelles ont été ses paroles exactes ?

— Ses paroles exactes ? Puisque vous insistez, les voici. Enfin, à quelques mots près, n'est-ce pas, je ne me souviens pas exactement : « Elle cocufie Wakefield devant le Tout-Londres, disait-il, et il le sait aussi bien que nous. Et pourtant il accepte de porter ses cornes. C'est un exemple déplorable pour nos épouses. Si vous voulez mon avis, il ferait mieux d'enfermer cette catin chez lui en Ecosse et de jeter la clé. »

Victoria, prise de faiblesse, s'appuya contre le dossier de sa chaise et ferma les yeux.

— « Cocufie », murmura-t-elle. C'est donc cela... Jason était si fier... comme il avait dû souffrir des infidélités répétées de sa femme !

— Y a-t-il autre chose que vous désirez savoir ? demanda miss Flossie.

— Oui.

La tension qui vibrait dans sa voix fit sursauter Flossie.

— Hemm... J'espère que cela n'a rien à voir avec *ce-que-vous-savez*, gazouilla-t-elle avec nervosité. Je suis votre plus proche parente du sexe... et il serait de mon ressort de vous expliquer... mais je dois vous confesser mon ignorance à ce sujet. J'espérais que votre mère vous en avait parlé.

Etonnée, Victoria ouvrit les yeux.

— Je ne comprends pas très bien ce que vous voulez dire, mademoiselle.

— Je veux parler de *ce-que-vous-savez*, pour reprendre l'expression de mon amie Prudence. Mais je ne puis que vous répéter ce qu'a appris Prudence la veille de son mariage, de la bouche même de sa mère.

— Je vous demande pardon ? fit Victoria, complètement perdue.

— N'en faites rien, voyons, c'est moi qui devrais vous demander pardon. Mais les dames, voyez-vous, ne parlent jamais de *ce-que-vous-savez*. Voulez-vous savoir ce que la mère de Prudence lui a dit ?

Victoria réprima un sourire et acquiesça sans la moindre idée de ce qui allait suivre.

— Très bien. Le soir de vos noces, votre mari vous rejoindra dans votre lit — ou peut-être vous conduira-t-il dans le sien, c'est à voir. Sous aucun prétexte vous ne devez crier, montrer votre dégoût ni vous évanouir. Vous devez seulement fermer les yeux et le laisser faire *ce-que-vous-savez*. Quoi qu'il arrive et quoi qu'il fasse. Vous souffrirez, cela vous fera horreur et il y aura du sang partout. Mais il vous faudra fermer les yeux et tenir bon. La maman de Prudence lui avait conseillé pendant *ce-que-vous-savez* de penser à autre chose : au manteau de fourrure ou à la jolie robe que son mari lui offrirait ensuite, par exemple. C'est une chose plutôt répugnante, vous ne trouvez pas ?

— Merci, miss Flossie, hoqueta Victoria, les épaules secouées de rire. Je me sens déjà beaucoup mieux.

Jusqu'à présent, elle ne s'était jamais laissé troubler par cette perspective. Elle savait pourtant que Jason ne s'en priverait pas, d'autant qu'il désirait un fils. Elle avait beau être la fille d'un médecin, son père s'était toujours soigneusement arrangé pour ne jamais exposer en sa présence l'anatomie de ses patients mâles en dessous de la ceinture. Mais Victoria n'était pas totalement ignorante.

Lorsqu'elle avait quatorze ans, son père avait été appelé dans une ferme pour un accouchement. Pendant que le bébé venait au monde, elle s'était promenée près des chevaux. Là elle avait assisté, un peu effrayée, à la saillie d'une jument par un étalon.

Elle frissonna en revoyant la pauvre jument hennissant de douleur.

— Ma pauvre enfant, fit miss Flossie, compatissante mais toujours maladroite. Vous êtes blanche comme un linge mais je ne saurais vous en blâmer. Rassurez-vous, je crois que si une femme a fait son devoir et qu'elle donne ensuite un héritier à son époux, celui-ci — s'il est attentionné, bien sûr — se trouve une maîtresse pour faire *ce-que-vous-savez* et laisse sa femme en paix.

Embarrassée, Victoria se détourna et regarda par la fenêtre.

— Une maîtresse, souffla-t-elle.

Jason en avait déjà une, et il en avait eu sans compter ces dernières années, toutes ravissantes, selon la rumeur. Elle commençait à revoir ses jugements sur les hommes qui entretenaient des maîtresses. Elle se trompait du tout au tout. Après ce que venait de lui apprendre miss Flossie, elle trouvait au contraire ces messieurs plus civilisés et généreux envers leurs femmes. Au lieu d'assouvir leurs bas instincts sur leurs épouses, ils se tournaient tout simplement vers d'autres femmes qu'ils installaient dans une belle maison avec des domestiques et de jolies robes. Pendant ce temps-là, ils laissaient en paix les premières. Cela lui semblait la solution idéale pour régler ce problème. Puisque les dames de la bonne société jugeaient que c'était bien ainsi, elle aurait été bête de penser le contraire.

— Oh merci, miss Flossie, fit-elle en toute sincérité. Vous m'avez bien aidée. Vous êtes très bonne.

Radieuse, la demoiselle sourit en agitant ses boucles sous son bonnet de dentelle.

— Merci à vous, ma chère enfant. Depuis votre arrivée, je n'ai jamais vu Charles aussi heureux. Et Jason aussi, cela va de soi, ajouta-t-elle poliment.

Victoria sourit avec incrédulité. Elle avait du mal à croire qu'elle rendait Jason heureux.

Elle regagna lentement sa chambre et s'installa devant la cheminée pour tenter de retrouver son sang-froid. Demain matin, elle deviendrait la femme de Jason. Elle voulait son bonheur — elle le désirait même si ardemment qu'elle en négligeait presque ses propres sentiments. Une immense compassion avait envahi son cœur en apprenant que sa première femme était volage. Elle n'en éprouvait aucun dépit: au contraire, cela redoublait son désir de combler le vide qu'avait creusé Melissa dans la vie de Jason.

Incapable de rester en place, Victoria alla chercher une petite boîte à musique sur sa coiffeuse et se dirigea vers son lit. Elle avait beau se persuader qu'elle épousait Jason parce qu'elle n'avait pas le choix, elle devait reconnaître que ça n'était pas entièrement exact. Une partie d'elle-même souhaitait ce mariage. Elle aimait son regard, son sourire, et aussi son humour caustique. Elle aimait le timbre vif et impérieux de sa voix, sa démarche assurée. Elle aimait la lueur qui brillait dans ses yeux verts lorsqu'il la taquinait, et la tendresse qui adoucissait son regard quand il l'embrassait. Elle aimait son élégante nonchalance et le goût de ses lèvres lorsqu'il...

Elle s'arracha à ces pensées dangereuses et fixa distraitement le dais de soie doré qui surmontait son lit. Elle aimait beaucoup de choses chez lui, beaucoup trop. Et elle était très ignorante en matière d'hommes: pour preuve, son expérience malheureuse avec Andrew. Elle s'était imaginé qu'il l'aimait ; en revanche, elle ne nourrissait aucune illusion envers Jason. Il était attiré par elle et voulait un fils. Oh, il l'appréciait sûrement, Victoria en était consciente, mais ses sentiments s'arrêtaient là. Elle, de son côté, se sentait bien proche de tomber amoureuse de lui. Mais Jason ne voulait pas entendre parler d'amour. Il le lui avait dit on ne peut plus clairement.

Voilà plusieurs semaines qu'elle essayait de se convaincre qu'elle ne ressentait autre chose pour lui que de l'affection et de la reconnaissance, mais elle savait maintenant que ses sentiments étaient plus profonds. Pourquoi sinon aurait-elle souhaité le rendre heureux ? Pourquoi se mettre dans de tels états en apprenant les infidélités de sa première femme ?

Soudain Victoria prit peur. Dans moins de vingt-quatre heures, elle allait unir sa vie à un homme qui refusait son amour, un homme qui pourrait se servir de ses sentiments comme d'une arme contre elle. Comme elle se sentait vulnérable ! Un instinct lui soufflait de ne pas l'épouser. Les paroles de son père résonnèrent dans sa tête pour la énième fois. « *Aimer sans retour équivaut à l'enfer !... N'espère jamais connaître le bonheur avec un homme qui ne t'aimera pas... N'aime jamais plus que tu n'es aimée, Tory...* »

Victoria se pencha en avant et ses longs cheveux retombèrent comme un rideau sur son petit visage. Elle serrait les poings. Sa raison lui soufflait : « Ne l'épouse pas ! Il te rendra malheureuse comme une pierre... » Mais de l'autre côté, son cœur la suppliait de ne pas laisser passer le bonheur qui était à sa portée.

Sa raison lui ordonnait de fuir et son cœur la conjurait de ne pas faire preuve de lâcheté.

Northrup frappa à sa porte.

— Pardonnez-moi, lady Victoria, appela-t-il derrière le battant. Une jeune femme toute décoiffée vous attend dans le hall, elle est venue sans escorte et sans chapeau dans une voiture de location... Elle prétend être... hem... votre sœur. J'ignorais que vous aviez de la famille ici à Londres, et je l'ai naturellement priée de s'en aller mais elle...

— Dorothée ? s'exclama Victoria en bondissant vers la porte. Où est-elle ?

— Dans le petit salon, répondit Northrup, atterré. Mais s'il s'agit de votre sœur, je vais immédiatement l'installer dans le salon jaune qui est beaucoup plus confortable et...

Il parlait encore quand Victoria atteignit la dernière marche de l'escalier.

— Tory ! s'écria Dorothée en serrant sa sœur de toutes ses forces dans ses bras.

Elle riait et pleurait en même temps.

— Si tu avais vu la tête de ton majordome quand il a aperçu la voiture que j'ai louée... il avait l'air presque aussi choqué que lorsqu'il m'a vue moi !

— Pourquoi n'as-tu pas répondu à ma dernière lettre ? interrogea Victoria.

— Je ne suis rentrée de Bath que ce matin. Et demain je pars en France pour deux mois ! Grand-mère serait folle de rage si elle apprenait que je suis venue, mais je ne peux te laisser épouser cet homme-là ! Tory, qu'ont-ils fait pour te pousser à cette extrémité ? T'auraient-ils battue, privée de nourriture ? Ont-ils...

— Rien de tout cela, répondit Victoria en caressant les longs cheveux blonds de sa sœur. La décision vient de moi.

— Je ne te crois pas! Tu me racontes des histoires pour ne pas m'inquiéter...

Jason s'adossa à la banquette de sa calèche et fouetta distraitement sa cuisse avec ses gants, tout en regardant les maisons défiler par la portière le long d'Upper Brook Street. Demain, il allait se remarier...

Maintenant qu'il avait reconnu qu'il désirait Victoria et qu'il avait pris la décision de l'épouser, il voulait la jeune fille comme un fou. Le désir croissant qu'il éprouvait le rendait vulnérable et gauche, parce que l'expérience lui avait enseigné combien le «sexe faible» pouvait être traître et vicieux. Et pourtant, il ne pouvait s'empêcher de la désirer ardemment, comme il ne pouvait réprimer son espoir insensé et juvénile qu'ils allaient peut-être se rendre mutuellement heureux.

Jamais il ne s'ennuierait avec elle, songea-t-il en souriant. Victoria saurait l'aimer, l'énerver et le défier à chaque tournant. Il en était aussi sûr qu'il était convaincu qu'elle ne l'épousait que contrainte et forcée. De la même manière qu'il était certain qu'elle avait perdu sa virginité dans les bras d'Andrew.

Son sourire s'évanouit brusquement. Il avait tellement espéré un démenti l'autre soir; mais au lieu des paroles qu'il attendait, elle avait simplement détourné la tête en murmurant «je suis navrée».

Cependant, il ne pouvait lui en vouloir. Il imaginait parfaitement la façon dont cela s'était passé. C'était une enfant tellement innocente, élevée à la campagne. Ayant réussi à la persuader qu'il l'épouserait, Bainbridge n'avait certainement eu aucun mal ensuite à lui voler sa virginité. Victoria était si bonne, si généreuse !

Avec la vie dissolue qu'il avait menée, il aurait été d'une monstrueuse hypocrisie de condamner une jeune fille qui s'était donnée à l'homme qu'elle aimait. Or Jason détestait l'hypocrisie. Hélas, il détestait aussi la vision de Victoria nue dans les bras d'un autre. Andrew avait été un bon professeur, pensa-t-il, morose, tandis que sa calèche s'immobilisait devant le 6 Upper Brook Street. Il lui avait appris à embrasser un homme et à décupler son ardeur en se pressant contre lui...

Il s'arracha à ces pensées douloureuses et descendit de voiture.

Il frappa à la porte en se rendant compte qu'il était un peu sot de débarquer ainsi la veille de leur mariage. Seul le désir de la voir l'avait poussé à passer, et aussi la joie qu'il espérait lire dans ses yeux en apprenant qu'un poney indien arriverait sur un de ses navires en provenance des Amériques. Cela devait faire partie de sa corbeille de noces, mais à la vérité il avait hâte de la voir monter à cheval. Il l'imaginait déjà, son corps souple et gracieux penché sur l'encolure du cheval, ses cheveux d'or où jouaient les rayons du soleil...

— Bonsoir, Northrup. Où est lady Victoria ?

— Dans le salon jaune, monsieur. Avec sa sœur.

— Sa sœur ? répéta Jason, ravi, en souriant. Cette vieille sorcière a dû lever son interdiction.

Ravi de l'occasion qui se présentait de faire la connaissance de la petite sœur dont Victoria lui avait parlé, Jason ouvrit la porte du salon jaune.

— Je ne veux pas que tu l'épouses, sanglotait une jeune fille le nez dans un mouchoir. Je me réjouis que grand-mère refuse que j'assiste à votre mariage. Jamais je ne pourrais te voir marcher à l'autel à ses côtés en sachant que tu t'imagines épouser Andrew...

— Je vois que j'arrive au bon moment, déclara tranquillement Jason tandis que s'évanouissait son secret espoir de voir Victoria l'épouser pour lui et lui seul.

Elle avait donc besoin de s'imaginer qu'il était Andrew pour trouver la force d'aller à l'église !

— Jason ! s'écria Victoria, atterrée, en faisant volte-face.

Elle reprit rapidement son sang-froid et lui tendit les mains avec un doux sourire :

— Comme je suis heureuse de vous voir. Venez, je vais vous présenter ma sœur. (Comprenant qu'il était inutile de mentir, elle essaya de lui expliquer la situation.) Dorothée a surpris des remarques désobligeantes à votre sujet de la bouche même de son chaperon. A cause de ces sottises, elle croit que vous êtes un monstre de cruauté.

Elle se mordit les lèvres en voyant Jason hausser un sourcil sardonique sans répondre. Alors elle se tourna vers sa sœur.

— Dorothée, je t'en prie, sois raisonnable et laisse-moi au moins te présenter à lord Fielding. Tu verras par toi-même qu'il est très gentil.

Sceptique, Dorothée leva les yeux. Elle vit un géant sombre et menaçant qui la dévisageait, les bras croisés sur la poitrine. Alors elle se leva lentement, sans un mot. Mais au lieu de plonger dans une révérence, elle le foudroya du regard et l'apostropha :

— Lord Fielding, déclara-t-elle sèchement, j'ignore si vous êtes « gentil » ou non, mais je vous préviens que si vous osez toucher à un cheveu de la tête de ma sœur, je n'aurai aucun scrupule à vous tirer une balle dans le cœur ! Me suis-je bien fait comprendre ?

Sa voix tremblait d'émotion et de colère mais elle soutint bravement son regard glacial.

— Parfaitement.

— Eh bien, puisque je n'ai pas réussi à convaincre ma sœur, acheva Dorothée, je rentre chez grand-mère. Bonsoir.

Elle sortit et Victoria lui emboîta le pas.

— Dorothée ! Comment as-tu pu faire ça ? murmura-t-elle, effondrée. Pourquoi une telle incorrection ?

— Je préfère qu'il me trouve mal élevée plutôt qu'il se figure pouvoir abuser de toi sans recevoir le châtiment qu'il mérite.

Excédée, Victoria leva les yeux au ciel et embrassa sa petite sœur. Puis elle se dépêcha de retrouver Jason.

— Je suis désolée, dit-elle misérablement tandis qu'il regardait la voiture de Dorothée s'éloigner par la fenêtre.

Sans même se retourner, Jason lui jeta un coup d'œil par-dessus son épaule et haussa un sourcil indifférent.

— Sait-elle au moins tenir un pistolet ?

Victoria réprima un petit rire nerveux et secoua négativement la tête. Voyant Jason lui tourner le dos sans rien ajouter, elle essaya de lui expliquer :

— Dorothée a une imagination débordante et elle est persuadée que je vous épouse par dépit.

— N'est-ce pas la vérité ? ricana-t-il.

— Non.

Il pivota et la transperça de son regard coupant comme une lame.

— Victoria, lorsque Charles vous conduira à l'autel demain, ce n'est pas votre Andrew chéri qui vous y attendra, c'est moi. Souvenez-vous-en. Mais si vous êtes incapable d'affronter la réalité, ce n'est pas la peine de vous déplacer.

Il était venu lui dire qu'il lui avait trouvé un cheval indien, il était venu la taquiner et la faire rire... Il la quitta sans ajouter un seul mot.

21

De gros nuages gris obscurcissaient le ciel quand la calèche de Jason s'ébranla doucement dans les rues encombrées de la capitale. Elle était tirée par quatre alezans qui piaffaient en mordant à pleines dents leurs superbes harnais d'argent. Six cavaliers en livrée verte menaient la procession, tandis que quatre autres domestiques en uniforme caracolaient derrière la voiture. Il n'y avait pas moins de quatre cochers pour mener l'attelage : deux fièrement juchés sur le siège avant et deux accrochés à l'arrière du véhicule.

Victoria se pelotonna à l'intérieur de la luxueuse voiture. Elle portait une robe merveilleuse qui avait coûté une fortune mais ses pensées étaient aussi moroses que le temps.

— Vous avez froid, mon enfant ? s'enquit Charles avec sollicitude.

Elle secoua la tête en se demandant une fois de plus pourquoi Jason avait tenu à se marier avec un tel faste.

Quelqucs minutcs plus tard, cllc posa sa main sur celle de Charles pour descendre de voiture et gravit lentement les degrés de la gigantesque église gothique. Elle ressemblait à une petite fille terrorisée.

Elle attendit aux côtés de Charles au fond de la nef en essayant de ne pas penser à l'énorme erreur qu'elle s'apprêtait à commettre. Son regard se promena sans les voir sur les centaines d'invités qui remplissaient l'église. Un abîme séparait ces aristocrates anglais somptueusement vêtus et les villageois simples et amicaux qu'elle avait toujours espéré retrouver autour d'elle le jour de son mariage. Elle connaissait à peine ces gens et n'avait même jamais vu certains d'entre eux. Elle évitait soigneusement de regarder en direction de l'autel où Jason — et non Andrew — se tiendrait dans quelques minutes. Un siège vide attendait Charles, au premier rang à droite. Le reste de l'église était bondé. De l'autre côté de l'allée, à l'endroit normalement réservé à la famille de la mariée, elle aperçut une vieille dame penchée sur une canne d'ébène ; ses cheveux étaient dissimulés sous un éclatant turban violet.

Ce turban lui rappela vaguement quelque chose mais, dans son trouble, elle fut bien incapable de se rappeler l'endroit où elle l'avait vu. Au même instant, Charles lui montra lord Collingwood qui se dirigeait vers eux.

— Jason est-il arrivé ? interrogea Charles.

Le comte, que Jason avait choisi comme témoin, baisa galamment la main de Victoria et lui sourit gentiment.

— Oui, il est ici et n'attend plus que vous. Vous êtes prête ?

Victoria sentit ses genoux se dérober sous elle. Non, elle n'était pas prête. Elle n'était plus prête du tout !

Caroline arrangea la traîne de sa robe en satin

bleu brodée d'un semis de diamants et demanda en souriant à son mari :

— Lord Fielding est-il nerveux ?

— Il prétend que non, répondit Robert. Mais il a hâte que toutes ces formalités soient finies.

La peur de Victoria vira à la panique : n'avait-il rien trouvé à dire de moins sec, de moins rationnel ? C'était du Jason tout craché !

Charles, lui, ne tenait pas en place.

— Nous sommes prêts, dit-il avec enthousiasme. Allons-y.

Telle une marionnette actionnée par des ficelles, Victoria se laissa lentement conduire le long de l'allée interminable éclairée de bougies. Sur son passage, les flammes déposaient de somptueux reflets sur le satin bleu et chatoyant. Comme dans un rêve, elle avançait sous son voile brodé de minuscules diamants qui jetaient une poussière d'étoiles sur ses cheveux et sur sa gorge nue. Au-dessus de sa tête, le chœur chantait mais Victoria ne l'entendait plus. A chaque pas, elle voyait s'éloigner les jours heureux et insouciants de sa jeunesse. Devant elle... Jason était vêtu d'un superbe costume bleu nuit. Il se tenait en retrait et son visage était dans l'ombre. Il lui parut immense et sombre. Sombre comme l'inconnu... Sombre comme l'avenir.

«*Pourquoi fais-tu cela !*» lui cria une voix intérieure pendant que Charles la conduisait jusqu'à Jason.

«Je ne sais pas ! gémit-elle silencieusement. Jason a besoin de moi.»

«Ce n'est pas une raison ! Il est encore temps. Sauve-toi !»

«Je ne peux pas.»

« *Si, tu le peux ! Fais demi-tour et fuis ! Ensuite il sera trop tard !* »

« Non ! Je ne peux pas l'abandonner ici. »

« *Pourquoi ?* »

« Ce serait une humiliation terrible. Pire encore que ce que lui a fait sa première femme. »

« *Souviens-toi de ce que disait ton père. Le bonheur ne peut exister sans amour. Rappelle-toi comme il a souffert. Sauve-toi ! Vite ! Fuis pendant qu'il est encore temps !* »

A cet instant, Charles déposa sa petite main gelée dans celle de Jason, qui elle était chaude. Tout son corps se tendit, prêt à fuir. De sa main libre elle empoigna ses jupes et sa respiration devint haletante. Au moment où elle allait libérer sa main droite d'une secousse, les doigts de Jason se refermèrent sur les siens et il se tourna vers elle. Son intense regard vert captura le sien et elle lut un avertissement implacable dans ses yeux à l'éclat métallique. Et puis soudain, sans prévenir, il relâcha son étau et son regard perdit toute expression. Il laissa retomber la main de Victoria et se retourna vers l'archevêque.

« Il va tout annuler ! » songea Victoria, affolée.

L'archevêque se pencha et demanda à voix basse :

— Pouvons-nous commencer, milord ?

Avec un geste brusque de dénégation, Jason ouvrait la bouche pour répondre quand Victoria, dans une tentative désespérée pour l'empêcher de commettre l'irréparable, chuchota :

— Non !

— Je vous demande pardon ? fit l'archevêque en fronçant les sourcils.

Victoria leva la tête et croisa le regard de Jason. Elle y lut l'humiliation qu'il essayait de cacher sous un masque d'indifférence et de cynisme.

— J'ai peur, milord. Prenez ma main, je vous en prie.

Il hésita et plongea son regard dans le sien. Alors son masque dur disparut lentement pour laisser place à un intense soulagement. Sa main se referma, rassurante, sur la sienne.

— *A présent*, puis-je commencer la cérémonie ? reprit l'archevêque, indigné.

Jason esquissa un sourire innocent.

— Mais je vous en prie.

Tandis que l'office débutait, Charles observait joyeusement les mariés. Mais soudain une tache violette capta son attention sur la droite et il se sentit épié. Il jeta un coup d'œil de côté et se raidit en croisant le regard bleu pâle de la duchesse de Claremont. Après un coup d'œil chargé de mépris, il se détourna d'elle et chassa sa présence de son esprit. Les deux jeunes gens allaient échanger les vœux qui les uniraient pour le reste de leur vie. Les larmes lui montèrent aux yeux quand l'archevêque se mit à psalmodier :

— Victoria Seaton, acceptez-vous...

« Katherine, mon amour... songea Charles. Regarde nos enfants. Comme ils sont beaux ! Ta grand-mère nous a empêchés autrefois de nous marier, ma chérie, mais aujourd'hui nous tenons notre vengeance. Nous aurons des petits-enfants ensemble, ma douce, ma belle, ma ravissante Katherine. Ce seront nos petits-enfants... »

Quant à la duchesse de Claremont, un peu plus loin, elle aussi, était aveuglée par les larmes qui coulaient sur ses joues parcheminées.

« Katherine, ma chérie, pensait-elle. Regarde ce que j'ai fait. Par égoïsme, par méchanceté, je t'ai empêchée d'épouser l'homme que tu aimais. Mais je me suis arrangée pour que vous ayez des petits-enfants tous les deux. Oh, Katherine, je t'aimais tant. J'aurais voulu t'offrir le monde, mais comment aurais-je pu savoir que tu ne désirais que lui, et lui seul ? »

Quand l'archevêque demanda à Victoria de prononcer ses vœux, elle se tourna vers Jason et s'efforça de parler clairement et fermement. Mais alors qu'elle lui jurait un amour éternel, il leva les yeux vers la coupole de l'église et esquissa un petit sourire ironique. Elle devina qu'il attendait que la foudre leur tombât dessus, et toute sa tension se mua en un fou rire étouffé qui lui valut un coup d'œil réprobateur de l'archevêque.

Sa gaieté retomba comme elle était venue quand la voix grave de Jason résonna dans toute l'église pour lui promettre à son tour amour et fidélité. Et puis ce fut terminé.

— Vous pouvez embrasser la mariée, dit l'archevêque.

Jason pivota alors vers elle avec une lueur de triomphe sauvage dans les yeux. Elle s'y attendait si peu qu'effrayée elle se raidit quand il la prit dans ses bras. Il se pencha et s'empara de ses lèvres tremblantes avec une ardeur et une audace qui scandalisèrent l'archevêque, tandis que de petits rires s'élevaient dans leur dos. Enfin il la relâcha et prit son bras.

— Milord, supplia-t-elle tout bas pendant qu'ils descendaient l'allée centrale, marchez plus lentement, je n'arrive pas à vous suivre.

— Appelez-moi Jason, riposta-t-il, glacial, en ralentissant le pas. Et la prochaine fois que je vous embrasse, faites comme si vous aimiez ça.

Sa remarque cinglante lui fit l'effet d'une douche froide, mais elle réussit néanmoins à esquisser un sourire contraint devant les quelque huit cents invités qui se pressaient à la sortie de l'église pour les féliciter.

Charles s'était retourné pour bavarder avec un ami quand une vieille dame sortit de l'église en s'appuyant sur une canne en ébène.

Ignorant Jason, la duchesse se planta devant Victoria et la regarda droit dans les yeux.

— Savez-vous qui je suis ? demanda-t-elle sans préambule à Victoria qui lui souriait poliment.

— Non, madame. Je suis désolée. Mais j'ai l'impression de vous avoir déjà vue quelque part...

— Je suis votre arrière-grand-mère.

La jeune mariée s'agrippa de toutes ses forces au bras de Jason. Cette femme était donc son arrière-grand-mère, celle-là même qui avait refusé de l'héberger, celle qui avait brisé la vie de sa mère. Elle releva le menton et déclara posément :

— Je n'ai pas d'arrière-grand-mère, madame.

La réaction de la duchesse douairière fut étrange : une lueur admirative brilla dans ses yeux et l'ébauche d'un sourire adoucit ses traits sévères.

— Mais si, ma chère, dit-elle presque avec tendresse. Mais si. Vous ressemblez beaucoup à votre mère, mais cet orgueil, vous le tenez de moi.

Elle se mit à rire et poursuivit sans laisser à Victoria le temps de protester :

— Non, ne vous fatiguez pas à nier mon existence, car c'est mon sang qui coule dans vos veines et je reconnais ma propre obstination dans votre menton. Les yeux de votre mère et ma volonté...

— Laissez-la tranquille, siffla soudain Charles qui avait fait volte-face. Allez-vous-en !

La duchesse se raidit et ses yeux étincelèrent de rage :

— Ne me parlez pas sur ce ton, Atherton, ou je...

— Ou quoi ? ironisa Charles. Inutile de me menacer. J'ai tout ce que je désire à présent.

La duchesse douairière de Claremont le contempla du haut de son grand nez aristocratique et rétorqua, triomphante :

— Certes, mais c'est parce que je l'ai bien voulu, sot que vous êtes !

Et sans plus se soucier de Charles qui la dévisageait avec stupéfaction, elle se retourna vers Victoria et son regard s'adoucit. Elle effleura d'une main émaciée la joue de la jeune femme et les larmes embuèrent ses yeux.

— J'espère que vous viendrez me voir à Claremont lorsque Dorothée sera de retour. J'ai eu toutes les peines du monde à la tenir à l'écart, mais elle aurait tout fait rater par ses bavardages inconsidérés au sujet d'un vieux scand... d'une vieille histoire, se reprit-elle hâtivement.

Puis elle s'adressa à Jason et son visage redevint sévère :

— Je vous confie mon arrière-petite-fille, Wakefield, et je vous tiens personnellement responsable de son bonheur. Me suis-je bien fait comprendre ?

— Parfaitement, répondit ce dernier avec un sérieux de diplomate.

Mais une lueur amusée brillait dans ses yeux.

La duchesse examina de son regard perçant ses traits paisibles et hocha enfin la tête :

— Eh bien, puisque nous nous sommes compris, je vous quitte.

Elle lui tendit sa main à baiser.

Imperturbable, Jason la prit et la baisa galamment. Alors la duchesse se tourna vers Victoria et observa tristement :

— Ce serait sans doute trop vous demander...

Victoria avait du mal à faire la part des choses

depuis que son arrière-grand-mère l'avait abordée, mais elle était sûre de ceci : c'était bel et bien de la tendresse qu'elle lisait dans ses yeux. De la tendresse et un terrible remords.

— Grand-mère, balbutia-t-elle d'une voix brisée avant de serrer la vieille dame dans ses bras.

La duchesse se redressa avec un sourire bourru et un peu gêné, puis jeta un regard impérieux à Jason.

— Wakefield, je ne veux pas mourir avant d'avoir vu mon arrière-arrière-petit-fils. Je ne serai pas éternelle alors je ne tolérerai aucun retard de votre part.

— J'y veillerai, Votre Grâce, riposta Jason, imperturbable.

— Pas de simagrées non plus de votre côté, fit-elle en s'adressant à son arrière-petite-fille rougissante.

Elle lui tapota la main et poursuivit avec mélancolie :

— J'ai décidé de me retirer à la campagne. Claremont n'est qu'à une heure de cheval de Wakefield, j'espère que vous viendrez me voir de temps en temps. (Elle fit un signe à son avoué qui l'attendait près du portail.) Votre bras, Weatherford. J'ai vu ce que je voulais voir et dit ce que j'avais à dire.

Après un dernier regard triomphant à Charles, elle fit demi-tour, les épaules bien droites, tandis que sa canne effleurait à peine le sol.

La plupart des invités tournaient encore autour de l'église en attendant leurs voitures. Jason entraîna Victoria et ils se frayèrent un chemin dans la foule jusqu'à sa luxueuse calèche. Victoria sourit machinalement quand on applaudit à leur départ, mais toutes ces émotions l'avaient vidée de ses forces et elle ne sortit de sa léthargie qu'à l'instant où ils approchèrent du village avoisinant Wakefield. Avec un petit sursaut, elle s'aperçut, embarrassée, qu'elle n'avait quasiment pas adressé la parole à Jason de tout le trajet.

A travers ses cils, elle regarda à la dérobée le bel homme qui était dorénavant son mari. Il lui offrait son visage de profil, un profil sculpté dans le marbre, dur et implacable, où ne se lisait ni pitié ni miséricorde. Il lui en voulait de sa dérobade devant l'autel, elle le savait. Il était furieux et il ne lui pardonnerait pas. Allait-il se venger ? Avait-elle creusé entre eux un fossé qui ne se comblerait jamais ?

— Jason, dit-elle timidement. Je suis navrée de ce qui s'est passé tout à l'heure.

Il haussa les épaules avec indifférence.

Son mutisme ne fit qu'augmenter l'anxiété de Victoria. Elle allait réitérer ses excuses quand les cloches de l'église se mirent à sonner à toute volée. Elle aperçut alors les villageois et les paysans attroupés de part et d'autre de la route, tout endimanchés.

Ils sourirent et agitèrent la main au passage de la calèche tandis que des enfants qui serraient dans leurs menottes des fleurs des champs tentaient de leur offrir leurs petits bouquets par la portière.

Un garçonnet âgé d'environ quatre ans se prit les pieds dans une racine et s'étala de tout son long sur son bouquet.

— Jason, implora Victoria en oubliant son malaise. Dites au cocher de s'arrêter, je vous en prie !

Jason s'exécuta et Victoria ouvrit la portière :

— Quelles jolies fleurs ! s'exclama-t-elle à l'intention du petit garçon qui se relevait sous les quolibets de ses camarades. Sont-elles pour moi ?

L'enfant renifla et essuya ses larmes avec un petit poing crasseux.

— Oui, m'dame... Enfin... elles étaient pour vous avant que j'tombe dessus.

— Donne-les-moi alors, répondit Victoria en souriant. Elles iront à merveille dans mon bouquet.

Le petit garçon lui tendit timidement les fleurs décapitées.

— J'les ai cueillies moi-même, chuchota-t-il fièrement. J'm'appelle Billy. (A cet instant, Victoria s'aperçut qu'il louchait.) Je vis dans l'orphelinat, là-haut.

— Moi je m'appelle Victoria. Mais mes amis m'appellent Tory. Veux-tu m'appeler Tory, toi aussi ?

Son petit torse se bomba de fierté mais il guetta la réaction de Jason. Quand ce dernier hocha la tête, il acquiesça avec exubérance.

— Aimerais-tu venir faire voler un cerf-volant à Wakefield ? poursuivit Victoria sous le regard pensif de Jason.

Le sourire du garçonnet s'évanouit :

— Je cours mal. J'tombe tout l'temps, expliqua-t-il tristement.

— Ce doit être à cause de ton œil. Mais je connais un moyen de te guérir. Je mettrai un cache sur ton œil qui voit bien et cela aidera l'autre à guérir. Qu'en penses-tu ?

— Ça fera bizarre, hésita l'enfant.

— Tu ressembleras à un pirate... Veux-tu que je vienne te voir chez toi et que nous jouions aux pirates ?

Il hocha la tête, ravi, puis rejoignit les autres enfants.

— Qu'est-ce que la dame t'a dit ? lui demandèrent-ils alors que la calèche s'ébranlait à nouveau.

Billy fourra les mains dans ses poches et bomba le torse.

— Elle m'a dit que je pouvais l'appeler Tory.

Les enfants se joignirent aux adultes et ce fut une véritable procession qui accompagna la calèche jusqu'au sommet de la colline. Victoria pensa qu'il s'agissait d'une coutume propre à ce village. Mais lorsque les chevaux franchirent au trot les imposantes grilles en fer forgé de Wakefield Park, une petite armée de villageois les escortait tandis que d'autres encore les attendaient le long de l'allée ombragée qui traversait le parc. Elle jeta un coup d'œil à Jason et aurait presque juré qu'il réprimait un sourire.

Elle en comprit la raison lorsqu'ils arrivèrent devant le manoir. Elle avait avoué à Jason qu'elle avait toujours rêvé se marier dans un village avec ses habitants réunis autour d'elle. L'homme énigmatique qu'elle avait épousé avait essayé de réaliser son rêve, en partie du moins. Les pelouses de Wakefield s'étaient transformées en un paysage de conte de fées. Des arceaux fleuris d'orchidées, de lis et de roses entrelacés abritaient des rangées de tables chargées de vaisselle fine, d'argenterie et de mets appétissants. Le petit pavillon à l'extrémité de l'immense pelouse était couvert de fleurs et des lampions aux couleurs vives s'y balançaient gaiement. On avait allumé un peu partout des torches dont la clarté chassait l'ombre crépusculaire et ajoutait à la magie des lieux.

Jason avait dépensé une fortune pour faire de sa propriété un havre de paix et de beauté ; il avait poussé la prévenance jusqu'à inviter tous les villageois. La nature elle-même se pliait à ses ordres car les nuages se dissipèrent peu à peu, chassés par les rayons du soleil couchant qui disparut lentement à l'horizon, éclaboussant d'or le ciel où s'étiraient de longs filaments rose orangé.

La calèche s'immobilisa devant le porche. Victoria était encore bouche bée, bouleversée par la délicate attention de Jason, délicatesse qui tranchait radicalement avec son attitude si dure et indifférente. Elle le regarda timidement et aperçut le petit sourire qu'il essayait en vain de dissimuler. Alors elle posa une main sur son bras et chuchota d'une voix tremblante d'émotion :

— Jason. Je... merci.

Et se souvenant de l'autre fois, elle appuya une main hésitante sur sa poitrine et l'embrassa, le cœur fondant de tendresse.

Une voix rieuse teintée d'accent irlandais la fit sursauter.

— Jason, mon garçon ! Voudrais-tu sortir de cette voiture et me présenter à ta femme, ou faudra-t-il que je le fasse moi-même ?

Jason fit volte-face et la joie se peignit sur son visage tandis qu'il bondissait de son siège. Il allait serrer la main burinée de l'Irlandais mais celui-ci ne lui en laissa pas le temps et le pressa dans ses bras.

— Alors ! lui dit enfin l'inconnu. (Il le saisit par les épaules et le dévisagea avec un sourire radieux.) Tu as enfin trouvé une femme pour réchauffer ton immense palais ? Tu aurais tout de même pu attendre que mon bateau soit au port pour que je puisse assister à la cérémonie, ajouta-t-il, taquin.

— Mais je ne t'attendais pas avant le mois prochain, objecta Jason. Depuis quand es-tu là ?

— Je suis rentré aujourd'hui. Je suis arrivé ici il

y a environ une heure pour apprendre que tu te mariais. Alors tu me présentes à ta femme, oui ou non ?

Jason aida Victoria à descendre de voiture et lui présenta le capitaine Michael Farrell. Le marin devait avoir une cinquantaine d'années. Son épaisse tignasse rousse et ses yeux noisette pétillants de gaieté plurent instantanément à Victoria. Les rides qui s'étiraient sur ses tempes témoignaient des longues heures passées au soleil. Mais Victoria, troublée de s'entendre appelée pour la première fois la femme de Jason, accueillit Mike Farrell avec la réserve polie qu'on s'était évertué à lui inculquer depuis son arrivée en Angleterre.

Le capitaine Farrell changea alors d'expression et la lueur chaleureuse qui brillait dans ses yeux s'éteignit. Ses manières devinrent plus distantes encore que celles de la jeune femme.

— Vous me voyez ravi de faire votre connaissance, lady Fielding, dit-il cérémonieusement avec une brève inclinaison du buste. Veuillez pardonner ma tenue mais j'étais loin de me douter que vous receviez des invités. A présent, si vous voulez bien m'excuser, voilà six mois que je navigue et j'ai hâte de revoir ma maison.

— Vous n'allez pas nous quitter comme ça ! s'exclama Victoria en retrouvant sa spontanéité coutumière. (Le capitaine Farrell était visiblement un très bon ami de Jason et elle désirait de tout son cœur qu'il se sentît à son aise.) Nous sommes bien trop habillés pour la circonstance, plaisanta-t-elle. Je dois ajouter que je n'ai passé que six semaines en mer mais, au bout de ce temps, j'avais hâte de prendre mes repas ailleurs que sur une table où tout dansait et virevoltait. Ici, je peux vous assurer que nos tables sont parfaitement stables.

Le capitaine Farrell lui jeta un regard intrigué.

— Il me semble que vous n'avez pas gardé un excellent souvenir de votre traversée, lady Fielding ?

Victoria hocha la tête et esquissa un sourire irrésistible :

— Il m'en reste à peu près le même souvenir que de la fois où je me suis cassé le bras... J'ai passé presque une semaine allongée. Je n'ai pas le pied marin, hélas, et quand une tempête s'est levée alors même que je sortais de ma cabine, je n'en menais pas large.

— Sapristi ! s'exclama le capitaine Farrell en retrouvant presque sa bonhomie initiale. Il n'y a pas de quoi avoir honte ! J'ai vu des marins confirmés trembler de peur au cours d'une tempête.

— Sauf que moi, rétorqua Victoria en riant, je tremblais de peur même quand il n'y avait pas de vent.

Mike Farrell rejeta la tête en arrière et éclata d'un rire sonore. Puis il prit les mains de Victoria dans ses grosses paumes calleuses et lui sourit.

— Je serai heureux de me joindre à vous. Pardonnez mon... hem... mes hésitations de tout à l'heure.

Tout heureuse, Victoria lui sourit et attrapa un verre de vin sur un plateau qui passait avant d'aller saluer les deux fermiers qui l'avaient accompagnée à Wakefield le jour de son arrivée.

Lorsqu'elle se fut éloignée, Mike Farrell se retourna vers Jason.

— Quand je l'ai vue t'embrasser dans la voiture, elle m'a tout de suite plu. Mais lorsqu'elle m'a salué avec cet air guindé et en me regardant comme si elle ne me voyait pas, j'ai cru que tu avais commis la même erreur qu'avec cette pimbêche de Melissa.

— Elle est tout sauf ça, commenta Jason en observant sa nouvelle épouse mettre à l'aise les fermiers embarrassés. Son chien est un loup et elle est un agneau. Mes domestiques l'adorent, Charles en est gâteux et tous les bellâtres londoniens se consument d'amour pour elle.

— Toi y compris ? ironisa Mike.

Jason vit la jeune femme qui avait vidé son verre de vin en attraper un autre. Pour l'épouser, il lui avait fallu s'imaginer qu'il était Andrew et, malgré tout, elle avait bien failli le planter devant l'autel sous le nez de huit cents invités. Jamais il ne l'avait vue boire, et comme elle en était déjà à son deuxième verre, Jason songea qu'elle essayait de s'abrutir pour surmonter son dégoût à l'idée de devoir coucher avec lui ce soir.

— Tu n'as pas l'air très heureux pour un marié, commenta Mike Farrell devant les sourcils froncés de Jason.

— Je n'ai jamais été aussi heureux de ma vie, rétorqua Jason, amer.

Puis il s'avança pour accueillir de nouveaux arrivants. Il remplit son rôle d'hôte et d'époux à la perfection sans pouvoir chasser un seul instant de son esprit la dérobade de Victoria devant l'autel. Malgré ses efforts pour s'en défaire, ce souvenir pénible le hantait.

Les étoiles scintillaient dans le ciel sombre. Jason regardait Victoria danser successivement avec un hobereau local, Mike Farrell et plusieurs autres villageois. Elle le fuyait, il en était parfaitement conscient, et les rares fois où leurs regards se croisaient, Victoria détournait vivement le sien.

Elle avait enlevé son voile depuis longtemps déjà

et avait prié l'orchestre de jouer des airs plus gais. Puis elle avait demandé aux villageois conquis de lui apprendre les danses du pays. La lune était déjà haute dans le ciel que tous les invités dansaient, frappaient des mains et s'en donnaient à cœur joie, y compris Victoria qui en était à son cinquième verre. Jason la regardait s'enivrer avec un sourire sarcastique. Son cœur se serra en pensant aux espoirs qu'il avait nourris sur leur nuit de noces, sur leur avenir. Quel imbécile! Il avait sottement cru que le bonheur passait enfin à sa portée.

Adossé à un arbre, il se demandait pourquoi les femmes l'aimaient jusqu'à ce qu'il les épousât, et finissaient toutes par le détester une fois qu'elles étaient parvenues à leurs fins. Il s'était laissé à nouveau prendre au piège: cette femme avait accepté de l'épouser parce qu'elle attendait quelque chose de lui en échange, et non parce qu'elle le voulait, lui.

Melissa désirait tous les hommes qu'elle voyait, tous sauf lui. Victoria, elle, n'aimait qu'Andrew. Son doux, son cher, son mollasson d'Andrew!

La seule différence qui existait entre Melissa et Victoria, c'était que cette dernière était une bien meilleure actrice. Dès le départ, il avait su que Melissa était égoïste, calculatrice. Victoria en revanche ressemblait à un ange... à un ange déchu certes, à cause d'Andrew. Mais jusqu'à présent, il ne lui en avait pas tenu grief. Maintenant si. Il la méprisait de s'être donnée à Andrew et de se dérober à lui aujourd'hui. Car c'était exactement ce qu'elle faisait en buvant à corps perdu. Elle cherchait à endormir ses sens. Il haïssait cette façon qu'elle avait eue de trembler dans ses bras tout à l'heure lorsqu'ils dansaient et d'éviter son regard.

Il lui avait suggéré de monter se coucher et elle avait frissonné d'effroi.

Jason se demanda pourquoi ses maîtresses gémissaient de plaisir dans ses bras alors que les femmes qu'il épousait ne voulaient plus qu'il les touchât. Pourquoi il réussissait si bien en affaires alors que le bonheur s'obstinait à le fuir. La femme abominable qui l'avait élevé ne se trompait pas : il était une émanation du diable, il ne méritait pas de vivre... alors pourquoi aurait-il été heureux ?

Les trois femmes qui avaient joué un rôle dans sa vie — Victoria, Melissa et sa mère adoptive — partageaient toutes la même vision abominable et repoussante de sa personne. Mais si ses deux épouses avaient dissimulé leur dégoût jusqu'au mariage, après s'être emparées de sa fortune...

Mû par une résolution implacable, Jason s'approcha de Victoria et effleura son bras. Elle sursauta comme s'il l'avait brûlée.

— Il est tard, observa-t-il.

Malgré le clair de lune, il la vit pâlir et son regard de biche traquée ne lui échappa point.

— M... mais, bredouilla-t-elle, il n'est pas si tard que ça...

— C'est l'heure d'aller se coucher, déclara-t-il sans ambages.

— Mais je n'ai pas sommeil !

— Tant mieux !

Elle se mit à trembler comme une feuille et il poursuivit avec dureté :

— Nous avons passé un contrat et je veux que vous remplissiez votre rôle.

Sa voix glaciale et autoritaire la glaça jusqu'au sang. Elle acquiesça et se dirigea comme une automate vers ses nouveaux appartements.

Ruth, qui la sentait bouleversée, la déshabilla en

silence puis l'aida à enfiler le négligé de satin bordé de dentelle ivoire que Mme Dumosse avait confectionné pour sa nuit de noces.

Victoria luttait contre la nausée qui lui nouait les entrailles pendant que Ruth allait préparer le lit. Tout le vin qu'elle avait bu pour calmer ses frayeurs commençait à la rendre malade. La tête lui tournait. Elle avait envie de vomir et sentait tout son sang-froid l'abandonner. Elle regrettait amèrement d'avoir autant bu.

Comme elle se dirigeait vers le lit, l'épouvantable tableau que lui avait brossé miss Flossie surgit dans son esprit. Elle songea, affolée, que dans quelques instants, son sang se répandrait sur ces draps. Une sueur glacée se mit à couler sur son front. Elle grimpa machinalement dans le lit en luttant désespérément contre la panique et cette nausée qui ne voulait pas la quitter. Surtout ne rien montrer, l'avait avertie miss Flossie, mais lorsque Jason apparut dans une robe de chambre rouge foncé qui dévoilait son torse et ses jambes nues, elle laissa échapper un cri d'effroi.

— Jason ! s'écria-t-elle, se rejetant en arrière.

— Vous pensiez peut-être que c'était Andrew ? rétorqua-t-il négligemment.

Il allait dénouer sa ceinture quand Victoria l'arrêta :

— Non ! Ne faites pas ça, supplia-t-elle. Un gentleman ne se déshabille pas devant une dame, même s'il est son m... mari.

— Il me semble que nous avons déjà abordé le problème mais, au cas où vous l'auriez oublié, je vous rappelle que je ne suis pas un gentleman. (Il attrapa ostensiblement sa ceinture par les deux bouts.) Mais si la vue de mon anatomie offense votre pudeur, je vous permets de fermer les yeux.

Cela résoudra le problème. Je pourrais me glisser sous les couvertures et me déshabiller ensuite, mais cela offense *ma* pudeur.

Et il ouvrit brusquement sa robe de chambre devant Victoria, épouvantée.

Si Jason avait encore nourri le plus petit espoir de la voir se donner à lui de son plein gré, celui-ci s'évanouit car elle ferma les yeux et détourna le visage.

Il la contempla avec stupeur, puis arracha les draps qui la recouvraient. Il se glissa à ses côtés et, sans un mot, dénoua le nœud qui retenait son négligé. Alors le souffle lui manqua en découvrant la perfection de son corps dénudé.

Ses seins étaient ronds et fermes, sa taille menue, ses hanches délicatement arrondies. Elle avait des jambes au galbe parfait avec des cuisses élancées et des mollets délicieux. Sous son regard avide, une rougeur envahit ses joues ivoire et, lorsqu'il effleura un sein, tout son corps se raidit.

Pour une femme expérimentée, elle était plutôt froide, insensible comme une pierre, le visage crispé de dégoût. Jason envisagea un instant de la cajoler pour qu'elle coopérât mais il abandonna rapidement cette idée. Elle l'avait presque abandonné devant l'autel ce matin et n'avait visiblement aucun désir de supporter ses caresses trop longtemps.

— Non, le supplia-t-elle, terrorisée, tandis qu'il caressait son sein. J'ai mal au cœur ! Vous allez me faire vomir !

Ses paroles s'imprimèrent en lettres de sang dans son cerveau et une rage terrible l'aveugla. Il attrapa à pleine main sa magnifique chevelure et se jeta sur elle.

— Dans ce cas, siffla-t-il, hors de lui, finissons-en vite !

— Je ne veux pas ! implora-t-elle pitoyablement.

— Nous avons passé un marché et aussi longtemps que nous serons mariés, je veux que vous le respectiez, gronda-t-il en la forçant à écarter les jambes.

Victoria gémit mais, tout au fond de son esprit enfiévré, elle savait qu'il avait raison. Alors elle cessa de se débattre.

— Détendez-vous, lui intima-t-il sèchement dans l'obscurité. Je n'ai peut-être pas la douceur de votre cher Andrew, mais je ne veux pas vous faire de mal.

Cette allusion cruelle à un tel instant lui fit l'effet d'un coup de poignard, et toute son angoisse jaillit dans un cri de souffrance quand Jason la pénétra. Son corps se tordit convulsivement sous le sien et des larmes brûlantes ruisselèrent sur ses joues pendant que son mari prenait son plaisir sans douceur ni ménagement.

Dès l'instant où il la soulagea de son poids, elle roula sur le flanc et enfouit son visage dans l'oreiller, le corps déchiré de violents sanglots.

— Allez-vous-en ! suffoqua-t-elle en se recroquevillant sur elle-même. Sortez ! Laissez-moi !

Après une hésitation, Jason sortit du lit, ramassa sa robe de chambre et regagna sa chambre. Nu, il se dirigea vers sa commode et se versa un verre de cognac. Il l'avala d'un trait pour tenter de chasser de son esprit sa résistance et ses sanglots déchirants, pour effacer la vision de son petit visage épouvanté devant l'autel ce matin quand elle essayait de lui échapper.

Comment avait-il pu croire un seul instant

qu'elle répondait à ses baisers? Dès le début, elle lui avait dit qu'elle ne voulait pas l'épouser.

Quel idiot! Dire qu'il avait presque réussi à se convaincre qu'elle l'aimait un peu... Jason reposa son verre et aperçut son reflet dans la glace: ses cuisses étaient barbouillées de sang.

Le sang de Victoria.

Cette vision le glaça. Un profond dégoût de lui-même le submergea. Aveuglé par la jalousie, humilié par sa dérobade devant l'autel, il ne s'était même pas rendu compte qu'elle était encore vierge...

Il ferma les yeux, anéanti, accablé par le remords. Il s'était conduit avec Victoria comme un marin ivre avec une prostituée.

Il revit son corps mince et fragile dans ses bras, il se souvint comme il avait eu du mal à la pénétrer, comme il l'avait si cruellement traitée et possédée, et se sentit malade de honte.

Il rouvrit les yeux et regarda son reflet. Par sa faute, il avait transformé leur nuit de noces en cauchemar. Victoria était bel et bien l'enfant brave et gaie qu'il avait cru déceler dès le début. Un ange. Quant à lui... sa mère adoptive avait vu juste: il était l'émanation du diable.

Jason enfila sa robe de chambre en toute hâte et alla chercher un écrin dans un tiroir. Puis il retourna dans la chambre de Victoria. Il s'approcha du lit et la regarda.

— Victoria, chuchota-t-il.

Au son de sa voix, elle gémit dans son sommeil. Meurtrie et vulnérable, elle était si belle avec ses cheveux répandus sur l'oreiller. La flamme de la bougie allumait des reflets fauves dans ses boucles.

Torturé de remords, Jason la contempla longtemps en silence et ne put se résoudre à la réveiller. Il recouvrit tendrement ses épaules nues et repoussa une mèche de cheveux qui tombait sur son front.

— Pardon, murmura-t-il à son oreille.

Il souffla la chandelle puis déposa l'écrin sur la table de chevet. Ces diamants la calmeraient. Aucune femme ne savait résister à des diamants.

22

Victoria ouvrit les yeux et fixa le ciel chargé de nuages dans le cadre de la fenêtre. Une torpeur épaisse semblait anesthésier ses sens et figer son cerveau. Elle se débattit comme un insecte piégé dans une toile d'araignée, pour tenter de retrouver une vision familière qui la ramenât à la réalité, mais elle ne reconnaissait pas ces tentures rose et or qui entouraient son lit.

Elle se sentait vide et déprimée comme si elle n'avait pas dormi, pourtant elle n'avait aucune envie de se rendormir ni de se réveiller complètement. Son esprit flottait sans but et, soudain, tout lui revint en mémoire.

Dieu tout-puissant, elle était mariée! Mariée pour de bon. Elle était devenue la femme de Jason.

Elle étouffa un cri de frayeur et se dressa dans son lit en se rappelant l'affreux épisode de la veille. Voici ce contre quoi miss Flossie avait tenté de la mettre en garde! Quoi d'étonnant à ce que les femmes s'y dérobent! Elle revécut tous les détails humiliants de sa nuit de noces et frissonna en songeant à la façon dont Jason s'était dévêtu brutalement devant elle, en se rappelant son allusion blessante à Andrew avant d'abuser d'elle. Il l'avait traitée comme on traite un animal, un animal dépourvu de sensibilité, qui ne mérite ni tendresse ni prévenance.

Une larme roula sur sa joue. Que se passerait-il ce soir, et les autres soirs jusqu'à ce que Jason obtînt enfin le fils qu'il désirait ? Combien de fois lui faudrait-il revivre cet épouvantable cauchemar ? Une dizaine de fois ? Une vingtaine ? Ou plus ? Oh non, non... pas plus. Elle se sentait incapable de supporter longtemps un tel calvaire.

Elle essuya rageusement ses yeux, agacée de se laisser gagner par la peur et le découragement. Cette nuit, il l'avait prévenue que cette chose faisait partie de leur marché. Mais maintenant qu'elle savait en quoi consistait ce marché, elle n'avait qu'une envie, c'était d'y mettre un terme.

Elle repoussa les couvertures. Non, elle ne se conduirait pas en femme soumise et timorée comme toutes ces Anglaises ! Plutôt affronter une armée que de revivre une nuit pareille !

Elle regarda autour d'elle, réfléchissant à ce qu'elle allait faire, quand son regard tomba sur un écrin de velours noir posé sur sa table de chevet. Elle l'ouvrit et serra les dents à la vue du splendide collier en diamants qu'il contenait. Ceux-ci étaient taillés en forme de fleurs et le collier ressemblait à un bouquet délicatement ciselé. Ce joyau était une pure merveille.

Cette fois elle vit rouge et souleva du bout des doigts le collier comme si elle tenait un serpent venimeux. Puis elle le laissa retomber en tas dans son écrin.

Elle comprenait à présent ce qui la troublait dans les cadeaux de Jason et dans les baisers qu'il réclamait en échange. Il l'achetait. Il s'imaginait purement et simplement pouvoir l'acheter avec des perles et des bijoux. Comme une prostituée de bas étage. Non... comme une riche prostituée, une courtisane... mais prostituée tout de même.

Cette nuit-là, Victoria s'était sentie meurtrie et méprisée. Le collier venait ajouter un nouvel affront à la liste des impairs commis par Jason. Comment avait-elle pu penser qu'il éprouvait ne serait-ce que l'ombre d'un sentiment pour elle, qu'il avait besoin d'elle ? Il n'aimait personne, il n'avait besoin de personne. Il ne voulait pas d'amour et n'en avait pas à donner. Elle aurait dû s'en douter. Il avait été le premier à le lui dire.

Maudits soient les hommes ! C'étaient des monstres tous autant qu'ils étaient : Andrew avec ses déclarations mensongères et Jason qui croyait acheter son corps en échange d'un stupide bijou !

Grimaçant de douleur, elle descendit péniblement du lit et se dirigea à pas comptés vers la salle de bains en marbre. Elle réclamerait le divorce. Elle exigerait de Jason une séparation immédiate.

Ruth arriva au moment où Victoria sortait de son bain.

La petite soubrette entra sur la pointe des pieds et jeta un regard malicieux autour d'elle. Elle ne s'attendait certes pas à voir sa maîtresse enveloppée dans une serviette traverser la pièce d'un pas martial en se brossant vigoureusement les cheveux. Et encore moins à ces paroles de la part de la nouvelle épouse de Jason Fielding, qui avait la réputation d'être un merveilleux amant :

— Voyons, Ruth ! On dirait que vous avez peur de votre ombre. Le monstre dort à côté, pas ici !

— Le... monstre, madame ? balbutia la soubrette interdite avant de se mettre à rire bêtement. J'ai mal entendu... J'ai cru que vous disiez «le monstre» au lieu de...

— C'est bien ce que j'ai dit, coupa Victoria.

Mais en s'entendant parler comme une mégère, elle regretta instantanément son attitude.

— Pardonnez-moi, Ruth. Je suis... je crois que je suis un peu fatiguée.

Pour une raison qu'elle ignorait, la soubrette se mit à pouffer en rougissant, ce qui acheva d'exaspérer Victoria. Elle avait beau se raisonner, elle se sentait au bord de la crise de nerfs et attendit en cachant mal son impatience que Ruth eût fini de ranger sa chambre.

L'horloge sonnait onze heures quand elle se dirigea vers la porte par laquelle Jason était entré la veille. La main sur la poignée, elle s'immobilisa pour recouvrer son sang-froid. A l'idée d'exiger le divorce, elle tremblait comme une feuille, mais c'était pourtant sa ferme intention. Rien ne l'en empêcherait. A compter du moment où elle l'informerait de sa décision, Jason n'aurait plus aucun droit sur elle. Plus tard, elle déciderait ce qu'elle ferait et où elle irait. Il fallait d'abord qu'il acceptât le divorce. Avait-elle seulement besoin de sa permission ? Dans le doute, mieux valait ménager son humeur si chatouilleuse, mais elle ne voulait pas non plus tourner autour du pot.

Victoria redressa les épaules, resserra le cordon de sa robe de chambre et entra d'un pas décidé chez Jason.

Réprimant son envie de l'assommer avec le pichet de porcelaine posé sur la table de chevet, elle le salua très aimablement.

— Bonjour.

Il ouvrit instantanément les yeux et la dévisagea, comme s'il se méfiait d'une quelconque réaction de sa part. Puis il sourit. Ce sourire nonchalant et incroyablement sensuel, qui la veille l'aurait fait fondre de tendresse, la fit grincer des dents. Mais elle réussit à conserver un visage amène, presque souriant.

— Bonjour, répondit-il d'une voix un peu voilée en parcourant du regard sa silhouette ensorcelante drapée dans le velours chatoyant.

Honteux de son attitude de la nuit, Jason s'arracha à la vision charmante de son décolleté et se poussa dans le lit pour lui faire de la place. Profondément touché par son absence de rancune, il lui proposa gentiment :

— Voulez-vous vous asseoir ?

Plongée dans ses pensées, Victoria accepta machinalement.

— Merci.

— Merci pour quoi ? la taquina-t-il.

C'était exactement l'ouverture que cherchait Victoria.

— Eh bien, merci pour tout. Par bien des côtés, vous avez été d'une extraordinaire générosité à mon égard. Je sais combien vous étiez contrarié de me voir débarquer chez vous il y a plusieurs mois. Néanmoins, vous m'avez offert votre hospitalité. Vous m'avez acheté des robes magnifiques, vous m'avez accompagnée au bal, ce qui était vraiment très gentil de votre part. Vous avez poussé la galanterie jusqu'à vous battre en duel pour moi. Vous avez accepté de vous marier à l'église, et vous avez organisé une charmante réception hier soir en invitant des gens que vous ne connaissiez pas, simplement pour me faire plaisir. Pour tout cela, je vous dis merci.

Jason se redressa et effleura sa joue pâle du revers de la main :

— Ce n'est rien, répondit-il avec douceur.

— Maintenant, je voudrais que nous divorcions.

Sa main s'immobilisa.

— Vous voulez... quoi ?

Victoria se tordait nerveusement les mains mais sa détermination ne chancela pas.

— Je veux divorcer, répéta-t-elle avec un calme qui n'était qu'apparent.

— Comment ça ? reprit-il sur un ton doucereux qui la glaça. (Même s'il reconnaissait s'être mal conduit la veille, Jason ne s'attendait pas à cela.) Après un jour de mariage, vous réclamez le divorce ?

Victoria aperçut la lueur menaçante qui brillait dans ses yeux et voulut se sauver, mais une main de fer se referma sur son poignet et l'obligea à se rasseoir.

— Ne me brutalisez pas, Jason ! le prévint-elle.

Jason, qui avait quitté la veille une enfant meurtrie, se retrouvait en face d'une ravissante furie qui luttait pour conserver son sang-froid. Au lieu de lui présenter des excuses comme il en avait eu l'intention, il grinça :

— Ne soyez pas bête, jamais nous ne divorcerons.

Victoria se dégagea, si brusquement qu'elle se démit presque l'épaule. Puis elle recula hors de portée, le cœur battant.

— C'est vous qui n'êtes qu'une bête, siffla-t-elle. Et jamais plus je ne vous laisserai me traiter comme une bête !

Alors elle regagna sa chambre en claquant la porte à toute volée avant de pousser le verrou.

Elle n'avait pas fait trois pas que la porte sauta de ses gonds dans un craquement sinistre. Jason se tenait dans l'embrasure béante, livide de rage :

— Ne me fermez plus jamais votre porte, proféra-t-il, les mâchoires serrées. Et ne me parlez plus jamais de divorce ! Cette maison m'appartient et, aux yeux de la loi, vous aussi ! Vous m'avez bien compris ?

Terrorisée, Victoria hocha la tête et se recroquevilla instinctivement. Il tourna alors les talons et sortit à grandes enjambées, la laissant à moitié morte de peur. Jamais elle n'avait vu une telle violence chez un être humain. Jason n'était pas une bête, c'était un fou, un monstre !

Elle l'entendit fourrager dans ses tiroirs à la recherche de ses habits et, pendant tout ce temps, elle chercha désespérément un moyen d'échapper au piège qui se refermait sur elle. Quand il eut claqué sa porte, elle courut se jeter sur son lit. Elle resta presque une heure prostrée, mais ne trouva aucune solution. Elle était prisonnière pour le restant de ses jours. Jason avait raison : elle faisait désormais partie de ses biens, tout comme sa maison et ses chevaux...

Seule, elle n'avait aucune chance d'obtenir un divorce. Avait-elle seulement une raison valable de le réclamer aux yeux de la loi ? Ce qui s'était passé la nuit dernière ne pouvait décemment justifier sa requête, surtout devant des juges en perruques.

Avec désespoir, elle comprit qu'elle était condamnée à demeurer ici jusqu'à ce qu'elle eût donné à Jason le fils qu'il désirait. Mais ensuite... ensuite, l'existence même de cet enfant la retiendrait à Wakefield, car elle n'aurait jamais le cœur de le lui laisser.

Victoria promena un regard hagard sur le luxe qui l'entourait. Il allait bien falloir se faire à sa nouvelle vie. Peut-être le destin viendrait-il à son secours ? En attendant, et pour ne pas sombrer dans la folie, il lui faudrait trouver d'autres occupations. Un calme mortel envahit son cœur. Elle sortirait, verrait d'autres gens et se changerait les idées du mieux qu'elle pourrait. Et pourquoi ne pas commencer tout de suite ? Elle détestait s'apitoyer sur son sort.

Elle s'était déjà fait beaucoup d'amis en Angleterre. Bientôt un bébé viendrait réchauffer sa vie. Oui, elle ferait tout son possible pour ne pas basculer dans le désespoir...

Chassant ses cheveux de son visage défait, elle se leva, pleine de résolution. Malgré cela, ses épaules s'affaissèrent lorsqu'elle sonna Ruth. Pourquoi Jason la méprisait-il à ce point ? Oh, comme elle aurait voulu se confier à quelqu'un ! Autrefois elle avait son père, sa mère ou Andrew avec lesquels elle bavardait longuement. C'était si bon de soulager son cœur. Mais en Angleterre, elle n'avait personne : Charles avait une santé fragile, et Jason était de surcroît son neveu. Elle avait trouvé en Caroline Collingwood une amie fidèle et loyale, mais Caroline était loin et Victoria doutait qu'elle comprît jamais la personnalité complexe de Jason.

Victoria décida donc de tout garder dans son cœur et de feindre d'être heureuse et épanouie. Jusqu'à ce qu'elle le fût vraiment. Un jour viendrait où elle verrait entrer Jason dans sa chambre avec sérénité, où elle pourrait soutenir son regard sans aucune émotion, que ce fût la peur ou l'humiliation, la solitude ou la souffrance. Oui, ce jour viendrait ! Dès qu'elle aurait conçu un fils, il la laisserait tranquille.

— Ruth, ordonna-t-elle d'une voix oppressée à la soubrette. Demandez qu'on attelle un cheval à la plus petite des voitures... que je puisse la conduire facilement. Ensuite vous demanderez à Mme Craddock de me préparer dans des paniers les restes du repas d'hier.

— Mais, madame... objecta Ruth en hésitant. Voyez dehors : l'orage menace et le vent souffle. Le ciel est noir comme de l'encre.

Victoria lança un coup d'œil par la fenêtre.

— Mais non, peut-être pleuvra-t-il un peu, s'entêta la jeune femme. Que tout soit prêt dans une demi-heure. A propos, lord Fielding est-il sorti ?

— Oui, madame.

— Savez-vous s'il a quitté la propriété ou est-il simplement dehors ?

Malgré ses bonnes résolutions, elle se sentait incapable de l'affronter à nouveau, bouleversée comme elle l'était. En outre, elle savait pertinemment qu'il lui interdirait de sortir par un temps pareil. Or il fallait absolument qu'elle s'échappât un moment. C'était une question de survie.

— Lord Fielding a fait atteler le phaéton et il a quitté Wakefield Park. Il avait une visite à rendre. Je l'ai vu partir de mes propres yeux, l'assura Ruth.

Quand Victoria descendit, une voiture chargée de victuailles l'attendait devant le perron.

— Que dois-je dire à Sa Seigneurie ? interrogea Northrup, visiblement tourmenté de voir Victoria s'obstiner à sortir malgré l'orage qui menaçait.

La jeune femme se tourna tandis qu'il déposait un manteau léger sur ses épaules.

— Vous lui direz au revoir, répondit-elle évasivement.

Puis elle alla détacher Wolf avant de monter dans la voiture. Le chien-loup avait l'air si heureux de sa liberté retrouvée qu'elle sourit en caressant sa tête :

— Te voici enfin libre, dit-elle à l'énorme bête. Comme moi.

23

Feignant une assurance qu'elle était loin d'éprouver, Victoria fit claquer les rênes. Le cheval s'élança avec fougue tandis que son poil lustré brillait sous le ciel gris.

— Là! Calme, calme... souffla Victoria, effrayée.

La fringante jument piaffait et caracolait, et bientôt Victoria eut les mains couvertes d'ampoules tant elle avait de mal à maintenir l'animal au trot.

Comme elle approchait du village, une bourrasque s'éleva et un éclair zébra le ciel. Le tonnerre gronda, le ciel vira au noir. Quelques minutes plus tard, des torrents d'eau se déversaient sur la voiture, aveuglant Victoria et transformant son manteau en éponge.

Plissant les yeux pour suivre la bonne direction, Victoria repoussa les mèches de cheveux qui dégoulinaient sur son visage et frissonna. Elle n'était jamais allée à l'orphelinat mais le capitaine Farrell lui en avait indiqué la route — c'était à deux pas de chez lui. Victoria finit par apercevoir une route qui ressemblait à celle qu'il lui avait décrite. A une fourche, elle prit à gauche sans trop savoir si elle se dirigeait vers l'orphelinat ou vers la maison du capitaine. Elle s'en moquait, d'ailleurs, du moment qu'elle puisse trouver un endroit chaud et sec où s'abriter de ce déluge. La route s'incurva et remonta ensuite vers un bois très dense. Elle dépassa deux maisonnettes abandonnées et se retrouva dans un chemin étroit qui se transforma rapidement en bourbier.

Les roues de la voiture s'enlisaient et la jument peinait de plus en plus. Relevant la tête, Victoria aperçut une faible lueur entre les arbres. Elle frissonna de froid et de soulagement et s'engagea dans une petite allée bordée de vieux chênes centenaires dont les branches entrelacées formaient une voûte au-dessus de sa tête. Tout à coup un éclair déchira le ciel, illuminant un petit cottage. Un grondement de tonnerre assourdissant explosa au-dessus de sa tête et la jument se cabra. Victoria sauta à terre, attrapa les rênes.

— Tout doux, dit-elle d'une voix apaisante à l'animal.

Et, pataugeant jusqu'aux chevilles dans la boue, elle alla attacher la jument à un poteau devant la maisonnette.

Wolf sur ses talons, elle releva sa jupe trempée et gravit les marches du perron. Puis elle frappa à la porte.

Celle-ci s'ouvrit quelques secondes plus tard et le visage buriné du capitaine Farrell se détacha sur un fond de lumière. Un feu de cheminée brûlait derrière lui.

— Lady Fielding! s'exclama-t-il, abasourdi.

Il la saisit par le bras pour la mettre à l'abri mais Wolf gronda, l'air mauvais, et Mike Farrell écarquilla les yeux en apercevant l'énorme animal au poil argenté qui retroussait les babines.

— Wolf! Au pied! ordonna Victoria d'une voix faible et l'animal obéit.

Sans quitter des yeux le chien-loup, le capitaine fit prudemment entrer Victoria dans la maison. Wolf avança sur les talons de sa jeune maîtresse, ses yeux pailletés rivés sur Mike.

— Non d'un petit bonhomme, que faites-vous dehors par ce temps-là ?

— Je... je suis allée prendre un bain, plaisanta Victoria en claquant des dents.

Il l'aida à ôter son manteau et le mit à sécher près du feu.

— Il va falloir que vous enleviez ces vêtements trempés si vous ne voulez pas attraper la mort. Vous croyez que votre fauve vous laissera disparaître le temps d'enfiler des habits secs ?

Victoria se frotta les épaules pour se réchauffer et acquiesça à l'intention de son ange gardien :

— Couché, Wolf. Je... je reviens.

L'animal se laissa tomber devant le feu et posa sa grosse tête sur ses pattes, suivant du regard sa maîtresse qui pénétrait dans une pièce voisine.

— Je vais ranimer le feu, déclara gentiment le capitaine Farrell après lui avoir tendu un pantalon et une de ses chemises. Je n'ai rien de mieux à vous offrir. Enroulez-vous ensuite dans cette couverture. Quand vous serez prête, venez vous réchauffer près du feu. Et ne vous faites pas de souci à cause de Jason. Je le connais depuis qu'il est gamin.

Victoria se rebiffa :

— Mais je me moque de ce que peut penser Jason ! Je n'ai aucune envie de mourir de froid pour ses beaux yeux. Ou pour qui que ce soit, s'empressa-t-elle d'ajouter, honteuse de se trahir ainsi.

Le capitaine lui lança un regard bizarre mais il approuva :

— Parfait. Cela me paraît bourré de bon sens.

— Si j'avais une once de bon sens, je ne serais pas sortie aujourd'hui, répliqua Victoria en essayant de dissimuler le désarroi qui l'envahissait devant le fiasco qu'avait été sa tentative de se changer les idées.

Lorsqu'elle sortit de la chambre quelques instants plus tard, Mike avait mis son cheval à l'abri dans la grange, attisé le feu et fait chauffer du thé. Il lui tendit une grande serviette.

— Séchez-vous les cheveux, lui ordonna-t-il avec douceur en désignant une chaise près du feu. Cela vous dérange-t-il que je fume la pipe ? s'enquit-il en s'asseyant en face d'elle.

— Pas le moins du monde.

Il bourra sa pipe de tabac puis l'alluma. Tirant nonchalamment une bouffée, il posa un regard intrigué sur la jeune femme.

— Pourquoi ne l'avez-vous pas fait ? interrogea-t-il finalement.

— Quoi donc ?

— Pourquoi n'êtes-vous pas restée chez vous aujourd'hui ?

Victoria se demanda si sa honte et son chagrin se lisaient sur son visage et haussa les épaules.

— Je voulais apporter de la nourriture à l'orphelinat. Il en restait tant après la réception d'hier.

— Vous avez sûrement vu qu'il allait pleuvoir. Pourquoi ne pas avoir envoyé un domestique à votre place au lieu de braver les intempéries ?

— J'avais besoin... enfin, je voulais sortir, je veux dire heu... prendre un peu l'air, répondit Victoria, très occupée à tourner sa cuillère dans sa tasse.

— Je suis surpris que Jason ne vous ait pas retenue.

— Je n'ai pas jugé nécessaire d'obtenir son autorisation, riposta Victoria, embarrassée par ses questions et par son regard qu'elle sentait posé sur elle.

— Il doit être affreusement inquiet à l'heure qu'il est.
— Cela m'étonnerait, je doute même qu'il remarque mon absence.
— Lady Fielding ?
— Oui ?
— Jason est passé ce matin.
La gêne de Victoria s'accrut.
— Ah oui ?
Un pressentiment lui disait que Jason était venu trouver son vieil ami pour lui parler d'elle, et Victoria eut l'impression que le monde entier se liguait contre elle.
Sa méfiance devait se voir car le capitaine Farrell précisa :
— Jason dirige une flotte de navires marchands. Il venait me parler de son dernier affrètement.
Victoria en profita pour changer de sujet.
— Mais j'ignorais que lord Fielding s'occupait de navires ! releva-t-elle avec vivacité.
— C'est étrange, vous ne trouvez pas ?
— Qu'est-ce qui est étrange ?
— Peut-être suis-je sot ou vieux jeu, mais je trouve étrange qu'une femme ignore que son mari a passé plusieurs années de sa vie à bord d'un bateau.
Victoria en resta bouche bée. Elle avait toujours considéré Jason comme un aristocrate anglais : arrogant, richissime et blasé. A cette seule différence qu'il passait la plupart de son temps dans son bureau à travailler, alors que les autres nobles ne songeaient qu'à se divertir.
— Mais peut-être ne vous intéressez-vous pas à ce qu'il fait ? poursuivit-il.
Il tira quelques bouffées de sa pipe et lui demanda carrément :

— Pourquoi l'avez-vous épousé ?

Victoria écarquilla les yeux de stupeur. Elle se sentait traquée tel un animal, et comme c'était un sentiment qui revenait souvent depuis quelque temps, sa fierté commençait à en souffrir terriblement. Elle releva le menton et déclara avec autant de dignité qu'elle le pouvait :

— J'ai épousé lord Fielding pour les raisons qui poussent habituellement les gens à se marier.

— La fortune, le pouvoir et la position sociale, résuma le capitaine Farrell d'un ton dégoûté. Eh bien, vous avez atteint votre objectif. Félicitations.

Cette attaque inattendue fut le coup de grâce pour Victoria. Des larmes de rage lui montèrent aux yeux et elle se leva, serrant convulsivement la couverture autour de ses épaules.

— Capitaine Farrell, toute mouillée et misérable que je sois, je n'ai pas atteint le degré d'avilissement requis pour vous entendre sans rien dire m'accuser de vénalité, d'égoïsme et... d'être un parasite !

— Pourquoi pas, puisque c'est la vérité ?

— Je me moque de ce que vous pensez de moi. Je...

Sa voix se brisa et Victoria traversa la pièce pour aller rechercher ses vêtements. Mais il bondit sur ses pieds et lui barra le passage. Furieux, il scrutait son visage comme s'il cherchait à lire dans son cœur.

— Pourquoi voulez-vous divorcer ? interrogea-t-il brutalement.

Puis son visage s'adoucit quelque peu. Même enveloppée dans une couverture de laine rugueuse, Victoria Seaton restait ravissante. Elle était adorable avec sa chevelure cuivrée et ses immenses yeux bleus qui jetaient des étincelles. C'était une âme fière et bien trempée, mais aux larmes qui embuaient ses yeux, il comprit qu'elle était à bout.

— Ce matin, j'ai demandé en riant à Jason si vous l'aviez déjà abandonné et il m'a répondu que vous étiez encore là, mais que vous vouliez divorcer. J'ai cru qu'il plaisantait, mais en vous voyant débarquer chez moi tout à l'heure, j'ai tout de suite remarqué que vous n'aviez rien de la jeune mariée heureuse et comblée.

Vacillant au bord du désespoir, Victoria soutint son regard implacable et, refoulant ses larmes, ordonna d'une voix enrouée :

— Laissez-moi passer.

Mais au lieu de s'écarter, il la saisit par les épaules.

— Maintenant que vous avez ce que vous voulez, pourquoi souhaitez-vous divorcer ?

— Mais je n'ai rien ! explosa Victoria. Maintenant poussez-vous !

— Non. Je n'en ferai rien tant que je n'aurai pas compris. Hier, lorsque nous nous sommes rencontrés, je vous ai trouvée merveilleuse. Je voyais vos yeux rire pendant que vous parliez et j'ai observé votre comportement avec les gens d'ici. Vous me paraissiez une femme extraordinaire, bonne et courageuse, et aujourd'hui je retrouve une femme intéressée, lâche et futile !

Des larmes brûlantes coulèrent sur les joues de Victoria en entendant ce jugement injuste et sans appel.

— Laissez-moi tranquille, espèce de malotru, sanglota-t-elle en essayant de l'écarter.

Alors, contre toute attente, ses bras se refermèrent sur elle et il l'attira contre sa large poitrine.

— Pleurez, Victoria. Pour l'amour du Ciel, pleurez !

Victoria frissonna et il reprit tout bas en lui caressant le dos :

— Laissez-vous aller, mon petit. Si vous ne donnez pas libre cours à votre chagrin, vous finirez par craquer.

Victoria avait appris à résister à l'adversité et au malheur, mais elle ne sut rien opposer à la gentillesse et à la compréhension. Des sanglots déchirants la secouèrent de la tête aux pieds. Elle ne se rendit même pas compte que le capitaine Farrell l'asseyait à côté de lui sur le canapé et qu'elle se mettait à tout lui raconter : la mort de ses parents, les événements qui l'avaient conduite à accepter la froide proposition de Jason. Le visage enfoui contre son épaule, elle répondit à toutes ses questions sur les raisons qui l'avaient poussée à épouser Jason. Et lorsqu'elle eut terminé elle se sentit mieux, soulagée pour la première fois depuis des semaines.

— Ainsi, commenta Mike Farrell avec un petit sourire admiratif, malgré la déclaration dépourvue de tout sentiment que vous a faite Jason, et bien que vous ne sachiez rien de lui, vous pensiez tout de même qu'il avait besoin de vous ?

Un peu honteuse, Victoria s'essuya les yeux et hocha la tête.

— C'était absurde et présomptueux de ma part, je le reconnais. Mais parfois il me semblait si seul que j'avais l'impression que nous pouvions partager beaucoup de choses ensemble. Oncle Charles, lui aussi, m'a dit que Jason avait besoin de moi. Mais nous nous sommes trompés. Jason veut simplement un fils, c'est tout. Il n'a pas besoin de moi et il ne m'aime pas.

— C'est faux, coupa le capitaine avec douceur. Jason a toujours eu besoin d'une femme comme vous. Il a besoin que vous soigniez ses anciennes blessures, que vous lui appreniez à se laisser aimer et à aimer en retour. Si vous le connaissiez mieux, vous sauriez que j'ai raison.

Mike se leva et alla chercher une bouteille sur la table. Il remplit deux verres et lui en tendit un.

— Alors parlez-moi de lui, implora Victoria.

— Oui.

Elle reposa sur la table le whisky qu'il venait de lui donner.

— Buvez d'abord si vous voulez que je vous parle de Jason, lui conseilla-t-il, la mine sombre. Il vous faudra des forces.

Victoria obéit timidement. Le rude Irlandais vida son propre verre d'un trait, comme si lui aussi avait besoin de courage.

— Ce que je vais vous dire, je suis le seul à le savoir. Ce sont des choses que Jason souhaitait vous cacher, sinon il vous en aurait parlé. Je trahis sa confiance et ce sera la première fois. Je le considère comme mon fils, Victoria, et cela me coûte d'agir ainsi. Mais je crois qu'il est indispensable que vous sachiez.

Victoria secoua lentement la tête.

— Ne me dites rien, capitaine. Je ne voudrais causer de tort à personne.

L'ombre d'un sourire éclaira le visage soucieux du capitaine Farrell.

— Si je vous croyais capable de vous en servir contre lui, je ne dirais rien. Mais vous ne le ferez pas. Il y a chez vous une bonté, une force et une charité que j'ai tout de suite remarquées pendant que vous vous mêliez aux villageois. Je vous ai trouvée merveilleuse alors, et j'ai pensé que vous étiez la femme idéale pour Jason. Je continue à le penser.

Il respira un grand coup et commença :

— La première fois que j'ai rencontré votre mari, j'étais à Delhi. Cela remonte à des années, je travaillais à l'époque pour un riche marchand de la ville appelé Napal. Il faisait du négoce dans le monde entier. Outre les marchandises qu'il importait ou exportait, Napal possédait quatre navires. J'étais second sur l'un d'entre eux.

« Je rentrais d'un fructueux voyage qui avait duré six mois et Napal nous avait invités, le capitaine et moi, à fêter notre retour chez lui.

« Il fait toujours très chaud aux Indes, mais ce jour-là, il faisait encore plus chaud que d'habitude. Je m'étais perdu en cherchant la maison de Napal et, sans savoir comment, je me suis retrouvé dans un dédale de ruelles et de culs-de-sac. J'ai fini par déboucher sur une petite place sordide où déambulaient des Indiens sales et en haillons. La pauvreté qui règne là-bas est inimaginable. J'ai regardé autour de moi et j'ai aperçu un attroupement à l'autre bout de la place. Désireux d'en connaître la raison, j'ai rejoint le rang des badauds. Agglutinés devant une maison, ils observaient un spectacle qui se déroulait à l'intérieur. J'allais rebrousser chemin quand j'ai aperçu une croix en bois grossière clouée sur la maison. Croyant qu'il s'agissait d'une église et que j'y trouverais un compatriote ou quelqu'un parlant ma langue, je me suis frayé un chemin dans la foule et je suis entré. J'ai joué des coudes jusqu'au premier rang où une femme, une Anglaise, se démenait comme une fanatique en hurlant des imprécations.

« Et soudain je les ai vus. Ils étaient deux sur une petite estrade en bois : cette folle et un petit garçon. La femme montrait l'enfant du doigt et, d'une voix stridente, elle l'accusait d'être le fruit de la luxure et l'émanation du diable. Puis elle a obligé brutalement l'enfant à lever la tête et j'ai aperçu son visage.

« J'ai été stupéfait de constater qu'il s'agissait d'un petit Européen. A tous elle criait : "Regardez le visage du diable ! Et voyez comment se venge le Seigneur !" Alors elle leur a montré le dos de l'enfant et j'ai cru que j'allais vomir de dégoût.

Le capitaine Farrell avala sa salive.

— Victoria, son dos était couvert de bleus et de cicatrices à la suite des mauvais traitements que lui faisait subir cette harpie. Elle venait visiblement de le battre sous les yeux de sa « congrégation ».

Son visage se contracta et il poursuivit :

— Pendant que je les regardais, la sorcière avait ordonné à l'enfant de s'agenouiller et d'implorer le pardon du Seigneur. Il l'a regardée droit dans les yeux sans rien dire et n'a pas bougé. Alors elle lui a assené un coup de fouet à assommer un homme adulte. L'enfant est tombé à genoux. « Prie le Seigneur ! Démon ! » a-t-elle hurlé comme une possédée avant de le frapper à nouveau. L'enfant ne disait toujours rien et fixait un point, droit devant lui. C'est alors que j'ai vu ses yeux... Ils étaient secs. Pas une larme n'y brillait. Mais la souffrance par contre... Dieu, ces yeux-là débordaient de toute la souffrance du monde !

Victoria frissonna, bouleversée par son récit, mais sans comprendre où le capitaine Farrell voulait en venir.

Mike serra les mâchoires et murmura d'une voix enrouée :

— Jamais je n'oublierai ces yeux verts intenses et...

Le verre de Victoria s'écrasa sur le sol, se brisant en mille morceaux. Elle secoua désespérément la tête.

— Non, gémit-elle, épouvantée. Oh non ! Je vous en supplie...

Mais sans l'écouter, il poursuivit, le regard fixe, perdu dans ses souvenirs :

— Alors le petit garçon s'est mis à demander pardon au Seigneur, les mains jointes. L'horrible femme l'a obligé à répéter ce pardon plus fort, à plusieurs reprises, et lorsqu'elle a été enfin satisfaite, elle l'a relevé. Ensuite, elle a donné une sébile à l'enfant qui a dû se rendre dans la foule crasseuse, s'agenouiller aux pieds des Indiens, baiser l'ourlet de leurs vêtements et faire la quête.

— Non, murmura Victoria, prostrée, en posant les mains sur ses yeux. Ce n'est pas possible...

— Je me suis senti devenir fou de rage, continua Farrell. L'enfant était sale et décharné, mais dans son regard vert brillait une fierté indomptable qui m'avait remué l'âme. J'ai attendu qu'il fasse le tour des « fidèles », puis lorsqu'il a ramené le fruit de sa quête à la femme, elle a souri en lui disant qu'il était bon désormais. Son sourire était celui d'une folle, d'une fanatique.

« Je voyais cette femme abominable debout sur cet autel improvisé avec sa croix, et j'avais envie de la tuer. Mais comme j'ignorais quelle serait la réaction de ses « fidèles », je n'ai eu d'autre choix que de lui proposer d'acheter l'enfant. J'ai expliqué qu'il valait mieux que ce soit un homme qui le punisse.

Le capitaine regarda Victoria avec un sourire sans joie.

— Elle me l'a vendu pour les six mois de solde que j'avais en poche. Son mari était mort l'année précédente et elle avait besoin d'argent. Mais avant de quitter les lieux, je l'ai vue jeter mon argent à pleines mains sur les membres de sa congrégation. Elle était folle. Folle à lier...

Effondrée, Victoria demanda d'une toute petite voix :

— Jason était-il aussi malheureux avant la mort de son père ?

— Le père de Jason est toujours en vie, répondit froidement le capitaine. Jason est le fils illégitime de Charles.

La pièce se mit à tourner autour de Victoria qui pressa sa main sur sa bouche pour ne pas hurler.

— Cela vous répugne d'apprendre que votre mari est un bâtard ? interrogea-t-il, guettant sa réaction.

— Comment osez-vous dire une pareille monstruosité ! s'exclama-t-elle, indignée.

Il sourit.

— C'est bien. C'est ce que je pensais, mais les Anglais sont parfois très sourcilleux sur ce chapitre.

— Je ne suis pas anglaise, rétorqua-t-elle. Je suis américaine.

— Vous êtes adorable, en tout cas.

— Que savez-vous d'autre sur Jason ? s'enquit-elle, le cœur débordant de compassion.

— Le reste a moins d'importance. J'ai emmené Jason chez Napal le soir même, qui a eu la gentillesse de le prendre à son service. En échange de quoi, Jason était logé, nourri, blanchi. Il lui a appris à lire et à écrire... Jason avait une incroyable soif de connaissances.

« A seize ans, Jason connaissait à fond le métier de négociant. Outre son intelligence et sa vivacité, il était doué pour les affaires... peut-être parce qu'on l'avait obligé à mendier...

« Quoi qu'il en soit, Napal l'a rapidement considéré comme son fils. Jason a réussi à le convaincre de l'embarquer sur un de ses navires. J'étais commandant à l'époque et Jason a navigué sous mes ordres pendant cinq ans.

— Etait-ce un bon marin ? demanda Victoria, très émue et étrangement fière.

— Le meilleur. Il a débuté comme simple matelot mais, dès qu'il avait un moment libre, il me demandait de lui apprendre les secrets de la navigation. Napal est mort deux jours après l'un de nos retours de mer. Il travaillait dans son bureau quand son cœur s'est brusquement arrêté de battre. Jason a tout fait pour le ranimer, même du bouche à bouche. Les autres l'ont pris pour un fou. Mais il aimait le vieil avare, voilà tout. Il a eu du chagrin pendant des mois mais n'a pas versé une seule larme, précisa-t-il calmement. Jason ne sait plus pleurer. Cette vieille sorcière était persuadée que les démons n'ont pas de larmes et elle le battait jusqu'au sang lorsqu'il pleurait. C'est Jason qui me l'a dit quand il avait neuf ans.

« Napal lui laissait tout ce qu'il possédait. Alors Jason a acheté une flotte entière et multiplié par dix la fortune qu'il avait héritée...

Comme le capitaine Farrell demeurait silencieux devant le foyer, Victoria changea de sujet :

— Jason a été marié aussi, n'est-ce pas ? Je l'ai appris il y a quelques jours.

— Hélas, oui, grimaça Mike en se servant un autre verre de whisky. Deux ans après la mort de Napal, Jason était devenu l'un des plus riches négociants de Delhi. Ce qui lui a valu les faveurs intéressées d'une femme ravissante et parfaitement amorale du nom de Melissa. Son père était un fonctionnaire anglais en poste à Delhi. Melissa était belle, cultivée, distinguée, elle avait tout pour elle sauf ce dont elle avait le plus besoin... l'argent. Elle a épousé Jason pour sa fortune.

— Mais pourquoi Jason l'a-t-il épousée, lui ?

Mike Farrell haussa les épaules.

— Il était plus jeune qu'elle, et subjugué sans doute par sa beauté. Il faut reconnaître que la demoiselle possédait un charme fou. Jason la comblait de présents, la couvrait de bijoux comme une reine. Elle les acceptait en souriant. Elle était ravissante mais, j'ignore pourquoi, lorsqu'elle lui souriait ainsi, je revoyais le visage de cette vieille sorcière avec sa sébile de bois.

La vision de Jason lui offrant des perles et des diamants et lui demandant de la remercier d'un baiser traversa l'esprit de Victoria. Pourquoi pensait-il se faire aimer en achetant les faveurs d'une femme ? songea-t-elle tristement.

Mike avala une gorgée d'alcool.

— Melissa n'était qu'une putain, une putain qui passait de lit en lit, même après son mariage. Le plus drôle, c'est qu'elle a piqué une colère terrible en apprenant que Jason était un bâtard. J'étais chez eux le jour où le duc d'Atherton a débarqué pour parler à son fils. Melissa écumait de rage, comme si elle était offensée de s'être fourvoyée avec un enfant illégitime. Cela ne la troublait pas en revanche de livrer son corps au premier venu. Drôle de morale, vous ne trouvez pas ?

— C'est le moins qu'on puisse dire ! approuva chaleureusement Victoria.

Le capitaine Farrell sourit devant sa réaction et poursuivit :

— Si Jason avait nourri une certaine tendresse pour Melissa au moment de leur mariage, celle-ci s'est très vite évanouie. Elle lui a donné néanmoins un fils et c'est la raison pour laquelle il a ignoré ses frasques et continué à lui donner ce qu'elle voulait. Honnêtement, je crois qu'il se moquait éperdument de ce qu'elle faisait.

En apprenant que Jason avait un fils, Victoria sursauta et écouta bouche bée le capitaine qui continuait :

— Jason adorait son fils. Il l'emmenait partout où il allait et c'est pour lui qu'il a accepté de rentrer en Angleterre où il a dépensé des sommes colossales pour renflouer les affaires de Charles afin que son fils en hérite. Hélas, c'était en pure perte. Melissa s'est enfuie avec son dernier amant en date et a emmené Jamie avec elle pour en tirer une rançon. Leur navire a coulé corps et biens.

Il étreignit convulsivement son verre et serra les mâchoires.

— C'est moi qui ai découvert le premier qu'elle était partie. Et c'est moi qui ai appris à Jason la mort de son fils. J'ai pleuré, souffla-t-il, ému. Mais pas Jason. Même ce jour-là. Il ne sait plus pleurer...

— Capitaine Farrell, dit Victoria d'une voix étranglée, je voudrais rentrer maintenant. Il se fait tard et je crains que Jason ne se fasse du souci pour moi.

La tristesse qui assombrissait le visage du marin se dissipa et un sourire éclaira son visage rude.

— C'est une excellente idée. Mais j'ai encore quelque chose à vous dire avant que vous ne partiez.

— Quoi ?

— Ne laissez pas Jason vous convaincre, ni se convaincre lui-même, qu'il veut seulement un enfant de vous. Je le connais mieux que personne et j'ai vu la façon dont il vous regardait hier soir. Il vous aime déjà, même si je doute qu'il le souhaite.

— C'est normal, après ce que lui ont fait ces deux femmes, commenta tristement Victoria. Je ne sais même pas comment il a survécu à toutes ces atrocités sans perdre la raison.

— Il est solide, voyez-vous. C'est l'être le plus fort que j'aie jamais rencontré. Et le meilleur. Aimez-le, Victoria, je sais que vous le désirez. Et apprenez-lui à vous aimer. Il a beaucoup d'amour à donner, mais d'abord il vous faudra gagner sa confiance. Une fois que vous aurez sa confiance, il déposera le monde à vos pieds.

Victoria se leva, les yeux brillants d'excitation.

— Qu'est-ce qui vous fait dire cela ?

La voix du marin irlandais s'adoucit et un voile nostalgique tomba devant ses yeux.

— Parce que j'ai connu, il y a bien longtemps, une jeune fille qui vous ressemblait. Elle était brave et ardente, comme vous. Elle m'a appris la confiance et l'amour. Je n'ai pas peur de la mort parce que je sais qu'elle m'attend là-haut. La plupart des hommes sont volages, mais Jason me ressemble. Il n'aimera qu'une seule fois, mais ce sera pour toujours.

24

Pendant que Victoria enfilait ses vêtements encore humides, le capitaine Farrell sortit la voiture et la jument de la grange. Il l'aida à grimper et enfourcha sa propre monture. Le déluge avait laissé la place à une petite bruine lugubre et tenace.

— Pas la peine de me raccompagner, lui dit-elle, je connais le chemin.

— Détrompez-vous. Les routes ne sont pas sûres pour une femme seule à la tombée de la nuit. La nuit dernière, une voiture et ses occupants ont été dévalisés de l'autre côté du village et il y a quinze jours, on a retrouvé le corps sans vie d'une des filles de l'orphelinat.

Victoria écoutait d'une oreille distraite, tout entière tournée vers Jason. Son cœur débordait de tendresse pour lui. Il était souvent distant et déconcertant, certes, mais plus elle y songeait, plus elle se disait que Mike Farrell avait raison. Jason devait tenir à elle, sinon jamais il ne se serait remarié après sa première expérience désastreuse. Elle se souvenait de ses baisers passionnés avant leur mariage. Et malgré les tourments qu'on lui avait infligés enfant au nom de la religion, il s'était marié à l'église parce qu'elle le lui avait demandé.

— Mieux vaut nous quitter ici, déclara Victoria quand ils atteignirent les grilles en fer forgé de Wakefield.

— Pourquoi ?

— Si Jason apprend que j'ai passé l'après-midi chez vous, il va se douter que vous m'avez parlé de lui dès qu'il verra mon changement d'attitude.

— Vous comptez donc changer votre conduite à son égard ?

— Oh oui ! acquiesça-t-elle dans la pénombre. Je vais essayer de dompter une panthère.

— Dans ce cas, vous avez raison. Ne dites pas à Jason que vous m'avez vu. Vous n'avez qu'à lui dire que vous vous êtes abritée dans l'une des maisons abandonnées à côté de chez moi. Mais faites attention, Jason déteste les menteurs.

— Je sais, répondit Victoria en frissonnant.

Jason était bel et bien rentré et il se faisait un sang d'encre. Il était également fou de rage. Victoria l'entendit qui vitupérait dès qu'elle poussa la porte de service. A la fois effrayée et anxieuse de le retrouver, elle traversa le hall et entra dans son bureau. Le dos tourné, il arpentait la pièce de long en large en apostrophant les domestiques terrorisés. Sa chemise trempée lui collait aux épaules et ses bottes de cheval étaient maculées de boue.

— Répétez-moi ce que vous a dit lady Fielding, lança-t-il à Ruth. Et cessez de pleurnicher, sacrebleu ! Recommencez depuis le début et soyez précise.

La soubrette se tordait les mains de désespoir.

— Elle... elle m'a dit de faire atteler la plus petite des voitures parce qu'elle ne... parce qu'elle n'avait pas l'habitude de les conduire. Et puis elle m'a demandé de faire préparer par Mme Craddock — la cuisinière — des paniers avec les restes du repas d'hier, et de les faire porter dans la voiture. Je... je lui ai fait remarquer qu'un orage s'annonçait mais elle a répondu qu'elle avait bien le temps. Ensuite elle m'a demandé si j'étais sûre que vous aviez quitté la maison. Alors je lui ai dit oui. Et elle est partie.

— Et vous l'avez laissée partir ! explosa Jason en les foudroyant tous du regard. Vous avez laissé partir cette femme émotive et incapable de tenir des rênes en plein orage et avec de la nourriture pour un mois. Et aucun d'entre vous n'a eu l'idée de l'en empêcher. Bande d'incapables !

Son regard glacial se posa sur le palefrenier.

— Vous l'avez entendue dire à son chien qu'ils étaient enfin libres et vous n'avez pas trouvé ça bizarre ?

Sans attendre la réponse du malheureux, il transperça d'un regard meurtrier le pauvre Northrup qui se tenait très droit comme s'il s'apprêtait à monter à l'échafaud.

— Répétez-moi mot pour mot ce qu'elle vous a dit ! reprit-il, ulcéré.

— J'ai demandé à milady si elle avait un message à vous laisser. Elle m'a répondu : « Vous lui direz au revoir. »

— Et ça ne vous a pas surpris ? rugit Jason, hors de lui. Une mariée s'en va le lendemain de ses noces en disant au revoir à son mari, et vous trouvez ça normal !

Northrup rougit jusqu'à la racine de ses cheveux blancs.

— Compte tenu des circonstances, monsieur, ça ne m'a pas paru « anormal ».

Jason s'immobilisa, paraissant sur le point de l'étrangler.

— Quelles circonstances ?

— Compte tenu de ce que vous m'avez dit lorsque vous êtes sorti une heure avant lady Fielding, j'en ai naturellement déduit que vous aviez un différend et que lady Fielding en souffrait.

— Mais qu'est-ce que j'ai dit en partant, sacrebleu ? Qu'est-ce que j'ai bien pu dire ?

Avec une moue amère, le majordome expliqua :

— Quand vous avez quitté la maison ce matin, je vous ai souhaité une bonne journée.

— Et alors ?

— Alors vous m'avez répondu que vous aviez « d'autres projets » pour la journée. J'en ai déduit que vous ne comptiez pas passer une bonne journée et c'est ainsi que j'ai compris que vous étiez, hem... en froid.

— Dommage que vous n'en ayez pas plutôt « déduit » qu'elle s'enfuyait et que vous ne l'ayez pas retenue !

Le cœur de Victoria se gonfla de remords. Jason croyait qu'elle s'était enfuie et elle réalisa, en le voyant admettre cela devant ses domestiques, qu'il était bouleversé. Pas une seconde, elle n'avait songé qu'il en viendrait à cette conclusion. Mais depuis qu'elle savait ce que Melissa lui avait fait, elle comprenait plus facilement sa réaction. Pour sauver la fierté de Jason, elle arbora un sourire conciliateur et traversa la pièce.

— Comment Northrup pourrait-il imaginer une chose pareille, milord ? s'exclama-t-elle gaiement en glissant son bras sous celui de Jason.

Celui-ci sursauta si violemment qu'elle en perdit l'équilibre. Elle se remit d'aplomb et poursuivit avec douceur :

— Je suis peut-être émotive mais je ne suis tout de même pas sotte à ce point.

Un immense soulagement apparut dans les yeux de Jason... avant que la fureur reprît le dessus.

— Où diable étiez-vous ? siffla-t-il.

La jeune femme eut pitié des malheureux domestiques et déclara, l'air contrit :

— Votre colère est justifiée, mais j'espère que vous ne me réprimanderez pas devant nos gens.

Jason congédia les serviteurs d'un geste sec de la tête. Dès que la porte se referma, il attaqua :

— Petite idiote ! grinça-t-il entre ses dents. J'ai remué toute la région pour vous retrouver.

Victoria le contempla et sous son beau visage taillé à coup de serpe, sous cette bouche dure et sensuelle et cette mâchoire volontaire, elle vit un enfant aux boucles brunes, sale et désemparé, que l'on fouettait à mort en l'accusant d'être un démon. Une immense tendresse l'envahit et, sans réfléchir, elle lui effleura la joue.

— Je suis désolée ! murmura-t-elle, bouleversée.

Jason la repoussa brutalement et son insoutenable regard vert la cloua sur place :

— Ah, vous êtes désolée ! ricana-t-il, sarcastique. Pourquoi êtes-vous si désolée ? Pour tous ceux qui battent encore la campagne à votre recherche ? (Il s'éloigna comme s'il ne pouvait supporter sa proximité et s'approcha de la fenêtre.) Désolée pour le cheval que j'ai épuisé sous moi ?

— Je suis désolée que vous ayez cru que je vous quittais, répliqua Victoria d'une voix tremblante. Jamais je ne ferais une chose pareille.

Il se retourna vers elle et la dévisagea avec ironie :

— Vu qu'hier vous avez failli me laisser seul devant l'autel et que ce matin même, vous réclamiez le divorce, j'ai quelques raisons de douter de vos paroles. A quoi devons-nous ce soudain revirement ?

Malgré son attitude sarcastique, sa voix avait vibré lorsqu'il avait fait allusion à l'incident à l'église. Le cœur de Victoria chavira.

— Milord...

— Pour l'amour du Ciel, arrêtez de m'appeler milord et cessez de ramper devant moi ! Je déteste ça.

— Mais je ne rampe pas devant vous ! s'exclama Victoria. J'allais simplement vous expliquer que j'étais sortie pour apporter les restes du repas d'hier à l'orphelinat. Je suis désolée de vous avoir inquiété et je vous promets de ne plus recommencer.

Abasourdi, il la regarda et toute sa colère s'évanouit.

— Vous êtes libre de faire ce que bon vous semble, Victoria, déclara-t-il avec lassitude. Ce mariage est la plus grande erreur de ma vie.

Victoria hésita un instant. Lorsqu'il était dans cet état, rien ne pouvait le faire changer d'avis. Alors elle s'excusa et monta se changer. Il ne descendit pas souper avec elle ce soir-là et elle monta se coucher, persuadée qu'il viendrait la rejoindre. Ne serait-ce que pour obtenir le fils qu'il désirait.

Mais Jason ne vint pas cette nuit-là, ni les trois nuits qui suivirent. Il s'enfermait dans son bureau toute la journée et dictait du courrier à son secrétaire. Victoria ne le voyait qu'aux repas et occasionnellement dans les couloirs. Il la saluait alors courtoisement mais sans chaleur, comme il l'aurait fait avec une étrangère.

Quand il avait fini de travailler, il se changeait et se rendait à Londres.

Comme Caroline était partie dans le sud de l'Angleterre, Victoria consacra la majeure partie de son temps libre à l'orphelinat. Elle organisait des parties de colin-maillard avec des enfants et rendait visite aux gens du village. Mais tout occupée qu'elle fût, Jason lui manquait terriblement. A Londres, il avait passé beaucoup de temps avec elle. Il l'accompagnait presque partout où elle allait et, même s'il ne restait pas à ses côtés, elle sentait dans les parages sa présence rassurante. Ses taquineries lui manquaient, jusqu'à ses accès de mauvaise humeur. A compter du jour où elle avait reçu la lettre de Mme Bainbridge, Jason était devenu son ami — et un ami très cher.

Il n'était plus désormais qu'un étranger courtois, qui peut-être avait besoin d'elle, mais la tenait volontairement à distance. Il n'était plus fâché contre elle ; il lui avait simplement fermé son cœur et affectait d'ignorer son existence.

La quatrième nuit, Jason se rendit une nouvelle

fois à Londres et Victoria ne put s'endormir. Les yeux fixés sur le baldaquin de son lit, elle aurait voulu danser dans ses bras comme elle l'avait si souvent fait ces temps derniers. Jason était un merveilleux danseur...

Que pouvait-il fabriquer à Londres la nuit? Il devait probablement jouer aux cartes dans un des clubs très fermés de la capitale...

La cinquième nuit, Jason ne rentra même pas. Et le lendemain matin, Victoria apprit par les journaux ce que son mari faisait à Londres. Il ne jouait pas aux cartes, il ne travaillait pas non plus. Il s'était rendu au bal de lord Muirfield et, comme le précisait *La Gazette*, il avait même dansé avec la ravissante épouse du vieux lord. La veille, précisait l'article, lord Fielding était allé au théâtre où on l'avait aperçu en compagnie d'une jolie danseuse brune dont on ne citait pas le nom. De la maîtresse de Jason, Victoria savait trois choses: elle s'appelait Sybil, elle était danseuse et elle était brune.

La jalousie lui serra le cœur. Une jalousie violente, brûlante, irraisonnée. Cela la prit totalement au dépourvu car jamais elle n'avait ressenti les affres d'un tel sentiment.

C'est le moment que choisit Jason pour faire son apparition dans la salle à manger. Il portait les mêmes vêtements que la veille, mais sa veste de smoking était négligemment jetée sur son épaule, sa cravate dénouée et le col de sa chemise ouvert. De toute évidence, il n'avait pas dormi dans sa résidence londonienne où il possédait une complète garde-robe.

Il la salua d'un air distant et alla se servir une tasse de café.

Victoria se leva en tremblant de rage.

— Jason, commença-t-elle d'une voix froide et contenue.

Il lui jeta un coup d'œil par-dessus son épaule et, lorsqu'il aperçut son visage furieux, il se tourna pour de bon.

— Oui ?

Il porta la tasse à ses lèvres tout en l'observant.

— Vous souvenez-vous de ce que vous éprouviez pendant que votre première femme défrayait la chronique à Londres ?

La tasse de café descendit d'un millimètre mais le visage de Jason demeura impassible.

— Parfaitement, répondit-il.

Stupéfaite de sa propre bravoure, Victoria désigna ostensiblement le journal et releva le menton :

— Alors j'espère que vous ne me ferez plus jamais éprouver ce sentiment-là.

Il jeta un coup d'œil au journal étalé sur la table puis posa son regard vert sur elle :

— Pour autant que je me souvienne, je me moquais éperdument de ce qu'elle faisait.

— Eh bien pas moi ! explosa Victoria. Je comprends parfaitement qu'un mari attentionné ait... une maîtresse, mais vous pourriez faire preuve d'un minimum de discrétion. En faisant étalage de vos relations avec... votre belle amie, vous me blessez et vous m'humiliez...

Elle quitta précipitamment la pièce, se sentant affreusement indésirable et rejetée.

Jason la regarda partir en silence. Elle ressemblait à une jeune et ravissante princesse avec ses longues boucles qui tombaient en cascade fauve sur ses reins. Il sentit un sentiment familier et ardent le tirailler, le désir qu'il éprouvait depuis des mois de la serrer dans ses bras et de se perdre en elle. Mais il ne fit pas un mouvement pour la retenir. Non, elle n'éprouvait pour lui ni amour ni désir. Alors elle le trouvait « attentionné » d'entretenir une maîtresse afin de satisfaire ailleurs ses appétits ! En revanche, elle souffrait dans sa fierté de le voir s'exhiber en public près de cette femme.

C'était de l'amour-propre. Rien de plus. Mais lorsqu'il se souvint de la terrible blessure d'amour-propre que lui avait infligée son Andrew adoré, il comprit qu'il n'aurait pas le courage de la blesser davantage. Il savait ce que c'était : il n'avait pas oublié sa fureur et sa souffrance en découvrant la première fois la perfidie de Melissa.

Il alla chercher des papiers dans son bureau et croisa son valet.

— Bonjour, monsieur, fit ce dernier avec un regard désapprobateur à la veste défraîchie de son maître.

— Bonjour, Franklin, répondit Jason, absorbé par sa lecture, en lui tendant la veste.

Franklin sortit le matériel de rasage et se mit à brosser la veste.

— Que désire porter Monsieur pour ce soir ? s'enquit-il poliment.

Jason tourna une page et répondit distraitement :

— Rien d'habillé. Lady Fielding trouve que je suis trop sorti ces derniers temps.

Il se rendit dans la salle de bains adjacente sans relever l'expression de plaisir intense sur les traits de son valet. Franklin attendit que son maître fût dans son bain avant de lâcher la veste pour courir annoncer à Northrup la bonne nouvelle.

Ce dernier cirait une table dans le hall. Franklin s'assura qu'aucun subalterne ne risquait de surprendre leur conversation et se dépêcha de faire part au majordome du dernier rebondissement des amours tumultueuses de leur maître. Il ne remarqua pas O'Malley qui les écoutait depuis le salon, l'oreille collée contre la porte.

— Monsieur Northrup ! Sa Seigneurie dîne ici se soir, chuchota le valet d'un air conspirateur. C'est plutôt bon signe. Très bon signe même.

Northrup se redressa avec raideur sans se départir de son impassibilité.

— C'est inhabituel, si l'on tient compte de ses absences répétées des derniers jours, mais je n'y vois rien de particulièrement encourageant.

— Ecoutez-moi... Sa Seigneurie m'a bien précisé qu'il dînait ici pour répondre aux souhaits de lady Fielding !

— *Cela* est nettement plus encourageant, monsieur Franklin ! approuva Northrup.

Le majordome jeta un coup d'œil méfiant alentour et ajouta :

— C'est sûrement dû à un certain article de *La Gazette* que lady Fielding a lu ce matin. Il laissait entendre que Sa Seigneurie entretenait une demoiselle d'un certain milieu social... une danseuse je crois...

O'Malley décolla son oreille de la porte du salon et courut aux cuisines.

— Elle a réussi ! s'exclama-t-il, triomphant.

Mme Craddock abandonna la pâte qu'elle roulait.

— Qu'a-t-elle fait ?

O'Malley s'adossa au mur, croqua un morceau de la pomme qu'il venait de lui dérober puis agita le fruit entamé avec véhémence :

— Elle a sermonné Sa Seigneurie ! Voilà ce qu'elle a fait ! J'ai entendu Franklin l'dire à Northrup. Elle a lu dans le journal que Sa Seigneurie était sortie avec Mlle Sybil et elle lui a dit qu'il ferait mieux de rester là où il devrait être. Il va le faire ! Je vous l'avais bien dit que cette petite saurait s'y prendre avec notre maître. Tout comme elle a su dès l'premier coup d'œil que j'étais irlandais ! Mais c'est une vraie dame, ajouta-t-il avec vénération. Bonne comme du bon pain et toujours souriante avec ça !

— Elle avait l'air si triste, ces derniers temps, commenta Mme Craddock, l'air préoccupé. Elle ne touche pas à son assiette quand il n'est pas là, et pourtant je lui prépare tout ce qu'elle aime. Et toujours à vous remercier si gentiment, ça vous fend le cœur, des choses pareilles. Je me demande bien pourquoi il la rejoint pas dans son lit le soir comme y devrait...

O'Malley hocha tristement la tête.

— Il est pas revenu depuis leur nuit de noces. Ruth en est sûre.

Morose, il termina sa pomme avant que Mme Craddock, cette fois, ne le chassât avec son torchon.

— Cesse de me voler mes pommes, Daniel ! C'est pour ma tarte... (Soudain un sourire éclaira son bon visage.) Oh, et puis non ! Tu peux prendre ces pommes. J'ai une idée de dessert pour le dîner !... Il était vraiment chez Mlle Sybil cette nuit ? ajouta-t-elle en mesurant sa farine pour le fameux dessert. Ou c'est juste une médisance ?

Le visage jovial de O'Malley se rembrunit.

— Il y était bel et bien, hélas. Le garçon d'écurie me l'a dit. C'est sûr qu'on sait pas c'qu'il a fait là-bas. P'têt ben qu'il lui faisait ses adieux ?

Mme Craddock sourit sans conviction :

— Tout ce qui compte, c'est qu'il dîne ce soir avec sa femme. C'est peut-être un début.

Ainsi, des cent quarante personnes qui vivaient à Wakefield Park, Victoria fut la seule à ouvrir de grands yeux en voyant Jason entrer dans la salle à manger ce soir-là.

— Vous ne sortez pas ? s'étonna-t-elle, soulagée, pendant qu'il s'asseyait à l'autre bout de la table.

— J'ai cru comprendre que tel était votre désir.

— C'est vrai, reconnut Victoria en espérant qu'elle était à son avantage dans sa robe vert émeraude et en déplorant qu'il se fût assis si loin. Mais je ne m'y attendais pas. Je...

Elle s'interrompit en voyant O'Malley apporter un plateau avec deux verres en cristal remplis de vin. Il était impossible de mener une conversation avec Jason à l'autre bout de la table.

Elle soupira pendant que O'Malley se dirigeait vers elle, une étrange lueur dans les yeux.

Il lui tendit un verre de vin avec un geste si cérémonieux que ce qui devait arriver arriva : le vin se répandit sur la nappe juste devant la jeune femme.

— O'Malley... ! grinça Northrup depuis la desserte où il veillait au bon déroulement du repas.

Avec un air angélique, O'Malley fit tout un tapage en repoussant la chaise de lady Victoria, puis il la conduisit à côté de Jason, à l'autre bout de la table.

— Voilà, milady, s'excusa-t-il, tout contrit, en lui offrant une chaise. Je vais de ce pas vous chercher un autre verre de vin. Ensuite je nettoierai les dégâts. Mieux vaut vous asseoir ici. Je me demande ce qui m'arrive, ajouta-t-il en déposant une serviette sur les genoux de Victoria. Je crois que c'est mon bras, il me fait souffrir ces derniers temps... une vieille fracture, ça remonte à loin.

Victoria lui sourit gentiment :

— Je suis désolée pour votre bras, O'Malley.

Le domestique se tourna vers lord Fielding pour réitérer ses prétendues excuses, mais les mots lui restèrent dans le gosier devant le regard froid et perçant de son maître. Celui-ci passa un doigt menaçant sur la lame de son couteau comme pour en vérifier le tranchant.

O'Malley glissa un doigt dans le col de sa chemise, puis il toussota et bredouilla précipitamment :

— Je vais vous chercher un verre de vin, milady.

— Lady Fielding ne boit pas de vin, commenta sèchement Jason. A moins, dit-il en jetant un regard en coin à Victoria, que vous n'ayez changé vos habitudes.

Déroutée, Victoria secoua négativement la tête. Mais dans une tentative de conciliation, elle ajouta naïvement :

— Mais j'en boirai volontiers une goutte ce soir.

Les domestiques se retirèrent, les laissant souper dans la luxueuse salle à manger où la table mesurait près de trente mètres. Un silence oppressant plana pendant tout le repas, entrecoupé par le cliquetis des couverts contre la porcelaine de Limoges. Silence d'autant plus douloureux pour Victoria qu'elle était consciente de l'ambiance gaie et pétillante qui aurait entouré Jason s'il était allé à Londres au lieu de rester avec elle.

Quand on apporta le dessert, son désarroi s'était mué en désespoir. A deux reprises, elle avait tenté de briser la glace en abordant des sujets anodins tels que le temps ou le repas délicieux qu'on venait de leur servir. Jason lui avait répondu courtoisement mais sans s'étendre sur le sujet.

Victoria jouait nerveusement avec sa cuillère tout en sachant qu'il lui faudrait agir très vite car le fossé entre eux s'élargissait de jour en jour. Il risquait de devenir bientôt infranchissable.

Elle oublia momentanément ses soucis en voyant O'Malley arriver avec le dessert. Dissimulant à grand-peine un sourire, celui-ci déposa devant eux un superbe gâteau orné des drapeaux anglais et américain entrelacés.

Jason leva un regard sarcastique vers le valet :

— Dois-je en déduire que Mme Craddock se sentait d'humeur patriotique ce soir ? ironisa-t-il. Ou est-ce censé me rappeler, de façon symbolique, que je suis marié et avec qui ?

L'Irlandais pâlit.

— Oh non, Votre Seigneurie !

Cloué par les yeux verts et durs de son maître, il attendit stoïquement que ce dernier le congédiât d'un geste sec.

— Si ce gâteau était censé représenter notre mariage, il aurait mieux valu que Mme Craddock mette deux épées au lieu des drapeaux, commenta tristement Victoria.

— Vous avez raison, acquiesça sèchement Jason en s'abstenant de goûter à la ravissante pâtisserie et en attrapant son verre de vin.

Il semblait tellement indifférent à ce qu'était devenue leur relation que Victoria, affolée, attaqua de front le sujet qui lui tenait à cœur :

— Mais je ne veux pas avoir raison ! s'écria-t-elle. Jason, je vous en conjure... je voudrais que nous cessions ce jeu.

Il parut légèrement surpris et se renversa dans son fauteuil.

— Et quel est l'arrangement que vous me proposez ?

Son ton était si détaché, si froid que Victoria sentit redoubler sa nervosité.

— D'abord, j'aimerais que nous redevenions amis. Avant nous plaisantions ensemble, nous parlions...

— Eh bien parlez !

— Y a-t-il un sujet en particulier que vous souhaiteriez aborder ?

Le regard de Jason s'attarda sur ses traits ensorcelants et il songea : « Je voudrais savoir pourquoi vous cherchez à anesthésier vos sens avec de l'alcool avant de vous donner à moi. Je voudrais savoir pourquoi mon contact vous dégoûte. » Mais à la place il répondit :

— Non, rien de particulier.

— Très bien, dans ce cas c'est moi qui commence, déclara-t-elle d'une voix hésitante. Ma robe vous plaît-elle ? C'est l'une de celles que vous aviez commandées pour moi à Mme Dumosse.

Jason contempla sa gorge laiteuse qui palpitait doucement au-dessus du corsage vert très échancré. C'était une invite aux caresses et le vert lui allait à ravir. Mais il lui aurait fallu des émeraudes autour du cou pour compléter sa toilette.

Ah, si les choses avaient été différentes entre eux, il aurait renvoyé les domestiques et l'aurait prise sur ses genoux. Il lui aurait dégrafé sa robe pour dévorer de baisers ces seins divins, pour les caresser à satiété. Puis il l'aurait portée jusqu'à son lit et lui aurait fait l'amour toute la nuit.

— La robe vous va bien, dit-il seulement. Il vous faudrait des émeraudes.

Victoria porta instinctivement une main à sa gorge. Elle ne possédait pas d'émeraudes.

— Vous aussi, vous êtes très élégant.

Il portait un costume bleu foncé à la coupe impeccable qui tombait sans un pli sur ses épaules carrées. Sa chemise blanche soulignait le hâle de son teint et ses cheveux noirs.

— Vous êtes très beau, ajouta-t-elle rêveusement.

Cette fois, elle réussit à lui arracher un sourire et, dérouté, il répondit :

— Merci.

— Je vous en prie, fit-elle en sautant sur cette conversation qui avait l'heur de lui plaire.

— La première fois que je vous ai vu, vous m'avez terrorisée, le saviez-vous ? Bien sûr, j'étais troublée... mais vous étiez si grand que vous m'avez effrayée.

Jason manqua s'étrangler avec son vin.

— A quoi faites-vous allusion ?

— A notre première rencontre, répliqua candidement Victoria. Vous ne vous en souvenez pas ? J'étais dehors, en plein soleil, avec ce cochon dans les bras. Et vous m'avez obligée à entrer dans la maison. Il y faisait si sombre comparé à l'extérieur...

Jason se leva brusquement :

— Pardonnez-moi de vous avoir si mal reçue. A présent, si vous n'y voyez pas d'inconvénient, je crois que je vais aller travailler un peu.

— Oh non ! s'exclama Victoria en se levant à son tour. Je vous en prie, faites autre chose, quelque chose que nous puissions faire ensemble. Quelque chose qui vous plaît.

Le cœur de Jason se mit à battre follement dans sa poitrine. Il vit ses joues empourprées et lut l'invitation dans ses grands yeux myosotis. L'espoir et l'incrédulité se mêlèrent dans son cœur et impulsivement, il caressa tendrement sa joue. Sa main descendit lentement vers son oreille et glissa sur ses cheveux lourds et soyeux.

Victoria frémit de joie en le voyant revenir à des sentiments meilleurs.

— Si nous jouions aux échecs? proposa-t-elle, tout heureuse. Je ne suis pas excellente mais si vous avez des cartes...

La main de Jason s'immobilisa et un masque impénétrable retomba sur son visage.

— Excusez-moi, Victoria. Il faut que je travaille.

Il passa devant elle et partit s'enfermer dans son bureau où il demeura toute la soirée.

Déçue et désemparée, Victoria essaya de tromper sa solitude en lisant. A l'heure de monter se coucher, elle était fermement résolue à ne pas retomber dans leurs anciennes relations, quel qu'en fût le prix. Juste avant sa proposition de jouer aux échecs, il l'avait regardée exactement comme il l'avait fait les autres fois avant de l'embrasser. Son corps ne s'y était pas trompé, lui, elle s'était sentie fondre et frissonner comme à chaque fois qu'il l'effleurait. Peut-être voulait-il l'embrasser plutôt que jouer aux échecs? Dieu tout-puissant, peut-être voulait-il lui infliger à nouveau cet horrible tourment...

Elle frissonna à cette seule pensée mais se sentit prête à s'y soumettre si l'harmonie de leur couple était en jeu. Son estomac se révulsa à la pensée de Jason la caressant nue, contemplant son corps de cet air à la fois avide et détaché comme le soir de leur mariage. Cela n'aurait peut-être pas été si terrible s'il avait été gentil avec elle, s'il avait été tendre comme lorsqu'il l'embrassait...

Elle attendit dans sa chambre jusqu'à ce qu'elle entendît monter Jason. Puis elle enfila un déshabillé bleu bordé de dentelle ivoire et ouvrit la porte que l'on avait réparée — à l'exception du verrou.

— Mil... Jason, murmura-t-elle, anxieuse.

Il était en train d'enlever sa chemise, le torse nu.

— Je voudrais vous parler.

— Victoria, sortez de ma chambre, ordonna-t-il, visiblement contrarié.

— Mais...

— Je n'ai pas envie de parler, lâcha-t-il, sarcastique. Je n'ai pas envie non plus de jouer aux échecs, et je ne veux pas jouer aux cartes.

— Alors qu'est-ce que vous voulez ?

— Que vous sortiez d'ici. Me suis-je bien fait comprendre ?

— Parfaitement, riposta dignement Victoria. Je ne vous importunerai plus, rassurez-vous.

Elle regagna sa chambre et ferma la porte derrière elle. Elle ne comprenait pas ce qu'il attendait d'elle. Et surtout elle ne le comprenait pas, *lui*. Mais elle connaissait quelqu'un qui le comprenait. A trente ans, Jason était plus vieux et plus expérimenté qu'elle, mais le capitaine Farrell était plus âgé : il saurait la conseiller.

25

Le lendemain matin, Victoria se dirigea résolument vers les écuries et fit seller son cheval. Elle portait un ravissant costume d'amazone noir dont le caraco ajusté moulait son buste et soulignait l'étroitesse de sa taille. Sa chemise blanche à jabot faisait ressortir son exquise carnation et ses pommettes hautes. Elle avait relevé sa masse de cheveux flamboyants en chignon sur la nuque. Cette coiffure la vieillissait un tantinet et lui donnait une petite touche apprêtée, mais elle y puisait l'assurance qui lui faisait cruellement défaut depuis quelques jours.

Elle attendit sa monture devant la porte de l'écurie en fouettant machinalement sa jambe avec sa cravache. Puis elle sourit au palefrenier qui lui amenait un hongre piaffant dont la robe ébène brillait au soleil comme de la soie.

Elle contempla, admirative, le superbe animal :

— Il est magnifique, John. Comment s'appelle-t-il ?

— Matador. Il vient d'Espagne. Sa Seigneurie a dit que vous pouviez le monter en attendant l'arrivée de votre nouveau cheval.

Jason lui avait acheté un cheval ? songea Victoria en grimpant sur le hongre. Pourquoi s'était-il senti obligé de lui acheter un cheval alors que ses écuries étaient réputées dans toute l'Angleterre ? C'était généreux, mais c'était surtout caractéristique de sa part de ne pas lui en avoir parlé.

En arrivant dans le chemin raide et tortueux qui conduisait au cottage du capitaine Farrell, elle obligea Matador à marcher au pas et poussa un soupir de soulagement en voyant le capitaine émerger du porche pour l'aider à descendre de sa monture.

— Merci. J'avais peur que vous ne soyez absent !

Le capitaine lui sourit avec bonté.

— J'étais sur le point de sortir vous rendre visite. Je tenais à m'assurer que tout allait bien entre vous.

— Eh bien, je vous ai évité de vous déplacer en pure perte.

— Aucune amélioration ? fit-il, surpris, en la faisant entrer.

Il mit une bouilloire à chauffer pour le thé. Victoria se laissa tomber sur une chaise et secoua tristement la tête :

— Je dirais même que ça va de mal en pis. Enfin non... j'exagère puisque Jason est resté à la maison hier soir au lieu d'aller à Londres retrouver sa... euh... vous voyez de quoi je parle, bredouilla la jeune femme qui n'avait pas eu l'intention de s'aventurer sur un terrain aussi délicat.

Le capitaine Farrell prit deux tasses sur une étagère et lui jeta un regard perplexe :

— Non, de quoi s'agit-il ?

Seul un regard embarrassé lui répondit.

— Parlez, mon petit. Je vous ai fait confiance, alors faites-en autant avec moi. A qui d'autre pouvez-vous parler ?

— Personne, avoua-t-elle, misérable.

— Si c'est aussi difficile que ça, imaginez-vous que je suis votre père... ou celui de Jason.

— Je ne sais même pas si j'oserais en parler à mon propre père.

Le capitaine posa les tasses et la regarda gravement :

— La mer n'a qu'un seul inconvénient, savez-vous lequel ? La solitude. Parfois j'apprécie cette solitude mais, lorsque je suis inquiet — à cause d'un orage par exemple —, il n'y a personne à qui je puisse confier mes craintes ou mes doutes. Il m'est impossible de montrer à mes hommes que j'ai peur, sinon ce serait la panique à bord. Alors je garde tout au fond de moi et ma peur grandit démesurément. En mer, il m'est souvent arrivé de croire que ma femme était malade ou en danger, et cette peur me hantait des jours et des nuits parce que personne n'était là pour me rassurer. Si vous ne pouvez pas parler à Jason et si vous refusez de vous confier à moi, vous ne trouverez jamais de réponse à vos questions.

— Capitaine, vous êtes un des meilleurs hommes que je connaisse, lui dit Victoria, attendrie.

— Alors faites comme si j'étais votre père et racontez-moi ce qui ne va pas.

— Très bien, capitula-t-elle, soulagée néanmoins de le voir tourner le dos avec tact et s'affairer dans la préparation du thé. Je suis venue vous demander si vous n'aviez rien omis de me dire au sujet de Jason. Hier, pour la première fois depuis que nous nous sommes vus ici, Jason est resté à la maison. Les autres soirs, il s'est rendu à Londres chez sa... heu... (Elle prit son courage à deux mains et acheva d'une voix ferme.) Chez sa maîtresse.

Elle le vit se raidir maïs il resta le dos tourné.

— Qu'est-ce qui vous fait penser ça ? interrogea-t-il en attrapant avec précaution le sucrier.

— Oh, j'en suis sûre. Il y avait un mot dans le journal hier matin. Jason est rentré à l'instant précis où je découvrais cet article. J'étais bouleversée...

— Je m'en doute.

— J'ai failli perdre mon sang-froid mais j'ai essayé de prendre sur moi. Je lui ai dit que je comprenais qu'un mari attentionné ait une maîtresse, mais qu'il devait faire preuve d'un minimum de discrétion et...

Le capitaine Farrell vit volte-face et la dévisagea, abasourdi, avec le sucrier dans une main et le pot à lait dans l'autre.

— Vous lui avez dit que vous le trouviez *attentionné* d'entretenir une maîtresse ?

— Mais oui. J'ai eu tort ?

— Mais pourquoi avez-vous dit cela ? Pourquoi ? Comment peut-on penser une chose pareille ?

— Miss Wilson... Flossie Wilson m'a expliqué qu'en Angleterre, tous les maris attentionnés avaient l'habitude de...

— Flossie Wilson ? s'exclama-t-il avec incrédulité. Flossie Wilson, répéta-t-il comme s'il n'en croyait pas ses oreilles. Mais c'est une vieille fille qui n'a pas plus de cervelle qu'un moineau ! Une oie blanche ! C'était elle qui veillait sur le petit Jamie quand Jason partait en voyage. Elle adorait le petit, ça oui ! Mais cette gourde a égaré l'enfant une fois. Et c'est à elle que vous êtes allée demander conseil ?

— Je ne lui ai rien demandé, riposta Victoria en rougissant. C'est elle qui a pris les devants.

— Pardonnez-moi, mon petit, je devrais pas me mettre en colère, reprit-il en se massant la nuque. Mais voyez-vous, en Irlande une femme assommerait son mari si elle le savait avec une autre ! C'est plus facile, plus franc et beaucoup plus efficace, croyez-moi. Mais continuez. Que s'est-il passé ensuite ?

— Je crois que j'en resterai là, hésita Victoria. Je n'aurais peut-être pas dû venir. C'était une erreur. J'espérais seulement que vous m'expliqueriez pourquoi Jason est devenu si distant depuis notre mariage...

— Comment cela, « distant » ? demanda-t-il, tendu.

— Eh bien... c'est difficile à dire...

Il lui servit une tasse de thé et se tourna vers elle en fronçant les sourcils :

— Victoria, êtes-vous en train de me dire qu'il ne vient pas très souvent vous rejoindre le soir dans votre lit ?

Victoria devint écarlate et fixa ses mains.

— Il n'est pas revenu depuis notre nuit de noces... et Dieu sait que je redoute cet instant depuis qu'il a brisé la porte après que je l'ai verrouillée...

Sans un mot, le capitaine Farrell reposa les tasses de thé sur le plateau et alla remplir deux verres de whisky. Puis il revint et en tendit un à Victoria.

— Buvez-moi ça, ordonna-t-il. Cela vous aidera à parler car j'ai bien l'intention d'entendre la suite.

— Savez-vous qu'en Amérique, jamais je n'avais bu une goutte d'alcool sauf le jour où mes parents sont morts ? observa-t-elle en frissonnant. Mais depuis que je suis en Angleterre, tout le monde s'obstine à m'offrir à boire, du vin, du cognac, du champagne... en me disant que ça me fera du bien. Or c'est tout le contraire qui se produit.

— Goûtez-y.

— Voyez-vous, j'étais si troublée le jour de mon mariage que j'ai failli tourner les talons devant l'autel. Alors en arrivant à Wakefield, je me suis dit que le vin me donnerait du courage. J'en ai bu cinq verres et je n'ai réussi qu'à me rendre malade quand... quand je suis allée me coucher.

— Vous voulez dire que vous avez failli abandonner Jason dans une église remplie d'invités ?

— Oui, mais personne ne s'en est rendu compte. Sauf Jason, bien sûr.

— Mon Dieu, murmura Mike, atterré.

— Et la nuit qui a suivi le mariage, j'ai manqué d'être malade.

— Mon Dieu, répéta-t-il. Et le lendemain matin, vous lui avez interdit l'accès de votre chambre ?

Misérable, Victoria hocha la tête.

— Et c'est ensuite que vous lui avez déclaré

qu'il était attentionné de sa part d'aller retrouver sa maîtresse ?

Elle hocha à nouveau la tête devant le capitaine éberlué.

— J'ai essayé de me rattraper hier soir, s'insurgea-t-elle.

— Vous m'en voyez soulagé.

— Oui, je lui ai proposé de faire ce qu'il voulait.

— Cela aurait dû arranger les choses, répliqua Mike avec un petit sourire.

— J'ai cru que oui. Mais lorsque je lui ai proposé une partie d'échecs, il a...

— Vous lui avez proposé... Mais pour l'amour du Ciel, pourquoi une partie d'échecs ?

Profondément blessée, Victoria lui expliqua posément :

— J'ai essayé de penser à quelque chose que faisaient mes parents. Je lui aurais bien proposé une promenade mais il faisait trop froid.

Le capitaine Farrell secoua la tête, sans savoir s'il devait rire ou pleurer.

— Pauvre Jason, souffla-t-il, amusé.

Puis il la regarda gravement et déclara :

— Je puis vous certifier que vos parents faisaient également... autre chose.

— Quoi par exemple ?

Elle se rappelait les longues soirées que ses parents passaient à lire assis l'un en face de l'autre devant le feu. Sa mère préparait à son père ses plats favoris, elle lui reprisait ses vêtements et tenait leur petite maison propre comme un sou neuf. Mais Jason, lui, avait toute une armée de domestiques à ses ordres.

— Je veux parler des moments intimes que partageaient vos parents lorsque vous étiez couchée dans votre lit et eux aussi, déclara-t-il sans prendre de gants.

Un vieux, très vieux souvenir traversa alors son esprit. Elle revit ses parents dans le couloir, devant la porte de la chambre de sa mère et elle entendit la voix suppliante de son père :

— *Pour l'amour du Ciel, ne te refuse pas à moi, Katherine !*

Bouleversée, elle comprit ce que sa mère refusait à son père. Katherine ne voulait plus se donner à lui. Elle se souvint du désespoir de son père ce soir-là, et combien elle en avait voulu à sa mère de le faire souffrir à ce point. Ses parents étaient amis, certes, mais sa mère n'aimait pas son père. Katherine avait aimé Charles Fielding et c'était pour cela qu'elle s'était refusée à leur père après la naissance de Dorothée.

Victoria se mordit les lèvres en se souvenant du regard triste qu'avait souvent son père. Tous les hommes réagissaient-ils ainsi lorsque leurs femmes les dédaignaient ?

Soudain elle comprit que, jusqu'à présent, elle avait essayé de devenir l'amie de Jason, qu'elle avait voulu calquer son attitude sur celle de sa mère.

— Vous êtes généreuse, Victoria. Vous débordez de vitalité et de courage. Oubliez les mariages que vous avez vus autour de vous, ce ne sont que des mariages de convenance, superficiels et dénués d'amour. Pensez à vos parents. Ils s'aimaient, n'est-ce pas ?

Son mutisme prolongé provoqua un haussement de sourcils chez le capitaine qui changea brusquement de stratégie.

— Ne parlons plus de vos parents. Je connais bien les hommes et je connais Jason. Alors souvenez-vous d'une chose : si une femme ferme sa porte à son mari, il lui fermera son cœur. S'il possède un minimum de fierté, bien sûr. Or Jason est terriblement fier. Jamais il ne rampera à vos pieds pour vous supplier de lui accorder vos faveurs. Vous vous êtes dérobée la première, c'est à vous de faire le premier pas pour qu'il comprenne que vous ne voulez plus le fuir.

— Comment y parviendrai-je ?

— Sûrement pas en lui proposant de jouer aux échecs. Ni en lui conseillant d'aller voir une autre femme par délicatesse. (Le capitaine se massa la nuque.) Mon Dieu, que ce doit être compliqué pour un père d'élever une fille !

Victoria qui ne tenait plus en place se leva.

— Je vais réfléchir à ce que vous m'avez dit, promit-elle, cachant son embarras du mieux qu'elle pouvait.

— Puis-je vous poser une question ?

— C'est de bonne guerre, répondit Victoria en souriant. Après tout ce que je vous ai demandé.

— A-t-on déjà soulevé devant vous l'aspect physique des relations conjugales ?

— C'est un sujet que l'on n'aborde qu'avec sa mère, objecta Victoria, écarlate. J'ai entendu parler du devoir conjugal, bien entendu, mais...

— Ah, le devoir conjugal ! jeta Mike Farrell avec mépris. Dans mon pays, on ignore cette expression. Toutes les filles attendent avec impatience leur nuit de noces, vous savez. Rentrez chez vous, mon petit, et séduisez votre mari. Jason s'occupera du reste. Je vous promets que vous n'y verrez pas longtemps un « devoir », comme vous dites ! Loin de là ! Je connais mon Jason !

— Et... si je fais ce que vous me conseillez, cela lui fera plaisir ?

— Oui, acquiesça le capitaine avec bonté. Et en échange, lui aussi vous fera plaisir.

Victoria reposa son verre auquel elle n'avait pas touché.

— Je ne sais rien du mariage, ni du rôle qu'une épouse doit jouer et encore moins de la séduction.

Le capitaine Farrell regarda la délicieuse jeune femme qui se tenait devant lui et réprima un rire.

— Vous n'aurez aucun mal à séduire Jason, ma chère. Dès qu'il comprendra que vous acceptez de lui ouvrir votre lit, je suis convaincu qu'il sera ravi de s'exécuter.

Victoria s'empourpra, sourit faiblement puis se dirigea vers la porte.

Perdue dans ses pensées, elle se laissa ramener par Matador sans même s'apercevoir de l'allure à laquelle galopait le hongre. Lorsqu'il s'immobilisa couvert d'écume devant l'écurie de Wakefield, elle était au moins certaine d'une chose : elle ne rendrait pas Jason malheureux comme l'avait été son père.

Elle n'aurait pas trop de mal à se soumettre aux caresses de Jason s'il l'embrassait comme il l'avait fait les fois précédentes, s'il pressait audacieusement sa bouche contre la sienne, s'il refaisait ces drôles de caresses avec sa langue qui la faisaient fondre de plaisir. Elle devait admettre qu'elle adorait ses baisers. Dommage que les hommes, une fois couchés, songent à autre chose, se dit-elle tristement.

— Tant pis ! décréta Victoria en descendant de sa monture.

Elle était prête à tout pour rendre Jason heureux et retrouver leur intimité passée. Et s'il suffisait pour cela de le séduire...

— Lord Fielding est-il là? demanda-t-elle à Northrup.

— Oui, madame, répondit-il en s'inclinant. Il travaille dans son bureau.

— Est-il seul?

— Oui, madame.

Victoria traversa le hall et se faufila silencieusement dans le bureau. Elle aperçut Jason de profil; il était assis dans son fauteuil à l'autre bout de la pièce et parcourait une liasse de papiers. Emue, Victoria contempla le petit souffre-douleur qui, à la force du poignet, était devenu un beau gentleman, riche et puissant. Il avait amassé une fortune, acheté de vastes propriétés, pardonné à son père et hébergé une pauvre petite Américaine orpheline. Et il était toujours aussi seul. Toujours en train de travailler, toujours en train de se battre...

« Je vous aime », songea-t-elle impulsivement.

Cette révélation la fit chanceler. Elle avait toujours aimé Andrew. Pourtant, jamais elle n'avait éprouvé ce besoin désespéré de le rendre heureux. Et voilà qu'elle aimait Jason, en dépit de l'avertissement lancé par son père, contre la volonté même de Jason qui refusait de se laisser aimer et qui ne voulait que son corps. Paradoxalement, c'était l'inverse qui s'était produit: elle l'aimait mais elle s'était dérobée à lui physiquement. Il fallait coûte que coûte qu'il acceptât les deux.

Elle traversa le magnifique tapis d'Aubusson qui étouffait ses pas et se posta juste derrière lui.

— Pourquoi travaillez-vous autant? interrogea-t-elle d'une voix très douce.

Il sursauta sans se retourner.

— J'aime ça, répondit-il brièvement. Que désirez-vous? Je suis occupé.

Cela commençait mal, et l'espace d'une seconde,

Victoria envisagea de lui dire carrément qu'elle voulait monter au lit avec lui. Mais le culot lui manqua et le courage aussi. Il était d'humeur encore plus taciturne que le fameux soir de leurs noces. Pour le ramener à des sentiments meilleurs, elle poursuivit avec sollicitude :

— Vous n'avez pas mal au dos à force de rester assis toute la journée ?

Et prenant son courage à deux mains, elle posa les doigts sur ses larges épaules afin de le masser doucement.

Jason se raidit aussitôt et demanda d'un ton rogue :

— Qu'est-ce que vous faites ?

— Je vous masse les épaules.

— Victoria, mes épaules n'ont que faire de vos attentions.

— Pourquoi êtes-vous si désagréable ? rétorqua-t-elle en faisant le tour de la table.

Comme il faisait mine d'ignorer sa présence, elle vint se jucher sur un coin du bureau.

Exaspéré, Jason lâcha sa plume et se renversa dans son fauteuil en la regardant attentivement. La jambe de Victoria frôlait presque sa main et se balançait doucement pendant que la jeune femme se penchait pour lire ce qu'il venait d'écrire. Ses yeux vinrent malgré lui se poser sur ses seins puis remontèrent vers les courbes alléchantes de sa jolie bouche. Ses cils d'une longueur démesurée projetaient leur ombre sur ses joues veloutées.

— Bien ! s'exclama-t-elle gaiement en se levant. Je venais juste vous dire un petit bonjour en passant. Qu'est-ce qui vous ferait plaisir pour le dîner ?

« *Vous* », songea-t-il avant de grommeler :

— Ça m'est égal.

— Et pour le dessert, avez-vous une préférence ?

«*La même chose que pour le dîner*», pensa-t-il, mais il répondit en dominant le désir qui le tenaillait :

— Non.

— Vous êtes facile à contenter ! le taquina-t-elle en passant un doigt mutin sur ses sourcils.

Jason attrapa sa main et la repoussa brusquement.

— Vous avez perdu la tête ? grinça-t-il.

Victoria se rétracta intérieurement mais elle réussit à feindre l'insouciance et haussa les épaules.

— Il y a toujours des portes entre nous. Je voulais savoir ce que vous faisiez.

— Il n'y a pas que des portes, riposta Jason en laissant retomber sa main.

— Je ne le sais que trop, approuva-t-elle doucement.

Jason faillit céder à la poignante tristesse qu'il lut dans ses beaux yeux.

— J'ai beaucoup de travail, expliqua-t-il en reprenant ses papiers.

— Je le vois bien. Beaucoup trop de travail pour que vous puissiez me consacrer un instant.

Et elle s'en fut sans bruit.

A l'heure du souper, elle descendit vêtue d'une robe de mousseline couleur pêche qui la moulait étroitement. Le tissu presque transparent épousait toutes les courbes de son corps voluptueux. Jason fronça les sourcils.

— C'est moi qui vous ai offert ça ?

Victoria suivit son regard aimanté par l'audacieux décolleté en V de son corsage et sourit, malicieuse :

— Bien sûr. Moi, je n'ai pas d'argent.

— Je vous interdis de sortir dans cette tenue. Elle est parfaitement indécente.

— Je savais qu'elle vous plairait, se réjouit-elle en comprenant instinctivement qu'il la trouvait séduisante : une lueur sans équivoque avait brillé dans ses yeux verts.

Jason la dévisagea sans en croire ses yeux ni ses oreilles. Puis il se tourna vers le flacon en cristal sur la table.

— Voulez-vous un peu de cognac ?

— Seigneur non ! se récria-t-elle en riant. Vous avez pu vous rendre compte par vous-même que l'alcool et moi ne faisons pas bon ménage. Cela me donne mal au cœur. Souvenez-vous ce qui s'est passé quand j'ai bu le soir de notre mariage.

Sans remarquer l'effet que provoquaient ses paroles, Victoria se tourna pour examiner un vase précieux de l'époque Ming. Elle avait une idée bien précise en tête. Soudain elle se jeta à l'eau.

— J'aimerais aller à Londres demain, déclara-t-elle en revenant vers lui.

— Pourquoi ?

Elle se percha sur le bras du fauteuil dans lequel il venait de s'asseoir.

— Mais pour dépenser votre argent, voyons !

— Je ne me souviens pas de vous en avoir donné, murmura-t-il, troublé par sa cuisse toute proche de son bras.

Sous l'éclairage romantique des bougies, la mousseline arachnéenne prenait une couleur rosée et translucide comme celle de la peau.

— Je n'ai quasiment rien dépensé jusqu'à présent. Voulez-vous m'accompagner ? Nous pourrions ensuite aller au théâtre et rester dormir ?

— J'ai un rendez-vous d'affaires ici après-demain.

— Qu'à cela ne tienne, répondit-elle sans réfléchir. (Pendant le trajet de retour, ils auraient tout le temps de bavarder.) Nous rentrerons demain soir.

— J'ai trop à faire, déclara-t-il sèchement.

— Jason, murmura-t-elle en caressant une boucle noire.

Il bondit de son fauteuil et se dressa, menaçant.

— Si c'est de l'argent que vous désirez, dites-le ! Mais cessez de vous comporter comme une petite grue, ou alors je vous traite comme telle et je vous culbute ici même sur ce sofa ! rugit-il d'une voix vibrante de mépris.

Les yeux étincelants de rage et d'humiliation, Victoria riposta du tac au tac :

— Eh bien, apprenez pour votre gouverne que je préfère encore être une grue plutôt qu'une imbécile comme vous, qui prêtez à autrui de fausses intentions et qui vous trompez toujours dans vos jugements !

Jason la fusilla de son regard vert et froid.

— Que voulez-vous dire par là ?

Victoria en tapa du pied de frustration.

— Vous passez votre vie à me dresser des procès d'intention ! Ah ! Vous êtes très fort pour ça ! Mais vous tombez toujours à côté ! A présent écoutez-moi bien ! Si je vivais de mes charmes comme vous le prétendez, je n'aurais pas grand-chose à me mettre sous la dent avec vous ! Je vous souhaite bien le bonsoir, monsieur, vous pouvez dîner tout seul et assouvir votre mauvaise humeur sur les domestiques. Demain j'irai à Londres sans vous !

Dans une envolée de mousseline, elle quitta rageusement la pièce. Une fois dans sa chambre, elle ôta sa robe et se changea. Puis elle s'assit devant sa coiffeuse et, pendant que sa colère retombait, un petit sourire malicieux apparut sur ses lèvres : la stupeur de Jason au moment où elle avait déballé ce qu'elle avait sur le cœur avait été comique à voir.

26

Victoria se rendit à Londres tôt le lendemain et ne rentra qu'au crépuscule. Elle serrait amoureusement dans ses mains l'objet qu'elle avait aperçu dans une vitrine la première fois qu'elle était venue en ville. A l'époque, elle avait immédiatement pensé à Jason mais le prix du bibelot l'avait horrifiée. En outre, il aurait alors été inconvenant de lui faire un cadeau.

Elle ignorait quand elle le lui offrirait. Sûrement pas en ce moment, vu l'état piteux de leurs relations. Mais bientôt, peut-être. Un petit frisson la parcourut lorsqu'elle songea à son prix exorbitant. Jason lui avait accordé une pension plus que généreuse à laquelle elle n'avait pas touché ou presque, mais tout était parti dans cet achat et le propriétaire de ce petit magasin très chic avait même été heureux de faire crédit à la marquise de Wakefield.

— Sa Seigneurie est dans son bureau, déclara Northrup en ouvrant la porte d'entrée.

— Désire-t-il me voir ? l'interrogea Victoria, étonnée.

— Je... je l'ignore, madame, répondit Northrup avec embarras. Mais... hem... il a demandé à plusieurs reprises si vous étiez rentrée.

Victoria contempla attentivement le visage las

du majordome et se souvint de ce fameux jour d'orage où Jason avait passé sa colère sur les domestiques.

— Combien de fois m'a-t-il demandée ?

— Trois fois. Au cours de l'heure passée.

— J'ai compris, répondit Victoria, enchantée. Elle laissa Northrup la débarrasser de sa pelisse puis se dirigea vers le bureau. Gênée par son paquet volumineux, elle entra sans frapper. Au lieu de trouver Jason assis à sa table de travail, elle le vit appuyé contre la fenêtre en train de fixer les pelouses d'un air absent. Dès qu'il l'entendit approcher, il fit volte-face et se raidit.

— Ah vous voici enfin ! déclara-t-il en glissant les mains dans ses poches.

— Cela vous surprend-il ? répliqua Victoria, guettant sa réaction.

Il haussa les épaules avec lassitude.

— Pour être franc, je ne sais jamais à quoi m'en tenir avec vous.

Il n'avait pas entièrement tort, songea Victoria, amusée. La veille, elle avait commencé par minauder et jouer à la femme fatale avant de le quitter à grand fracas. Et voilà qu'elle éprouvait l'envie irrésistible de se jeter à son cou pour lui demander pardon. Mais, peu désireuse d'essuyer une nouvelle rebuffade, elle se calma et décida brusquement de lui offrir son cadeau tout de suite.

— Je voulais acheter quelque chose à Londres, annonça-t-elle sur un ton enjoué en lui montrant le paquet. Je convoitais depuis longtemps cet objet, mais je n'avais pas assez d'argent.

— Vous auriez dû m'en demander, dit-il en se dirigeant vers son bureau dans la visible intention de se remettre au travail.

Victoria secoua la tête.

— Il m'aurait été difficile de le faire puisque c'était pour vous. Tenez, ajouta-t-elle en lui tendant le paquet.

Jason resta cloué sur place et regarda la boîte oblongue enveloppée dans un papier argenté.

— Quoi ? fit-il, abasourdi, comme si elle avait parlé chinois.

— Je suis allée à Londres pour vous acheter ceci.

Visiblement confus, il fixait son cadeau les mains toujours dans les poches. Le cœur serré, Victoria comprit que c'était probablement la première fois qu'on lui offrait un cadeau. Ce n'était pas Melissa ni ses maîtresses qui avaient dû lui en offrir beaucoup. Quant à l'ignoble femme qui l'avait élevé, la question ne se posait même pas.

Elle se retint de lui sauter au cou quand il finit par sortir les mains de ses poches. Il prit le paquet et le tourna entre ses doigts d'un air gauche. Cachant son émotion sous un sourire éclatant, Victoria s'assit sur la table et le taquina :

— Allez-vous l'ouvrir, oui ou non ?

— C... comment ? bredouilla-t-il.

Il recouvra son assurance et poursuivit :

— Vous voulez que je l'ouvre tout de suite ?

— Pourquoi pas ? Posez-le ici, à côté de moi. Et faites très attention, c'est fragile.

— C'est lourd, acquiesça-t-il avec un vague sourire en dénouant précautionneusement le ruban.

Il défit le papier et souleva le couvercle de la boîte en cuir doublée de velours.

— Elle m'a fait penser à vous, expliqua Victoria tandis qu'il sortait prudemment une ravissante panthère en onyx dont les yeux sertis de deux émeraudes scintillaient de mille feux.

On aurait dit que l'animal avait été statufié en

pleine course. Son corps souple paraissait vibrer, ses flancs puissants et gracieux s'allongeaient et on devinait l'intelligence et la cruauté dans le vert insondable de ses yeux.

Jason, amateur de tableaux et d'objets rares, possédait l'une des plus belles collections d'Europe et il contempla la panthère avec un recueillement qui bouleversa Victoria. Elle était consciente qu'il s'agissait d'une belle pièce mais il avait l'air de tenir un trésor inestimable entre ses mains.

— Elle est très belle, murmura-t-il en caressant son dos.

Avec une délicatesse infinie, il posa l'animal sur son bureau puis se tourna vers Victoria :

— Je ne sais que dire, avoua-t-il, penaud.

Elle leva les yeux vers son visage volontaire qu'éclairait un sourire gamin et songea que jamais il ne lui avait paru aussi beau. Le cœur soudainement léger, elle répondit :

— Ne dites rien, seulement « merci » si vous le désirez.

— Merci, murmura-t-il d'une voix bizarre et enrouée.

— Remerciez-moi par un baiser.

Ces mots avaient jailli sans même qu'elle s'en rendît compte.

Jason respira profondément comme s'il faisait appel à toute sa volonté puis, posant une main sur la table de chaque côté de la jeune femme, il se pencha. Il effleura légèrement ses lèvres et la douceur de ce baiser fut presque intolérable. Victoria renversa la tête en arrière et perdit l'équilibre. Jason se redressait déjà quand elle se raccrocha désespérément à lui pour ne pas tomber. C'en était trop pour Jason, soumis à un véritable supplice de

Tantale. Il reprit avidement sa bouche et quand il la sentit répondre à son baiser, il accentua sa caresse. Mutine, sa langue força le rempart de ses lèvres qui s'entrouvrirent.

Avec un gémissement sourd, il l'enveloppa de ses grands bras, la souleva dans les airs et la serra de toutes ses forces contre lui. Il sentit ses mains se nouer autour de son cou pour l'attirer à elle. Cet encouragement provoqua en lui un déferlement de passion inouï. Sa main recouvrit la ferme rondeur d'un sein. Victoria trembla devant une telle audace mais, au lieu de le repousser comme il s'y attendait, elle se pressa contre lui, perdue elle aussi dans la violence de leur étreinte.

Le timbre jovial de Mike Farrell résonna dans le hall :

— Ne vous fatiguez pas, Northrup. Je connais le chemin.

Il fit irruption dans le bureau et Victoria se dégagea d'une secousse.

— Jason ! Je...

Il s'excusa d'un sourire. Victoria était rouge comme une pivoine et Jason fronçait les sourcils.

— Oh ! Pardon !

— Nous avons terminé, commenta Jason, laconique.

Incapable de soutenir le regard du capitaine, Victoria sourit fugitivement à Jason et sortit en balbutiant qu'elle devait se changer pour le dîner.

— Comment vas-tu, Jason ? s'enquit Mike en lui serrant la main.

— Je n'en sais trop rien, répondit distraitement ce dernier en suivant sa femme des yeux.

Mike Farrell réprima un petit rire mais il se rembrunit en voyant Jason lui tourner le dos et se diriger lentement vers les fenêtres. Avec un geste qui trahissait une infinie lassitude, il se frotta la nuque.

— Qu'est-ce qui ne va pas?

Jason eut un rire bref et amer.

— Rien, Mike. Rien que je n'aie mérité. Rien que je ne sois en mesure de régler.

Quand le capitaine repartit une heure plus tard, Jason se renversa dans son fauteuil et ferma les yeux. L'incendie qu'avait allumé Victoria dans son corps brûlait encore. Il la désirait si fort qu'il souffrait le martyre. Il devait serrer les dents et les poings pour ne pas monter quatre à quatre l'escalier et la prendre sur-le-champ. Il avait envie de l'étrangler en repensant à la fois où elle lui avait dit qu'il était un mari attentionné parce qu'il avait une maîtresse.

Il ne comprenait rien à la femme-enfant qu'il avait épousée. Un soir elle voulait faire une partie d'échecs, le lendemain elle jouait un jeu subtil de séduction. Dans ce dernier rôle, elle était superbe, incomparable et d'une efficacité redoutable. Elle s'asseyait sur son bureau, sur l'accoudoir de son fauteuil, elle lui offrait un cadeau, elle quémandait des baisers... Brusquement il se demanda si tout à l'heure, lorsqu'elle l'embrassait, elle s'était imaginé embrasser Andrew.

Ecœuré de constater la faiblesse de son corps, il se leva et gravit prestement l'escalier. Il avait su pertinemment qu'il épousait une femme dont le cœur avait appartenu à un autre, mais avait ignoré à quel point il en souffrirait. L'orgueil seul l'avait retenu de revenir la trouver dans sa chambre. L'orgueil et la certitude de n'en puiser aucune satisfaction, comme le soir de leur mariage.

Victoria l'entendit aller et venir dans sa chambre et frappa à la porte de communication. Il l'invita à entrer mais le sourire de Victoria s'évanouit aussitôt : Franklin était là qui préparait les bagages de Jason pendant que ce dernier glissait des documents dans une serviette en cuir.

— Où... où allez-vous ? balbutia-t-elle.

— A Londres.

— Mais... pourquoi ? demanda Victoria, affreusement déçue.

Jason jeta un coup d'œil à son valet :

— Merci, Franklin. Je terminerai tout seul.

Il attendit que le domestique se fût retiré avant d'expliquer brièvement :

— Je travaille mieux là-bas.

— Mais hier, vous avez refusé de m'accompagner à Londres sous prétexte que vous aviez un rendez-vous ici demain !

Jason s'interrompit dans ses rangements et se raidit, pris à son propre piège. Puis, avec un langage délibérément cru, il précisa :

— Victoria, savez-vous ce qui peut se passer chez un homme maintenu dans un état perpétuel d'insatisfaction sexuelle ?

— Non, balbutia faiblement sa femme.

— Qu'à cela ne tienne, je vais vous le dire.

— N... non, je crois qu'il ne vaut mieux pas... car vous êtes encore sujet à ces sautes d'humeur qui...

— Je ne souffrais pas de ces « sautes d'humeur » avant de vous connaître, jeta méchamment Jason.

Il lui tourna le dos et les mains fermement appuyées sur la cheminée, poursuivit en fixant le parquet :

— Maintenant écoutez-moi : regagnez votre chambre avant que je cesse d'être un mari « attentionné ».

Victoria sentit son cœur chavirer.

— Vous allez retrouver votre maîtresse, n'est-ce pas ? fit-elle d'une voix étranglée en se souvenant de l'ineffable tendresse qu'elle avait lue dans ses yeux lorsqu'elle lui avait offert son cadeau.

— On dirait une femme jalouse, ironisa-t-il.

— Mais je n'y peux rien, je suis *votre femme.*

— Vos notions sur le rôle d'une épouse sont étranges. A présent, sortez d'ici.

— Décidément, vous êtes odieux ! explosa Victoria. Ainsi, je ne sais pas ce que c'est qu'être une épouse ? Je sais cuisiner, coudre et tenir une maison, mais vous avez des dizaines de serviteurs pour le faire à ma place ! Et laissez-moi vous dire autre chose, lord Fielding, poursuivit-elle, déchaînée. Je ne suis peut-être pas une bonne épouse, mais vous, vous êtes un mari impossible ! Quand je vous propose de jouer aux échecs, vous prenez la mouche et quand j'essaie de vous séduire, vous devenez méchant...

Elle vit Jason relever brusquement la tête, mais dans son indignation elle ne prêta aucune attention à la stupeur qui se peignait sur son visage.

— Et quand je vous offre un cadeau, vous filez à Londres rejoindre votre maîtresse !

— Tory, fit-il douloureusement. Venez.

— Non ! Je n'ai pas encore terminé ! Allez donc trouver votre maîtresse, si c'est ce que vous voulez ! Mais ne venez pas me dire ensuite que je n'ai pas su vous donner un fils ! Je suis peut-être naïve, mais pas au point de m'imaginer faire un bébé sans un minimum de coopération de votre part !

— Tory, je vous en supplie, venez, répéta Jason d'une voix rauque.

Son timbre étrange intrigua Victoria dont la colère retomba comme elle était venue. Mais elle craignit une nouvelle rebuffade et le mit en garde :

— Jason, je doute même que vous sachiez ce que vous voulez. Vous dites que vous voulez un fils et vous...

— Je sais exactement ce que je veux, objecta ce dernier en lui ouvrant les bras. Venez et je vous le prouverai...

Hypnotisée par ses yeux verts et par les intonations veloutées de sa voix, Victoria obéit lentement et se retrouva soudain enveloppée dans ses bras. Sa bouche vint recouvrir la sienne et le baiser ardent qu'ils échangèrent fit jaillir en elle un volcan. Elle sentit quelque chose de dur se presser contre elle pendant qu'il caressait son dos et ses seins, apaisant ses frayeurs et incendiant ses sens.

— Tory, chuchota-t-il en couvrant son cou de petits baisers, la faisant frissonner de plaisir. Tory, répéta-t-il presque douloureusement avant d'écraser à nouveau ses lèvres sur les siennes.

Il l'embrassa lentement, savamment, puis donna libre cours à la soif inextinguible qu'il avait de son corps : ses mains étaient partout, elles se posèrent au bas de ses reins et l'attirèrent contre son sexe dressé, arrachant à la jeune femme un gémissement de désir primitif.

Sans quitter ses lèvres, il la souleva dans ses bras. Ensorcelée, Victoria avait l'impression que le monde basculait autour d'elle tandis qu'il la déposait doucement sur le lit. Elle s'accrocha désespérément à cet univers merveilleux et ferma les yeux pendant qu'il se déshabillait. Elle le sentit qui s'asseyait près d'elle et attendit avec terreur qu'il la dévêtît à son tour.

Mais à la place, il déposa un baiser léger sur ses

paupières closes et la prit délicatement dans ses bras.

— Ne craignez rien, ma princesse, chuchota-t-il d'une voix très douce. Ouvrez les yeux, je vous en supplie. Je ne vous ferai pas mal cette fois, c'est promis.

Victoria prit son courage à deux mains et ouvrit les yeux, pour constater avec un intense soulagement qu'il n'avait gardé qu'une seule bougie allumée à l'autre bout de la pièce.

Jason lut l'effroi dans ses immenses yeux myosotis et d'une main caressa doucement les boucles mordorées répandues sur l'oreiller. Il avait été le seul homme à la toucher, songea-t-il, bouleversé. Une bouffée d'orgueil l'envahit. Cette ravissante enfant, si brave et si pure, s'était donnée à lui et à lui seul. Oh, comme il souhaitait se racheter pour l'autre soir !

Il effleura de ses lèvres le lobe de son oreille.

— Je sais ce que vous pensez, souffla-t-il. Mais n'ayez pas l'air aussi effrayé. Ce sera aussi bon que nos baisers. Rien n'a changé.

— Si ce n'est que vous avez ôté vos vêtements, lui rappela Victoria d'une voix tremblante.

Il réprima un sourire.

— C'est vrai. Mais pas vous.

« Pas pour longtemps », songea-t-elle.

Son rire grave et sensuel résonna contre son oreille comme s'il lisait dans ses pensées. Il déposa un baiser sur sa tempe.

— Vous préférez garder votre vêtement ?

La jeune femme le regarda droit dans les yeux et murmura :

— Je veux vous faire plaisir, et je ne suis pas sûre que vous désiriez me voir les garder.

Avec un gémissement étouffé, Jason se pencha

pour l'embrasser avec fougue et l'aiguillon du désir le transperça comme un poignard.

Retenant son souffle, il défit le cordon de son vêtement. Il allait l'entrouvrir quand ce fut plus fort qu'elle : d'une petite main tremblante, elle le retint.

— Je n'irai pas contre votre volonté, promit-il. Mais je voudrais tellement que plus rien ne nous sépare, ni malentendus, ni portes... ni même du tissu.

Sa tendre explication la fit frémir de gratitude et elle retira sa main. Alors à la plus grande joie de Jason, elle noua les bras autour de son cou et s'offrit à lui.

Son déshabillé tomba et il l'embrassa, caressant un mamelon rose du bout des doigts, suivant le dessin de sa bouche de la langue pour lui faire entrouvrir les lèvres. Au lieu de se soumettre avec passivité à son étreinte, Victoria enlaça plus étroitement son cou et accueillit fougueusement son baiser. Son sein se durcit sous les caresses et Jason, s'arrachant à ses lèvres, pencha la tête vers sa poitrine.

Victoria sursauta et se raidit instinctivement. Etonné, il releva la tête et se rendit compte une fois de plus que jamais personne ne l'avait caressée ainsi avant lui.

— Chérie, je ne vous ferai pas de mal, murmura-t-il avant de prendre délicatement entre ses lèvres le mamelon rose et dur.

Il l'embrassa, le taquina jusqu'à ce qu'elle s'apaisât, puis il se mit à le mordiller doucement.

La stupeur de Victoria disparut pour laisser place à un plaisir presque intolérable. Elle enfonça les doigts dans ses cheveux et l'attira à elle comme si elle ne voulait plus jamais le quitter... jusqu'à ce que sa main vînt se glisser entre ses cuisses.

— Non!

Un cri étouffé jaillit de sa gorge et elle serra obstinément les jambes. Mais loin de se fâcher, Jason se mit à rire tout bas. Il releva la tête et recommença à l'embrasser avec volupté.

— Oui, murmura-t-elle. Oh oui...

Alors sa main plongea à nouveau vers le petit triangle sombre et elle s'abandonna à ses caresses persuasives. Tout à coup Jason n'en revint pas: chassant toute résistance, elle s'offrait spontanément à lui. Elle cambra les reins et ses hanches se soulevèrent sous sa caresse tandis qu'il sentait ses ongles se planter dans sa chair.

Le cœur de Victoria chavira de plaisir et de terreur en sentant sa virilité de plus en plus insistante se presser contre ses cuisses.

— Ne craignez rien, je ne vous ferai aucun mal, dit-il d'une voix rauque en lui écartant les jambes.

Victoria souleva les paupières et regarda son mari. La passion durcissait ses traits, tous ses muscles étaient bandés dans l'attente de la délivrance et il haletait. Du bout des doigts, elle effleura ses lèvres sensuelles, comprenant instinctivement à quel point il lui était difficile de retenir son désir.

— Vous êtes tellement doux, chuchota-t-elle, bouleversée. Tellement doux...

A cet instant, un gémissement sourd jaillit de la poitrine de Jason. Il entra en elle avec délices. Elle se cambra et il observa son visage, le front ruisselant de sueur. La tête renversée sur l'oreiller, elle tremblait dans l'attente de ce qui allait suivre.

— Attends, Tory, souffla-t-il d'une voix rauque. Tu verras. Je te l'ai promis.

Tout le corps de Victoria se raidit, secoué de

spasmes, jusqu'à ce que le plaisir culminât en lui arrachant un cri. Alors Jason pencha la tête et l'embrassa une dernière fois avant de la rejoindre dans l'extase.

Attentif à ne pas l'écraser sous son poids, il roula sur le flanc sans la lâcher, leurs deux corps toujours soudés. Quand il eut retrouvé un souffle plus régulier, il l'embrassa sur le front et repoussa ses cheveux soyeux et emmêlés.

— Comment vous sentez-vous ? demanda-t-il tendrement.

Victoria releva ses longs cils recourbés.

— Comme une femme comblée, chuchota-t-elle.

Il rit tout bas et suivit le contour de sa joue veloutée du bout du doigt. Alors elle se blottit contre lui.

— Je voudrais vous dire quelque chose.

— Oui ? fit-il en souriant.

— Je vous aime, déclara-t-elle ingénument.

Son sourire s'évanouit.

— C'est vrai. Je vous...

Il la fit taire en posant un doigt sur ses lèvres et secoua la tête :

— Non, répondit-il fermement. Il ne faut pas. Ne m'en donnez pas plus, Tory.

Victoria détourna la tête en silence, blessée au plus profond d'elle-même. Il n'avait pas besoin de son amour, il n'en voulait pas...

Dehors dans le couloir, Franklin revenait à la charge pour savoir si lord Fielding avait besoin d'un coup de main pour faire ses valises. En l'absence de réponse, il entra dans la chambre.

Il cligna des yeux pour s'habituer à la pénombre et aperçut soudain le couple allongé sur le lit à baldaquin. A pas de loup, il rebroussa chemin puis referma la porte avec précaution.

Se précipitant dans le hall, il se pencha dangereusement au-dessus de la rampe !

— Monsieur Northrup ! lança-t-il plutôt qu'il ne chuchota. Monsieur Northrup ! J'ai des nouvelles de la plus haute importance ! Approchez...

Sur la gauche, deux soubrettes qui s'affairaient dans les chambres se précipitèrent pour écouter en se donnant des coups de coude. A droite, un valet apparut comme par enchantement et se mit à astiquer frénétiquement un miroir.

— Ça y est ! souffla Franklin à Northrup en essayant d'être le plus vague possible, dans l'éventualité où des oreilles indiscrètes traîneraient.

— Vous en êtes sûr ?

— Bien entendu ! riposta le valet, offensé.

Un sourire bref éclaira le visage austère du majordome, puis Northrup retrouva son masque d'impassibilité coutumier.

— Merci, monsieur Franklin. Je vais faire rentrer la voiture.

Il ouvrit la porte d'entrée et sortit dans la nuit où attendait une superbe calèche laquée bordeaux avec les armes de Wakefield. Quatre magnifiques alezans piaffaient en mordant leur harnais.

— Sa Seigneurie ne sortira pas ce soir, annonça-t-il au cocher de sa voix autoritaire.

— Comment ? s'exclama John, le cocher. Mais il vient de m'ordonner d'atteler les chevaux !

— Eh bien, il a changé d'avis, commenta Northrup, glacial.

John soupira, exaspéré, et foudroya du regard le majordome si peu bavard.

— Il y a sûrement un malentendu. Il avait l'intention de se rendre à Londres.

— Espèce d'idiot ! Il *avait* l'intention d'aller à Londres ! Il s'est couché.

— A sept heures du... ?

Comme Northrup rentrait dans la maison, un sourire s'épanouit sur le visage du cocher. Il jeta un clin d'œil malicieux à son compagnon.

— Comme qui dirait, lady Fielding a décidé que les brunes n'étaient plus à la mode...

Et il ramena les chevaux à l'écurie pour annoncer cette bonne nouvelle aux palefreniers.

Quant à Northrup, il se rendit immédiatement dans la salle à manger où O'Malley ôtait en sifflotant gaiement le couvert solitaire qu'il avait dressé pour Victoria.

— Il y a du changement, O'Malley, annonça-t-il.

— Pour sûr, m'sieur Northrup, acquiesça jovialement l'impertinent valet.

— Vous pouvez retirer le couvert.

— C'est déjà fait.

— Mais lord et lady Fielding risquent de vous réclamer une collation un peu plus tard.

— Dans leur chambre, prédit l'Irlandais avec un sourire béat.

Northrup se raidit et quitta la pièce à grandes enjambées.

— Insolent ! Maudit Irlandais, grommela-t-il, furieux.

— Espèce de pingouin amidonné, riposta O'Malley dans son dos.

27

— Bonjour, milady, dit Ruth avec un sourire radieux en entrant dans la chambre.

Victoria, le regard langoureux, se retourna dans le grand lit de Jason :

— Bonjour, répondit-elle en souriant. Quelle heure est-il ?

— Dix heures. Madame désire-t-elle s'habiller ? ajouta la soubrette en jetant un coup d'œil au désordre révélateur qui régnait dans la pièce.

Victoria rougit, mais elle baignait dans une telle félicité que sa honte disparut bien vite.

Ils avaient fait l'amour deux autres fois avant de s'endormir et ils avaient recommencé ce matin.

— Laissez-moi, Ruth, murmura-t-elle d'une voix lasse. Je crois que je vais dormir encore un peu.

Ruth s'éclipsa et Victoria roula sur le ventre, la tête enfouie dans ses oreillers. Un léger sourire flottait sur ses lèvres. Dire que les gens prenaient Jason pour un homme cynique, froid et distant ! S'ils avaient su l'amant tendre et passionné qu'il était ! Mais peut-être n'était-ce pas un secret, pensa-t-elle soudain en se rembrunissant. Pour preuve, les regards de convoitise que lui jetaient nombre de femmes mariées...

Elle chassa ces pensées moroses. Dorénavant, il était à elle et à elle seule. Son regard mi-clos finit par tomber sur l'écrin noir et plat sur la table de chevet. Elle s'en empara distraitement et l'ouvrit : un magnifique collier d'émeraudes s'y trouvait avec un petit mot de Jason : *Merci pour cette nuit inoubliable.*

Le joli front de Victoria se plissa de contrariété. Pourquoi l'avait-il empêchée de lui avouer son amour ? Et surtout, quand cesserait-il de lui offrir un bijou à chaque fois qu'elle lui faisait plaisir ? Cette babiole lui donnait l'impression désagréable d'un prêté pour un rendu...

Victoria se réveilla en sursaut. Il était presque midi et Jason devait en avoir fini avec son rendez-vous. Impatiente de le retrouver, elle enfila une robe bleu lavande avec de jolis poignets blancs. Elle laissa ensuite Ruth coiffer ses longues boucles et les attacher avec des rubans de la même couleur que la robe.

Puis elle se précipita dans le couloir et descendit le grand escalier en s'obligeant à plus de retenue. Northrup ne put s'empêcher de sourire lorsqu'elle lui demanda où se trouvait son mari, et quand elle croisa O'Malley sur le chemin du bureau, elle aurait presque juré qu'il lui avait adressé un clin d'œil. Elle frappa doucement et entra.

— Bonjour, fit-elle gaiement. Déjeunerons-nous ensemble aujourd'hui ?

Jason leva à peine le nez de ses papiers.

— Je suis désolé, Victoria, j'ai du travail.

La jeune femme se sentit rabrouée comme une enfant qui dérange et demanda après un moment d'hésitation :

— Jason, pourquoi faut-il que vous travailliez autant ?

— J'aime ça, rétorqua-t-il, laconique.

Il préférait visiblement son travail à sa compagnie, songea-t-elle avec tristesse. Car il n'était certainement pas motivé par le besoin.

— Pardon de vous avoir dérangé, se contenta

de conclure la jeune femme. Je ne recommencerai pas.

Elle sortit et Jason allait bondir pour lui dire qu'il avait changé d'avis quand il se ravisa. Bon sang! Oui, il mourait d'envie de déjeuner avec elle, mais ce serait une erreur de lui consacrer trop de temps. Victoria devait rester pour lui un agréable divertissement, mais il ne la laisserait pas s'installer dans son cœur. Jamais il ne laisserait une femme prendre un tel pouvoir sur lui.

Victoria éclata de rire en voyant le petit Billy brandir son sabre de bois dans le champ qui bordait l'orphelinat. Avec son cache noir sur l'œil, l'enfant ressemblait à un amour de petit pirate.

— Nous ferez-vous l'honneur de partager notre souper après le spectacle de marionnettes? lui demanda le pasteur. Si vous me permettez, madame, je dirais que nos petits protégés ont bien de la chance de vous avoir! Grâce à votre générosité, il n'y a pas un orphelinat dans le pays qui puisse se vanter d'avoir des enfants aussi bien nourris et habillés!

Victoria sourit et allait décliner l'invitation quand elle changea brusquement d'avis. Elle envoya l'un des enfants à Wakefield pour prévenir Jason qu'elle resterait dîner chez le pasteur. Puis elle s'adossa à un arbre et regarda les bambins jouer aux pirates, en se demandant quelle serait la réaction de son mari.

Réagirait-il seulement? Leurs rapports étaient devenus étranges et complexes. Outre les bijoux qu'il lui avait déjà offerts, elle possédait à présent des pendants d'oreilles et un bracelet en émeraude, une broche en rubis et des épingles à cheveux à tête de diamants. Chacun de ces joyaux lui avait été offert au lendemain des cinq nuits où ils avaient fait l'amour.

A chaque fois il se montrait ardent, passionné, et le lendemain matin, un cadeau l'attendait sur la table de chevet. Puis il la chassait de son esprit jusqu'au soir. Résultat : Victoria sentait monter en elle un ressentiment croissant à l'égard de son mari et un dégoût encore plus marqué pour les bijoux.

Elle aurait peut-être fait preuve de bonne volonté s'il avait travaillé du matin au soir, mais ce n'était pas le cas. Il trouvait le temps de sortir en compagnie de Robert Collingwood et de se livrer à nombre d'occupations. Il ne gratifiait Victoria de sa présence que le soir. Si telle était la vie qu'il lui réservait, son existence serait triste à pleurer, songea-t-elle misérablement. Voilà pourquoi elle avait décidé aujourd'hui de ne pas dîner chez elle.

Jason avait visiblement décrété que leur mariage ne ferait pas exception à la règle aristocratique. Il n'y avait que le peuple pour partager tous les moments de la vie, bons ou mauvais. Il refusait son amour et pourtant, chaque nuit, il déployait une telle ardeur qu'elle finissait toujours par lui crier qu'elle l'aimait. Plus elle essayait de retenir ces mots, plus il devenait passionné jusqu'à ce qu'il les lui arrachât. Alors seulement il laissait exploser en elle le plaisir.

On aurait dit qu'il voulait l'entendre prononcer ces paroles, qu'il en avait désespérément besoin. Et pourtant, jamais, même au faîte du plaisir, il ne le lui disait. De ses baisers et ses caresses, il enchaînait avec un art subtil son corps et son cœur, mais sans jamais oser s'investir lui-même.

Au bout d'une semaine, Victoria était résolue à lui faire admettre qu'il partageait les mêmes sentiments. Il l'aimait, elle en était sûre, elle le sentait dans ses caresses, dans ses baisers. Pourquoi sinon l'aurait-il forcée à dire qu'elle l'aimait ?

Après les révélations de Mike Farrell, elle comprenait que Jason ne pouvait se résoudre à lui faire confiance. Mais elle le ferait changer d'avis. Mike avait dit qu'il n'aimerait qu'une seule fois... une seule fois mais pour toujours. Ce serait elle qu'il aimerait ainsi. Elle décida de se rendre moins disponible, de se faire désirer. Peut-être comprendrait-il alors qu'il avait besoin d'elle et peut-être même le lui avouerait-il ?

Pendant tout le spectacle de marionnettes, Victoria fut sur des charbons ardents. Elle attendit impatiemment que l'heure vînt où elle pourrait décemment rentrer à Wakefield pour voir comment Jason avait réagi à son absence. Malgré ses protestations, le pasteur la raccompagna au manoir.

Mais Northrup lui annonça que lord Fielding avait décidé d'aller dîner chez des voisins et qu'il n'était pas encore rentré.

Profondément vexée, Victoria monta dans sa chambre et prit un bain. Comme il ne rentrait toujours pas, elle alla se coucher avec une revue qu'elle parcourut distraitement. Elle était bien attrapée !

Il était onze heures passées lorsqu'elle l'entendit pénétrer dans sa chambre. Elle feignit d'être profondément absorbée par sa lecture quand il la rejoignit quelques instants plus tard. Il avait dénoué sa cravate et déboutonné sa chemise jusqu'à la taille. A la vue de cette poitrine virile et bronzée, Victoria sentit une sensation désormais familière naître au creux de son ventre.

— Vous n'avez pas dîné ici ce soir, constata-t-il en s'approchant du lit.

— Non, acquiesça Victoria, essayant d'adopter le même ton indifférent.

— Pourquoi ?

Elle leva vers lui un regard innocent et se répéta mentalement l'explication qu'elle avait préparée : « Vous aimez travailler et moi j'aime avoir de la compagnie. » Hélas, perdant contenance, elle répondit avec nervosité :

— J'ai pensé que cela vous serait égal.

— Ça m'est parfaitement égal, admit-il à sa vive déception.

Il déposa un chaste baiser sur son front puis retourna dans ses appartements.

Interdite, Victoria contemplait la place vide à côté d'elle. Au fond de son cœur, elle se refusait à admettre qu'il lui était parfaitement indifférent de souper avec ou sans elle. Elle n'arrivait pas non plus à se faire à l'idée qu'il ne la rejoindrait pas ce soir. Elle attendit, allongée dans le noir, mais il ne vint pas.

Le lendemain, elle se réveilla triste à mourir, mais ce n'était rien comparé à ce qu'elle éprouva en voyant Jason entrer dans sa chambre. Fraîchement rasé et débordant d'énergie, il lui suggéra :

— Puisque vous vous sentez un peu seule, Victoria, pourquoi n'iriez-vous pas passer un jour ou deux à Londres ?

Elle faillit s'effondrer en pleurant. Mais dans un sursaut de fierté, elle ébaucha un sourire ravi :

— Quelle bonne idée, Jason ! Je crois que je vais suivre votre conseil. Merci !

Qu'il s'agît d'un défi ou d'un réel désir de se débarrasser d'elle, elle était décidée à relever le gant.

28

Victoria resta à Londres quatre jours, et au fur et à mesure que le temps passait, elle perdit l'espoir de voir Jason la rejoindre. Elle alla au spectacle chaque soir et rendit visite à ses amis. La nuit, elle n'arrivait pas à trouver le sommeil et essayait de comprendre l'être complexe qu'elle avait épousé. Il était impossible qu'il ne vît en elle qu'un instrument de plaisir. Il semblait tellement apprécier sa compagnie pendant le souper. Il s'attardait, plaisantait et la poussait à converser sur toute sorte de sujets.

Le soir du quatrième jour, Charles l'accompagna au théâtre. Elle rentra ensuite à son hôtel pour se changer avant de se rendre à un bal où on l'avait invitée. Le lendemain elle retournerait à Wakefield, décida-t-elle en proie à un mélange d'exaspération et de résignation. Elle abandonnait à Jason cette bataille et reprendrait l'offensive là-bas.

Elle fit une entrée remarquée entre le marquis de Salle et le baron Arnoff. Elle portait une ravissante robe de tulle tissée de fils d'argent.

Toutes les têtes se tournèrent vers elle et elle éprouva à nouveau l'impression désagréable que les gens la regardaient d'un air bizarre. Etait-ce dû au fait qu'elle sortait sans son mari ? Non. D'ailleurs ces regards, loin d'être réprobateurs, lui paraissaient plutôt compatissants et même apitoyés.

Lorsque Caroline Collingwood apparut vers la fin de la soirée, Victoria l'entraîna à l'écart. Mais sans lui laisser le temps de l'interroger, Caroline lui fournit d'elle-même la réponse :

— Victoria, lui demanda-t-elle avec anxiété, tout va bien entre lord Fielding et vous... ? Vous n'êtes pas séparés, n'est-ce pas ?

— Séparés ? répéta Victoria, abasourdie. C'était donc ça ! C'est la raison pour laquelle tout le monde me regarde ainsi !

— Vous n'avez rien à vous reprocher, s'empressa de la rassurer Caroline en jetant un coup d'œil méfiant autour d'elle. Mais compte tenu des circonstances, les gens en tirent des conclusions... Ils s'imaginent que vous avez peut-être eu un différend et que... eh bien, que vous l'avez quitté.

— Que je l'ai... Comment osent-ils ? s'écria tout bas la jeune femme indignée. Mais voyons, lady Calliper est également sortie sans son mari, et la comtesse de Graverton aussi, et...

— Moi aussi... l'interrompit Caroline. Mais aucune de nous n'a épousé un homme qui avait déjà été marié. Vous, si !

— Quelle différence cela fait-il ?

— Hélas, une grande différence. La première lady Fielding a colporté des choses atroces sur lord Fielding et beaucoup l'ont crue. Vous êtes mariée depuis peu de temps et vous êtes là ce soir. Et pour être sincère, Victoria, vous n'avez pas l'air heureuse. Les gens qui ont prêté foi aux mensonges de Melissa Fielding s'en souviennent et ils vous montrent du doigt en répétant ses méchancetés.

Victoria leva un regard désespéré vers son amie :

— Jamais je n'aurais imaginé une chose pareille. Je comptais rentrer demain à la maison... et, s'il n'était pas si tard, je partirais tout de suite.

Caroline posa une main sur son bras.

— Si quelque chose n'allait pas, si vous aviez besoin de parler à quelqu'un, vous savez que notre porte vous est toujours ouverte.

Mais Victoria secoua la tête.

— Je rentrerai demain à Wakefield. Il n'y a rien que je puisse faire ce soir.

— Essayez peut-être d'avoir l'air plus gaie, ironisa gentiment Caroline.

Victoria s'empressa de suivre son conseil et au cours des heures qui suivirent, elle s'efforça de parler avec la plupart des invités en amenant le nom de Jason dans la conversation dès qu'elle le pouvait. Pour un oui ou pour un non, elle citait son mari en exemple et vantait ses mérites. A l'entendre, Jason était adoré de ses fermiers, vénéré par ses domestiques. Comme on la complimentait sur son collier en saphirs, elle déclara qu'il la couvrait de bijoux. Un peu plus tard, la comtesse de Draymore lui rappela qu'elle l'attendait pour un petit déjeuner le lendemain, mais Victoria déclina courtoisement son invitation :

— Je ne pourrai malheureusement me joindre à vous, comtesse, voilà quatre jours que je suis à Londres et, pour être franche, mon mari me manque terriblement. Il est si bon et attentionné !

La comtesse de Draymore en resta bouche bée. Comme Victoria s'éloignait, elle se tourna vers ses amies en plissant les yeux avec perplexité.

— Si bon et attentionné ! répéta-t-elle. Mais je la croyais mariée à Wakefield ?

Dans son hôtel de Upper Brook Street, Jason arpentait sa suite comme un lion en cage. Il maudissait intérieurement son vieux majordome de ne pas avoir su lui dire où était Victoria, et s'en voulut une fois de plus de s'être précipité à Londres tel un amant jaloux et follement amoureux. Il l'avait cherchée sans succès dans trois endroits successifs.

Victoria en revanche avait si bien joué son rôle d'épouse comblée qu'à la fin de la soirée, les autres invités la considéraient avec un regard plus amusé que soucieux. Elle en souriait encore quand elle rentra à l'hôtel alors que l'aube pointait.

Elle s'empara du bougeoir laissé par les domestiques à son intention et gravit l'escalier. Elle allumait les bougies de sa chambre lorsqu'un bruit dans la pièce voisine attira son attention. Elle s'approcha sur la pointe des pieds, soulevant son bougeoir d'une main qui tremblait légèrement, quand la porte de communication s'ouvrit à toute volée, lui arrachant un cri de frayeur.

— Jason ! Dieu soit loué, c'est vous, fit-elle d'une main sur la poitrine. Je... je vous avais pris pour un voleur et j'allais m'assurer que...

— Quel courage ! ironisa-t-il en jetant un coup d'œil au bougeoir. Qu'auriez-vous fait si j'avais été un voleur ? M'auriez-vous menacé de me brûler les cils ?

Le rire de Victoria s'étrangla dans sa gorge. Une petite lueur caractéristique brillait dans ses yeux verts et elle vit les muscles de ses mâchoires se contracter. Jason bouillait de colère rentrée. Instinctivement, elle recula. Jamais il ne lui avait paru aussi dangereux. Il avança lentement vers elle de sa démarche nonchalante.

Victoria allait se réfugier derrière son lit quand elle s'arrêta et essaya de chasser sa terreur irraisonnée. Elle n'avait rien fait de mal, elle n'avait aucune raison de se conduire lâchement comme si elle était prise en faute !

— Jason, vous êtes fâché ?

Il s'arrêta à quelques centimètres de la jeune femme et planta les poings sur ses hanches. Les jambes écartées, il questionna d'une voix glaciale :

— Où diable étiez-vous ?

— Chez... chez lady Dunworthy.

— Jusqu'à cette heure-ci ?

— Mais oui... Je ne vois pas ce que cela a d'inhabituel. Vous savez à quelle heure tardive s'achèvent ces bals...

— Non, je ne sais pas, coupa-t-il sèchement. Et si vous me disiez pourquoi vous perdez toute notion du temps dès que j'ai le dos tourné ?

— Moi ? Perdre toute...

— Je vous avais permis de partir deux jours, pas quatre, que je sache !

— Mais je n'ai pas besoin de votre permission ! explosa Victoria. Et de toute façon, vous vous moquez de m'avoir ou non auprès de vous.

— C'est loin d'être le cas, répliqua-t-il d'une voix doucereuse en retirant lentement sa veste.

Il entreprit de déboutonner sa chemise et continua :

— Par contre, il vous faut bel et bien ma permission. Vous avez une fâcheuse tendance à oublier que je suis votre mari, ma chère... Déshabillez-vous.

Victoria secoua frénétiquement la tête.

— Ne m'obligez pas à recourir à la manière forte, la prévint-il. Cela risquerait de vous déplaire, croyez-moi.

Victoria le croyait sans l'ombre d'un doute. D'une main tremblante, elle essaya de dégrafer sa robe.

— Jason, implora-t-elle. Pour l'amour du Ciel, dites-moi ce qui ne va pas.

— Ce qui ne va pas ? répéta son mari, acerbe, en

jetant sa chemise au sol. Il y a que je suis jaloux, ma chère. (Il dénoua sa ceinture.) Je suis jaloux, oui ! Et c'est un sentiment non seulement nouveau mais aussi singulièrement déplaisant.

En d'autres circonstances, cet aveu aurait plongé Victoria dans une félicité inouïe. Mais sur l'heure, cela ne fit que renforcer sa frayeur et sa maladresse à se dévêtir.

Devant sa lenteur, Jason s'impatienta et la fit brutalement pivoter sur elle-même. Il dénoua son corset avec dextérité puis la poussa sans ménagement vers le lit :

— Allongez-vous !

Il la rejoignit dans le lit, la prit avec rudesse dans ses bras et écrasa ses lèvres sous les siennes comme s'il voulait lui infliger une punition.

— Ouvrez la bouche, sacrebleu !

Victoria le repoussa de toutes ses forces en détournant son visage.

— Non ! Pas comme ça ! Je ne vous laisserai pas...

Un sourire cruel déforma ses belles lèvres, un sourire qui lui glaça le sang.

— Oh si, vous me laisserez faire, souffla-t-il. Avant que j'en aie fini avec vous, c'est vous qui me supplierez.

Furieuse, Victoria se dégagea en roulant sur le côté. Elle allait sauter hors du lit quand il la rattrapa par le bras et la tira violemment à lui. Puis il s'installa à califourchon sur elle et inclina la tête :

— Vous avez eu tort de faire ça.

Des larmes coulèrent sur les joues de Victoria, allongée sans défense comme un animal pris au piège. Elle vit la bouche de Jason s'approcher mais à la place du baiser dur et méchant de tout à l'heure, il l'embrassa longuement, audacieusement tandis que de sa main il caressait sa peau nue, pressant légèrement un mamelon, descendant vers le ventre, plus bas encore jusqu'à ce que le corps enfiévré de Victoria la trahît. Elle se débattit de toutes ses forces, mais il était trop tard.

Toute sa résistance s'évanouit, ses bras retombèrent et ses lèvres s'entrouvrirent. Cet assaut érotique était plus qu'elle n'en pouvait supporter et elle s'abandonna avec un gémissement. Dès l'instant où il sentit sa résistance tomber, Jason la relâcha.

Il couvrait ses seins de baisers. Poussant des petits cris, elle s'agrippa de toutes ses forces à sa tête bouclée. Il traça avec sa langue un sillon brûlant sur son ventre plat puis continua plus bas. Victoria devina ce qu'il allait faire et se contorsionna désespérément pour l'en empêcher. Mais il lui immobilisa les hanches d'une main et sa bouche se referma sur son but. Lorsqu'il s'arrêta, Victoria se consumait littéralement de désir.

Il se souleva sur les coudes et Victoria cambra les reins en gémissant, l'attirant à elle. Alors il la pénétra enfin, lui arrachant un cri de plaisir. Puis brutalement, il se retira.

— Non ! s'écria Victoria en l'enveloppant de ses bras.

— Victoria, tu me veux ? chuchota-t-il.

Ses yeux embrumés s'ouvrirent et elle vit son visage dur au-dessus d'elle.

— Me veux-tu ? répéta Jason.

— Je ne vous le pardonnerai jamais...

— Oui ou non ? Réponds-moi ! insista-t-il en recommençant son manège insupportable et délicieux.

Il était jaloux, pensa-t-elle. Il tenait à elle. Elle

lui avait manqué. Ses lèvres dessinèrent le « oui » que même le désir ne put l'obliger à prononcer.

Jason s'en satisfit et lui donna alors ce qu'elle souhaitait de toutes les fibres de son corps. Comme pour se faire pardonner, il veilla à lui offrir le maximum de jouissance. Jamais elle n'avait connu un tel orgasme...

Quand tout fut terminé, un silence de mort s'installa. Jason resta immobile pendant une longue minute, les yeux fixés au plafond, puis il se leva et alla s'enfermer dans sa chambre. A l'exception de leur nuit de noces, c'était la première fois qu'il s'en allait après lui avoir fait l'amour.

29

Victoria se réveilla le cœur en miettes avec l'impression de ne pas avoir fermé l'œil de la nuit. Le désespoir lui noua la gorge lorsqu'elle se rappela la scène humiliante de la nuit. Qu'avait-elle fait pour mériter ce traitement ? Elle repoussa ses cheveux emmêlés de son visage et jeta un regard morne autour d'elle. C'est alors qu'elle aperçut l'écrin à côté du lit.

Une rage comme elle n'en avait encore jamais connue l'envahit, brouillant son raisonnement et chassant tout le reste. Elle bondit de son lit, enfila une robe de chambre et attrapa l'écrin.

Dans un tourbillon de satin vert pâle, elle fit irruption chez Jason.

— Ne vous avisez plus jamais de m'offrir un bijou ! siffla-t-elle.

Il se tenait debout près de son lit, en pantalon et

le torse nu. Il releva la tête juste à temps pour éviter l'écrin qu'elle lui lançait à la figure. Mais il ne broncha pas. Il s'en fallut d'un cheveu que la lourde boîte ne lui arrachât l'oreille.

— Je ne vous pardonnerai jamais ce que vous m'avez fait cette nuit, tempêta Victoria en serrant les poings. Jamais, vous m'entendez !

— Je n'en doute pas, dit-il d'une voix atone en attrapant sa chemise.

— Je hais vos cadeaux, je hais la façon dont vous me traitez, je vous hais. Vous ne savez pas ce que c'est qu'aimer, vous n'aimerez jamais personne ! Vous n'êtes qu'un être cynique, cruel, vous êtes indigne de porter le nom des Field...

Elle s'interrompit, se mordant les lèvres, mais la réaction de Jason fut loin d'être celle qu'elle attendait.

— Vous avez parfaitement raison, acquiesça-t-il froidement. Et vous ne croyez pas si bien dire. Désolé de vous décevoir, ma chère, mais la vérité est que je suis le fruit d'une liaison passagère de Charles Fielding et d'une danseuse, rejetée aux oubliettes depuis belle lurette.

Il enfila sa chemise tandis que Victoria gardait le silence, attendant la suite.

— J'ai été élevé dans une misère noire par la belle-sœur de Charles. Plus tard, j'ai dormi dans un entrepôt. J'ai appris à lire et à écrire tout seul ; je ne suis pas allé à Oxford, moi, je n'ai pas connu la vie dorée de vos admirateurs distingués. Pour résumer, je ne suis rien de ce que vous imaginiez... de ce que vous cherchiez.

Il boutonna sa chemise, les yeux obstinément baissés.

— Je ne suis pas le mari qu'il vous faut. Je ne devrais même pas avoir le droit de vous toucher.

J'ai fait des choses qui vous rendraient malade de dégoût.

Les propos du capitaine Farrell revinrent à l'esprit de Victoria. Son enfance misérable aux Indes... Le cœur prêt à éclater, elle regarda son front orgueilleux. Elle comprenait à présent pourquoi il ne voulait pas, pourquoi il ne pouvait pas accepter son amour.

— Je suis un vulgaire bâtard, conclut-il d'un ton morne. Dans tous les sens du terme.

— Vous avez de glorieux prédécesseurs, répliqua Victoria d'une voix tremblante d'émotion. Le roi Charles a eu trois fils bâtards et il en a fait des ducs.

Pendant quelques instants, il parut désorienté. Puis il haussa les épaules.

— Vous ne m'avez pas compris. Vous croyez m'aimer mais je n'ai pas le droit de vous leurrer. C'est un mirage que vous aimez, pas moi. Vous ne savez même pas qui je suis.

— Oh si, je le sais parfaitement, rétorqua-t-elle, devinant que les paroles qu'elle s'apprêtait à dire seraient déterminantes pour leur avenir. Je sais tout de vous. Le capitaine Farrell m'a tout raconté. Je sais ce qu'a été votre enfance...

Les yeux de Jason étincelèrent de rage un instant, puis il haussa les épaules avec résignation.

— Il n'avait pas le droit de vous le dire.

— C'est vous qui auriez dû me le dire ! cria Victoria, incapable de maîtriser sa voix ni de retenir les larmes qui coulaient sur ses joues. Mais vous avez honte de votre passé alors que vous devriez en être fier ! (Elle essuya rageusement ses larmes.) J'aurais préféré qu'il se taise. Avant, je ne vous aimais qu'un peu. Mais lorsque j'ai appris à quel point vous étiez courageux, je vous ai aimé tellement plus, je...

— Comment ? murmura-t-il, stupéfait.

— Jamais je ne vous avais admiré avant ce jour-là. Et maintenant je vous admire et je déteste ce que vous faites pour me...

A travers le voile de ses larmes, elle le vit s'approcher et se retrouva écrasée contre sa poitrine. Alors toute la somme de chagrin qu'elle refoulait depuis des jours se libéra.

— Je me moque éperdument de savoir qui étaient vos parents, hoqueta la jeune femme dans ses bras.

— Ne pleurez pas, ma chérie, chuchota-t-il. Je vous en supplie.

— Je déteste que vous me traitiez comme une poupée sans cervelle... que vous m'offriez des belles robes et des...

— Je ne vous achèterai plus jamais de robes, plaisanta-t-il d'une voix enrouée.

— Que vous me couvriez de b... bijoux...

— Plus de bijoux non plus, souffla-t-il en la serrant davantage contre lui.

— Que vous me rejetiez quand vous avez fini de j... de jouer avec moi.

— Je suis un crétin, avoua-t-il en lui caressant les cheveux et en frottant sa joue contre son front.

— Je... je ne sais jamais ce que vous pensez ni ce que vous éprouvez, je ne sais pas lire dans votre cœur.

— Je n'en ai plus, confessa-t-il, brisé. Je l'ai perdu voilà des mois.

Victoria comprit qu'elle avait gagné, mais cette victoire si chèrement acquise la fit sangloter de plus belle.

— Pour l'amour du Ciel, ne pleurez plus, je vous

en supplie, gémit Jason. Je ne peux pas supporter de vous voir pleurer.

Il glissa ses doigts dans ses cheveux et releva son visage baigné de larmes.

— Je vous jure que je ne vous ferai plus jamais pleurer, chuchota-t-il, bouleversé. (Il l'embrassa.) Venez, allons nous coucher. Venez et je vous ferai oublier cette nuit...

Pour toute réponse, Victoria noua les bras autour de son cou et Jason la souleva comme une plume avec la ferme intention de se faire pardonner de la meilleure façon qu'il connaissait. Il la déposa avec douceur sur le lit sans que leurs lèvres soudées ne se séparent et s'allongea à côté d'elle.

Quand il se releva pour enlever ses vêtements, Victoria admira sans retenue ni fausse pudeur son corps magnifique, ses jambes longues et musclées, ses hanches étroites, sa carrure solide aux épaules larges et son dos bronzé où les muscles... Soudain un cri étranglé jaillit de sa poitrine.

Jason se pétrifia en comprenant ce qu'elle avait vu : ses cicatrices ! Il avait oublié ces maudites cicatrices ! Il se souvint de la dernière fois où il avait oublié de les dissimuler : il revit le visage horrifié de sa maîtresse, son mépris et son dégoût en constatant qu'il s'était laissé fouetter comme un chien. Jusqu'alors, il avait toujours soigneusement évité de montrer son dos à Victoria et c'était la raison pour laquelle il éteignait soigneusement les chandelles avant d'aller se coucher.

— Mon Dieu, murmura Victoria en contemplant avec épouvante les traces qui zébraient son dos.

Elle les effleura d'une main tremblante et le sentit se raidir.

— Elles vous font toujours mal ? demanda-t-elle avec une surprise peinée.

— Non, répondit Jason, tendu dans l'attente de l'inévitable réaction.

C'est pourquoi il fut sidéré lorsque deux bras vinrent se nouer autour de sa taille et qu'il sentit ses lèvres se poser sur son dos.

— Comme vous avez dû souffrir, murmura-t-elle, déchirée. Comment avez-vous fait pour survivre à...

Jason se retourna et la prit dans ses bras.

— Je vous aime, avoua-t-il. (Il enfouit ses mains dans sa luxuriante chevelure et approcha son visage du sien.) Oh je vous aime tant...

Ses baisers l'enflammèrent comme des flèches de feu et elle gémit sous son tendre assaut. Jason se haussa sur les coudes et, penché au-dessus de son visage, supplia d'une voix rauque chargée de passion :

— Caressez-moi, touchez-moi... Je vous en supplie, j'ai tellement besoin de sentir vos mains sur moi...

Victoria n'aurait jamais imaginé qu'il pût désirer être caressé de la même façon qu'il le faisait avec elle. Enhardie, elle obéit et constata avec stupéfaction qu'au simple contact de ses doigts, il retenait son souffle. Elle embrassa timidement son mamelon minuscule et lui arracha un gémissement.

Grisée par le pouvoir qu'elle se découvrait sur son corps, elle le fit rouler sur le flanc et l'embrassa jouant avec sa langue comme il le lui avait appris. Avec un petit rire étouffé, il glissa une main derrière sa nuque et écrasa ses lèvres contre les siennes, pendant que de l'autre main il enveloppait ses hanches et l'attirait sur son sexe dressé.

Instinctivement, Victoria se mit à onduler sur lui. A l'instant de la prendre, alors qu'elle sentait son cœur battre follement contre ses seins, il ouvrit les yeux où brillait le désir et lui souffla humblement les mots qu'il avait cherché à lui extorquer la nuit précédente :

— Je vous veux. Je vous en supplie, mon amour...

Le cœur débordant d'amour, Victoria le remercia d'un baiser langoureux. Jason referma les bras sur elle et Victoria se cambra de toutes ses forces. Des vagues successives déferlèrent dans son corps et elle crut mourir d'extase.

Quant à Jason, il avait enfin trouvé ce qu'il cherchait. Il avait découvert le havre de paix que son âme réclamait. Il était à la tête d'une demi-douzaine de propriétés, de deux palais indiens et d'une flotte entière de navires et, néanmoins, il n'avait jamais eu de foyer à proprement parler. Voilà qu'il l'avait enfin : cette femme magnifique qui reposait comblée dans ses bras...

Sans la lâcher, il roula sur le flanc, repoussa du bout des doigts ses cheveux soyeux avant d'effleurer sa tempe d'un baiser.

Victoria battit des cils et il crut se noyer dans le bleu de ses yeux.

— Comment vous sentez-vous ? lui demanda-t-elle, malicieuse.

Avec une tendre gravité, il répondit :

— Comme un mari.

Il l'embrassa longuement avant de replonger dans ses yeux resplendissants :

— Dire que je ne croyais pas aux anges, soupira-t-il en s'adossant aux oreillers et en savourant le bonheur tout simple de la tenir dans ses bras, sa tête contre son épaule. Dieu que je suis bête...

— Vous êtes très intelligent, protesta-t-elle.

— Oh non ! fit-il avec une ironie désabusée. Si

j'avais possédé ne serait-ce qu'une once d'intelligence, je vous aurais fait l'amour la première fois que j'en ai eu envie et je vous aurais obligée à m'épouser ensuite.

— Quand était-ce ? le taquina-t-elle.

— Le jour de votre arrivée à Wakefield, avoua-t-il en souriant. Je crois que je suis tombé amoureux dès l'instant où je vous ai trouvée devant ma porte avec un petit cochon sous le bras et vos cheveux ébouriffés.

Victoria redevint grave et secoua la tête :

— Jason, je vous en prie... Jurons-nous de ne jamais nous mentir. Vous ne m'aimiez pas alors et vous ne m'aimiez pas non plus lorsque vous m'avez épousée. Mais cela n'a aucune importance. Tout ce qui compte, c'est qu'aujourd'hui, vous m'aimiez.

Jason lui prit le menton et l'obligea à soutenir son regard :

— Non, ma chérie, c'est la vérité. Je vous ai épousée parce que je vous aimais.

— Jason ! s'exclama-t-elle, flattée mais toujours sceptique. Vous m'avez épousée pour exaucer le vœu d'un mourant.

— Le vœu d'un...

A la stupéfaction de sa femme, il renversa la tête en arrière et éclata de rire. Puis il s'expliqua :

— Si vous saviez, ma chérie... Le mourant qui nous a fait venir auprès de lui et qui s'est accroché à votre main tenait un jeu de cartes dans l'autre !

Victoria se dressa sur ses coudes.

— Comment ! s'écria-t-elle, partagée entre le rire et l'indignation. En êtes-vous sûr ?

— Sûr et certain ! affirma Jason en riant. Je les ai vues quand la couverture a bougé.

— Mais pourquoi nous a-t-il fait ça ?

Jason haussa les épaules.

— Il devait trouver que ces fiançailles tardaient trop.

— Quand je pense à toutes les prières que j'ai récitées pour sa guérison ! Je le tuerais volontiers...

— Voyons ! Voyons ! la taquina Jason. Vous n'êtes pas contente du résultat ?

— Heu... si. Mais pourquoi ne m'avez-vous rien dit ? Ou pourquoi ne pas lui avoir dit que vous n'étiez pas dupe ?

Jason lui pinça gentiment l'oreille :

— Pour lui gâcher tout son plaisir ? Ah non !

— Et moi alors ? Vous n'aviez pas le droit !

— C'est exact.

— Alors pourquoi ?

— M'auriez-vous épousé sans cela ?

— Non.

— Eh bien, vous avez la réponse.

Victoria s'écroula en riant sur sa poitrine devant sa totale absence de scrupules.

— Vous n'avez donc aucun principe ? constata Victoria avec une sévérité feinte.

Il sourit.

— Aucun.

30

Le même jour, en fin d'après-midi, Victoria attendait dans le salon le retour de Jason sorti faire une course, lorsque le vieux majordome apparut dans l'embrasure de la porte.

— Sa Grâce la duchesse douairière de Claremont demande à être reçue, madame. Je lui ai dit...

— Il m'a dit que vous n'étiez là pour personne,

grommela Sa Grâce en faisant irruption dans la pièce. Ce crétin n'a pas l'air de comprendre que je fais partie de la famille...

— Grand-mère ! s'exclama Victoria, surprise, en sautant sur ses pieds.

La tête enturbannée de la duchesse se tourna vers le domestique horrifié :

— Qu'est-ce que je vous disais ! jappa-t-elle en agitant sa canne. Vous avez entendu comme moi : grand-mère !

Le domestique disparut en marmonnant des excuses et Victoria, un peu inquiète, se prépara à affronter son aïeule. La vieille dame prit un siège, appuya ses mains veinées de bleu sur sa canne et dévisagea attentivement la jeune femme.

— Vous avez l'air plutôt heureuse, conclût-elle enfin, étonnée.

— C'est pour cela que vous êtes venue me voir ? s'enquit Victoria en s'asseyant en face d'elle. Pour vérifier que j'étais bien heureuse ?

— Je suis venue voir Wakefield, corrigea Sa Grâce d'une voix menaçante.

— Il n'est pas là.

Son arrière-grand-mère fronça les sourcils :

— Je ne le sais que trop ! Tout Londres est au courant de son absence. Je vais aller le chercher et l'obliger à se mettre au travail, dussé-je le poursuivre à travers toute l'Europe !

— C'est tout de même amusant, déclara alors Jason sur le pas de la porte, que les seules personnes qui ne me craignent pas soient mon petit bout de femme, ma jeune belle-sœur et vous, madame, qui avez trois fois mon âge et pesez trois fois moins que moi ! Dois-je en déduire que le courage — ou la témérité — se transmet par le sang, tout comme la beauté ? Mais poursuivez, madame, conclut-il en souriant. Apprenez-moi quel est mon travail, je vous prie.

La duchesse se leva et vint se planter devant lui :

— Alors c'est aujourd'hui que vous vous souvenez que vous avez une femme ! gronda-t-elle. Je vous ai prévenu que je vous rendrais personnellement responsable du bonheur de Victoria. Or elle n'est pas heureuse. Pas heureuse du tout !

Jason jeta un regard pensif à Victoria qui, interdite, haussa les épaules. Rassuré, il l'enlaça et s'enquit aimablement :

— En quoi me suis-je dérobé à mon devoir d'époux, madame ?

La duchesse en resta bouche bée :

— En quoi... répéta-t-elle d'une voix incrédule. Oh, vous pouvez bien passer un bras autour de ses épaules ! Je me suis laissé dire — de source sûre — que vous n'avez couché que six nuits avec elle à Wakefield.

— Grand-mère ! s'exclama Victoria, horrifiée.

— Taisez-vous, Victoria ! Deux de vos domestiques sont apparentés à deux des miens. Par eux, j'ai appris que Wakefield Park avait été sens dessus dessous pendant toute la semaine qui a suivi votre mariage parce que vous refusiez d'honorer votre femme !

Affreusement mortifiée, Victoria laissa échapper un gémissement mais le bras de Jason se resserra autour de ses épaules.

— Alors, jeune homme ! Qu'avez-vous à répondre à cela ?

Jason haussa un sourcil avant de répliquer tranquillement :

— Que j'ai un mot à dire à mes domestiques.

— Ne vous avisez pas de le prendre à la légère avec moi ! S'il y en a un qui sait s'y prendre avec les femmes, c'est bien vous ! Dieu sait combien elles ont été à vous courir après ces quatre dernières années. Alors ne jouez pas au puceau effarouché et ne me dites pas que vous ignorez comment me fabriquer un héritier...

— C'est ma première priorité, déclara-t-il solennellement.

— Alors ne tergiversez plus, bon sang ! Et plus de simagrées ni de chichis...

— Merci de votre patience, approuva-t-il avec humour.

Ignorant le sarcasme, elle hocha la tête.

— Puisque nous nous comprenons désormais, vous pouvez m'inviter à déjeuner. Mais je vous préviens : je ne dois pas m'attarder.

Avec un sourire espiègle, Jason lui offrit son bras.

— Mais vous reviendrez sans nul doute nous revoir plus longuement... disons... dans neuf mois ?

— Jour pour jour ! rétorqua-t-elle avec aplomb.

Mais une lueur amusée brillait dans ses yeux lorsqu'elle croisa le regard de Victoria. Tandis qu'ils se dirigeaient vers la salle à manger, elle se pencha vers son arrière-petite-fille et chuchota :

— Bigrement beau garçon, ce démon, n'est-ce pas, ma chère ?

— Oh oui, acquiesça Victoria en lui pressant la main.

— Et contrairement ce que l'on raconte, vous êtes heureuse ?

— Au-delà de tout.

— Venez me voir un de ces jours, cela me ferait plaisir. Claremont n'est qu'à une heure de Wakefield. Il suffit de longer la rivière.

— C'est promis.

— Vous pouvez venir avec votre mari.

— Merci.

Au cours des journées qui suivirent, le marquis et la marquise de Wakefield se rendirent à presque toutes les réceptions brillantes qu'organisait la haute société londonienne. Plus un murmure ne s'éleva au sujet de la prétendue cruauté de Jason, car il était visible que lord Fielding était le plus attentionné et le plus généreux des maris.

Il n'y avait qu'à regarder lady Fielding pour constater qu'elle irradiait de bonheur et que son bel époux l'idolâtrait. On esquissa même quelques sourires en voyant le grave et austère lord Fielding sourire affectueusement à sa femme et éclater de rire au beau milieu d'une représentation théâtrale à cause d'une remarque chuchotée à son oreille.

Très vite l'opinion se modifia, et l'on comprit à quel point tous les jugements précédemment prononcés à l'égard du marquis étaient erronés. Ceux qui l'avaient prudemment évité jusqu'alors se mirent à rechercher activement sa compagnie.

Cinq jours après le fameux bal où Victoria avait essayé d'étouffer les ragots en chantant les louanges de son mari absent, lord Amstrong vint trouver Jason pour lui demander conseil au sujet de ses fermiers et de ses domestiques. Passé le premier choc, lord Fielding lui suggéra en souriant de prendre plutôt avis auprès de son épouse.

Au White, le même soir, lord Brimworthy accusa en riant le marquis d'être à l'origine de sa ruine prochaine : sa femme venait de s'acheter une parure en saphirs — la même que celle de lady Fielding — qui lui avait coûté une petite fortune. Jason lui lança un regard amusé et s'arrangea pour perdre aux cartes cinq cents livres afin que le pauvre lord Brimworthy rentrât dans ses fonds.

Le lendemain matin, alors que Jason apprenait à sa femme comment conduire le splendide phaéton qu'il lui avait offert, une calèche s'arrêta brusquement à proximité et trois vieilles dames pointèrent leurs nez par la portière.

— Incroyable ! souffla la comtesse de Draymore à ses amies tout en dévisageant Jason à travers son monocle. Elle est bien mariée à Wakefield ! Lorsqu'elle m'a dit que son mari était la bonté et la gentillesse personnifiées, j'ai cru qu'elle parlait d'un autre !

— Il est non seulement bon, mais aussi très courageux, caqueta la plus âgée des trois. Elle a bien failli verser deux fois !

Victoria nageait en pleine félicité. La nuit, Jason comblait ses sens et faisait naître en elle des torrents de passion. Elle avait gagné sa confiance et à présent il s'abandonnait à elle, corps et âme. Il se livrait totalement et lui donnait tout ce qu'elle pouvait désirer : son amour, son attention, tous ses instants et tous les cadeaux qui lui passaient par la tête.

Il rebaptisa son yacht *Victoria* et réussit à force de cajoleries à l'entraîner avec lui pour une croisière sur la Tamise. Quand sa femme lui fit remarquer qu'elle appréciait finalement ce genre de navigation, il lui fit construire un yacht dont l'intérieur était entièrement bleu et or. Ce cadeau somptueux et extravagant suscita un commentaire jaloux de la part de Mlle Wilber qui susurra à ses amies :

— Tout Londres retient son souffle pour savoir ce que Wakefield offrira à sa femme après ce yacht !

Robert Collingwood, qui avait surpris cette réflexion, répondit en souriant :

— La Tamise peut-être ?

Quant à Jason, il goûtait pour la première fois le bonheur d'être aimé pour lui et lui seul. La nuit, il n'avait de cesse de la sentir contre son corps, dans ses bras. Le jour, il l'emmenait pique-niquer et nager. Lorsqu'il travaillait, elle demeurait dans son esprit et il souriait aux anges. Il aurait voulu déposer le monde à ses pieds, mais Victoria se contentait visiblement de l'avoir lui et ce constat le bouleversait. Il fit une donation pour qu'un hôpital fût construit près de Wakefield, le *Patrick Seaton Hospital*, et s'arrangea pour qu'on en fît autant à Portage, dans l'Etat de New York, en souvenir du père de sa jeune femme.

31

Peu de temps après, alors qu'ils étaient de retour à Wakefield, Jason dut se rendre à Portsmouth où l'un de ses navires venait d'arriver.

Le matin de son départ, il fit ses adieux à Victoria et l'embrassa avec une ardeur qui la fit rougir tandis que le cocher étouffait un petit rire.

— Comme j'aimerais que vous restiez, murmura Victoria en serrant son mari dans ses bras. Ces six jours vont me sembler une éternité, vous allez terriblement me manquer.

— Charles est là pour vous tenir compagnie, ma chérie, répliqua Jason qui lui aussi envisageait avec peine cette courte séparation. Et vous pouvez faire une petite visite à Mike. Pourquoi n'iriez-vous pas voir votre grand-mère ? Je serai de retour mardi prochain pour le souper.

Victoria hocha bravement la tête et se haussa sur la pointe des pieds pour déposer un baiser sur sa joue rasée de frais...

Pendant ces six jours, elle s'efforça de s'occuper mais le temps lui semblait interminable. Les nuits, c'était encore pire. Elle passait ses soirées en compagnie de Charles mais, lorsqu'il montait se coucher, elle avait l'impression que l'horloge s'arrêtait.

Le soir où Jason devait rentrer, Victoria guettait dans le salon le bruit de sa voiture.

— Oncle Charles, le voilà ! s'écria-t-elle, tout heureuse.

— Ce doit être Mike. Jason ne sera pas là avant une heure ou deux, répondit Charles en souriant tandis qu'elle rectifiait les plis de sa robe. La route est longue et il a déjà écourté son voyage d'un jour pour rentrer plus tôt.

— Mais il n'est que sept heures et demie et j'avais invité le capitaine Farrell à huit heures.

Son sourire s'évanouit en constatant que la berline qui s'était immobilisée devant la maison n'était pas la luxueuse voiture de son mari.

— Je vais voir Mme Craddock, dit-elle en se levant.

A cet instant Northrup apparut à la porte du salon, une expression tendue sur son visage austère.

— Un gentleman demande à vous voir, madame, déclara-t-il.

— Un gentleman ?

— Un certain M. Bainbridge. Il prétend arriver d'Amérique.

Victoria chancela et se raccrocha à une chaise,

avec une telle violence que les articulations de ses doigts pâlirent.

— Dois-je le faire entrer ?

Elle hocha la tête d'un geste saccadé, essayant de surmonter le violent ressentiment qui l'envahissait au souvenir de l'abandon cruel d'Andrew. Dans son trouble, elle ne remarqua pas la pâleur mortelle de Charles ni la façon dont il se dirigeait vers la porte comme s'il s'apprêtait à livrer une bataille.

L'instant d'après Andrew franchissait le seuil d'un pas décidé, et son beau visage souriant rappela tant de souvenirs à Victoria qu'elle sentit son cœur se déchirer.

Il s'arrêta devant la jeune femme pétrifiée. Elle était ravissante, son élégante robe de soie mettait en valeur ses courbes alléchantes et sa magnifique chevelure rousse retombait librement sur ses épaules et son dos.

— Tory, souffla-t-il en plongeant ses yeux dans les siens.

Puis sans prévenir, il tendit les bras, l'attira presque brutalement contre lui et enfouit son visage dans ses cheveux parfumés.

— J'avais presque oublié à quel point tu es belle, murmura-t-il en l'étreignant plus étroitement encore.

— C'est ce que j'ai compris ! rétorqua sèchement Victoria en le repoussant.

Elle lui jeta un regard furieux, sidérée qu'il eût osé venir jusqu'ici. Sans compter qu'il venait de l'enlacer avec une fougue et une passion qu'il ne lui avait jamais témoignées jusqu'alors.

— Tu as la mémoire courte, ajouta-t-elle, cinglante.

A sa grande stupeur, Andrew éclata de rire.

— Tu es fâchée parce j'ai mis deux semaines de plus que prévu pour venir te chercher ? J'avais été trop optimiste dans ma lettre. Nous avons eu une avarie et le bateau a dû faire escale dans une île sur le chemin du retour.

Il passa un bras affectueux autour des épaules de Victoria et se tourna vers Charles auquel il tendit une main cordiale.

— Vous êtes Charles Fielding, je présume. Jamais je ne vous remercierai assez pour tout ce que vous avez fait pour Victoria.

Il reprit à l'intention de la jeune femme :

— Tory, je suis navré de te presser mais nos places sont réservées sur un bateau qui part dans deux jours. Le capitaine est déjà d'accord pour nous marier...

— Ta lettre... ? l'interrompit Victoria, prise de vertige. Quelle lettre ? Tu ne m'as pas écrit une seule fois depuis que je suis partie de la maison.

— Je t'ai écrit plusieurs fois, rétorqua-t-il en se rembrunissant. Mais comme je te l'expliquais dans ma dernière lettre, j'ai continué à t'écrire à Portage parce que mon intrigante de mère ne m'a jamais envoyé ton courrier. J'étais à cent lieues de m'imaginer que tu vivais en Angleterre. Tory ! Je t'ai tout raconté dans ma dernière lettre, celle que j'ai fait porter en Angleterre par messager spécial.

— Mais je n'ai rien reçu ! protesta Victoria, proche de la crise de nerfs.

Andrew pinça les lèvres de colère.

— Comment ? Avant notre départ, j'ai bien l'intention d'aller dire deux mots à une certaine firme londonienne que j'ai payée une petite fortune afin d'être sûr que mes lettres soient remises en main propre à toi et ton cousin le duc. J'aimerais bien savoir ce qu'ils vont me répondre !

— Ils vous répondront qu'ils ont rempli leur tâche, déclara Charles d'une voix neutre.

Eperdue, Victoria secoua la tête en commençant à comprendre.

— Oncle Charles ! Ce n'est pas vrai, vous n'avez pas reçu de lettre. Vous vous trompez. Vous devez penser à celle que m'a envoyée la mère d'Andrew, celle où elle me disait qu'il s'était marié...

Une lueur de rage flamba dans les yeux d'Andrew qui dévisageait le pauvre Charles.

— Tory, écoute-moi ! Je t'ai écrit une dizaine de fois lorsque j'étais en Europe. Mais je les envoyais en Amérique ! J'ai appris l'accident de tes parents à mon retour il y a deux mois seulement. A compter du jour où tes parents sont morts, ma mère a cessé de me faire suivre tes lettres. Quand je suis revenu, elle m'a annoncé que tu avais été recueillie par un riche cousin qui voulait t'épouser. Elle ignorait soi-disant où et chez qui tu vivais. Tu t'imagines bien que je n'ai pas cru un seul instant que tu m'oublierais. J'ai mis du temps mais j'ai fini par dénicher le docteur Morrison qui m'a tout raconté et m'a donné ton adresse.

« Quand j'ai prévenu ma mère que je partais te chercher, elle m'a tout avoué. Et puis elle a eu une de ces attaques dont elle a le secret. Sauf que celle-là était réelle. Je ne pouvais pas l'abandonner à l'article de la mort, tu comprends ? Alors je vous ai écrit... à toi et à ton cousin... (Il jeta un regard assassin à Charles.)... qui pour une raison que j'ignore t'a caché ces lettres. Je t'expliquais tout et je te promettais de venir dès que possible.

Sa voix s'adoucit et il prit le visage bouleversé de Victoria entre ses paumes.

— Tory, lui dit-il avec un sourire ému, tu es l'amour de ma vie depuis le jour où je t'ai vue traverser nos champs sur le poney de Rivière Bondissante. Je ne suis pas marié, ma douce.

Victoria avala sa salive avec difficulté et murmura d'une voix brisée :

— Moi oui.

Andrew laissa retomber ses mains comme s'il s'était brûlé.

— Que dis-tu ?

Victoria le regarda bien en face et répéta dans un chuchotement :

— Moi oui. Je suis mariée.

Andrew se raidit comme s'il avait reçu une gifle. Avec un regard méprisant, il se tourna vers Charles :

— Avec ce vieillard ? Tu t'es vendue à lui pour quelques robes et des bijoux, c'est ça ? siffla-t-il, enragé de chagrin.

— Non ! cria presque Victoria, tremblant de souffrance et de colère.

— Victoria a épousé mon neveu, déclara enfin Charles d'une voix atone.

— Votre fils ! corrigea Victoria en faisant volte-face.

Elle haïssait Charles pour sa duplicité, elle haïssait Jason qui avait été son complice.

Andrew la saisit par les épaules et elle ressentit dans toutes les fibres de son corps la douleur qu'endurait le jeune homme.

— Pourquoi ? gémit-il en la secouant. Pourquoi ?

— Tout est ma faute, répliqua Charles, laconique. (Il se redressa de toute sa hauteur et regarda Victoria comme s'il souhaitait implorer son pardon.) J'ai redouté cet instant depuis le jour où la lettre de M. Bainbridge est arrivée. Et maintenant que nous y sommes, c'est encore pire que ce que je craignais.

— Quand ces lettres sont-elles arrivées ? interrogea Victoria.

Mais dans son cœur elle connaissait déjà la réponse.

— La nuit où j'ai eu mon attaque.

— Votre fausse attaque ! précisa Victoria, frémissante de rage et d'amertume.

— C'est exact, avoua Charles avant de se tourner vers Andrew. Quand j'ai compris que vous alliez nous reprendre Victoria, j'ai fait la seule chose qui m'est venue à l'idée : j'ai simulé un malaise cardiaque et je l'ai suppliée d'épouser mon fils.

— Ordure ! cracha Andrew.

— Je croyais sincèrement que Victoria et Jason seraient heureux ensemble.

Andrew détourna de lui son regard meurtrier pour implorer la jeune femme :

— Rentre avec moi en Amérique, Tory. Personne ne peut te forcer à rester auprès d'un mari que tu n'aimes pas. C'est illégal, ils t'ont obligée à l'épouser. Oh Tory ! Je t'en supplie ! Viens avec moi, nous trouverons un moyen de sortir de ce cauchemar. Notre bateau repart dans deux jours. Nous nous marierons, personne ne saura jamais...

— Je ne peux pas ! lâcha-t-elle d'une voix brisée.

— Je t'en conjure...

Les yeux brillants de larmes, Victoria secoua la tête.

— Je ne peux pas, répéta-t-elle en retenant ses sanglots.

Andrew respira un grand coup puis fit lentement demi-tour.

La main que lui tendit Victoria dans une silencieuse supplique retomba ballante tandis qu'il quittait la pièce. La maison. Sa vie.

Une minute s'écoula dans un silence de mort,

puis une autre. Victoria serrait sa jupe de toutes ses forces. Elle se souvenait de ce qu'elle avait éprouvé en apprenant qu'Andrew s'était marié, la torture des semaines suivantes où elle s'était forcée à continuer de vivre comme avant, à sourire alors qu'au fond d'elle-même elle avait envie de mourir.

Soudain elle donna libre cours à sa colère et se tourna vers Charles comme une furie.

— Comment avez-vous osé ! Comment avez-vous pu faire ça ! Vous avez vu son visage ? Vous savez à quel point il souffre par notre faute ? Le savez-vous au moins ?

— Oui, répondit Charles d'une voix rauque.

— Savez-vous seulement le cauchemar que j'ai vécu toutes ces semaines où je me suis crue abandonnée, trahie et où je n'avais personne à qui me raccrocher ? J'avais l'impression d'être une mendiante dans votre maison ! Pouvez-vous imaginer ce que j'ai éprouvé à l'idée que j'allais épouser un homme qui ne voulait pas de moi, simplement parce que je n'avais pas le choix ?

Sa voix se brisa et elle le regarda à travers le voile des larmes qu'elle retenait désespérément.

— Victoria, Jason n'y est pour rien. Il ignorait que mon attaque était feinte, il ignorait tout de cette lettre...

— Vous mentez !

— Non, je vous le jure.

Victoria releva violemment la tête. Ses yeux étincelaient d'indignation devant ce dernier affront.

— Plus jamais je ne vous croirai...

Elle s'interrompit, effrayée par la pâleur mortelle qui avait envahi le visage de Charles, et s'enfuit du salon en courant. Elle gravit l'escalier quatre à quatre en trébuchant à cause des larmes qui lui brouillaient les yeux et s'enferma dans ses appartements. Puis elle s'adossa contre la porte, serrant les dents pour ne pas hurler.

Le visage incrédule d'Andrew surgit devant ses paupières closes et elle gémit, anéantie de remords. « *Tu es l'amour de ma vie depuis le jour où je t'ai vue traverser nos champs sur le poney de Rivière Bondissante... Tory, je t'en supplie! Viens avec moi...* »

Elle n'était qu'une marionnette dont deux égoïstes tenaient les ficelles. Jason avait toujours pensé qu'Andrew ne viendrait pas la chercher, tout comme il avait su que Charles jouait aux cartes la nuit où il leur avait joué cette sinistre comédie.

Victoria arracha sa robe et enfila son costume de cheval. Elle deviendrait folle si elle restait une minute de plus dans cette maison. Elle ne pouvait crier sa révolte à Charles qui paraissait au bord de la crise cardiaque... réelle, cette fois! Quant à Jason... il devait rentrer ce soir. Elle se sentait prête à lui plonger un couteau dans le cœur!

Elle attrapa une cape blanche dans son armoire puis dévala l'escalier.

— Victoria, attendez! cria Charles en la voyant traverser le vestibule et se précipiter à l'arrière de la maison.

La jeune femme fit volte-face, elle tremblait de tous ses membres.

— Ne vous approchez pas! cria-t-elle en reculant d'un pas. Je vais à Claremont. Vous avez fait suffisamment de mal comme ça!

— O'Malley! rugit Charles tandis qu'elle disparaissait en direction des écuries.

— Oui, Votre Grâce?

— Je suppose que vous avez entendu « par hasard » ce qui s'est passé dans le salon...?

Le valet indiscret hocha la tête d'un air lugubre.
— Savez-vous monter à cheval ?
— Oui mais...
— Suivez-la ! lui enjoignit Charles avec l'énergie du désespoir. Elle vous aime bien et vous, elle vous écoutera.
— Lady Victoria n'est d'humeur à écouter personne, et c'est pas moi qui le lui reprocherais !
— Je m'en contrefiche, sacrebleu ! Si elle refuse de rentrer, suivez-la jusqu'à Claremont et assurez-vous qu'elle y arrive entière.
— Et à supposer qu'elle essaie de rejoindre le monsieur d'Amérique ?
Charles passa une main tremblante dans ses cheveux gris et secoua la tête.
— Non. Si elle avait eu l'intention de partir avec lui, elle l'aurait fait quand il le lui a demandé.
— Mais... je n'suis point trop à l'aise sur un cheval... Lady Victoria va beaucoup trop vite pour moi.
— La nuit l'obligera à ralentir. Filez aux écuries et rattrapez-la !
Victoria, flanquée de Wolf, disparaissait au galop sur Matador quand O'Malley se rua vers les écuries.
— Attendez ! hurla le valet, mais elle ne sembla pas l'entendre et se pencha sur l'encolure de sa monture qui paraissait avoir le diable à ses trousses.
— Selle ton cheval le plus rapide et que ça saute ! ordonna O'Malley au palefrenier, gardant les yeux fixés sur la cape blanche qui s'éloignait dans l'allée de Wakefield.
Après avoir parcouru trois kilomètres ventre à terre, Victoria tira sur les rênes. Wolf n'arrivait plus à soutenir ce train d'enfer et elle attendit que le chien eût repris son souffle. A cet instant, elle

entendit un martèlement de sabots derrière elle et un cri inintelligible proféré par un homme.

Etait-ce l'un de ces brigands contre lesquels on l'avait mise en garde ou bien Jason, qui s'était lancé à sa poursuite ? Dans le doute, Victoria obliqua vers les bois avec l'intention de semer son poursuivant.

Sa poitrine se soulevait de rage tandis qu'elle émergeait de la forêt et qu'elle lançait son cheval sur la route. Elle éperonna Matador. Si c'était Jason qui la poursuivait, elle préférait mourir plutôt que de se laisser courser comme un lapin. Il s'était trop moqué d'elle ! Mais non, ce n'était pas lui, c'était impossible : elle n'avait croisé aucune voiture en quittant Wakefield.

Sa colère se mua en effroi. Elle approchait de cette rivière où une fille s'était noyée dans des circonstances mystérieuses peu de temps auparavant. Elle jeta un coup d'œil affolé par-dessus son épaule avant de foncer vers un pont qui enjambait la rivière au cours tortueux. Elle avait temporairement perdu son poursuivant dans un virage mais elle l'entendait se rapprocher au galop. On aurait dit qu'il suivait un fil d'Ariane... Sa cape ! Mais oui, sa cape blanche gonflée par le vent la trahissait comme l'aurait fait un étendard.

— Seigneur ! s'exclama-t-elle alors que Matador franchissait le pont en faisant jaillir des étincelles sous ses sabots.

A sa droite partait un sentier qui longeait le cours de la rivière, tandis que la route continuait droit devant elle. Elle immobilisa son cheval et sauta à terre. Puis elle ôta sa cape et l'attacha au pommeau de la selle en formant des vœux pour que sa ruse réussît. Elle engagea ensuite sa monture sur le chemin qui longeait la rivière et assena un petit coup de cravache sur le flanc de l'animal. Le cheval partit au galop droit devant lui. Elle appela Wolf et courut se cacher dans les bois où elle s'accroupit, le cœur battant.

Une minute plus tard, elle entendit le pont résonner sous les sabots de l'inconnu. Elle le vit se précipiter dans le chemin sans pouvoir distinguer son visage.

Mais elle ne vit pas que Matador s'était paisiblement arrêté près de la rive pour s'y désaltérer. Elle ne vit pas non plus que sa cape s'était dénouée et qu'elle était tombée à l'eau. Le courant l'emmena à quelques mètres en aval où elle resta accrochée aux branches d'un arbre mort à moitié submergé.

Victoria ne vit rien de tout cela parce qu'elle avait déjà disparu en courant dans les bois. Elle longeait la route un sourire aux lèvres : le bandit qui la pourchassait était tombé dans le piège que lui avait appris Rivière Bondissante.

O'Malley arrêta son cheval à côté du hongre de Victoria.

— Lady Victoria ? appela-t-il, affolé, en balayant du regard la berge, les bois et enfin la rivière à sa droite... où il finit par apercevoir un manteau blanc qui flottait tel un fantôme à la surface. Lady Victoria !

Il sauta de son cheval.

— Maudite bête ! haleta-t-il en arrachant sa veste et ses bottes à toute vitesse. Ce foutu animal l'a jetée dans la rivière...

Il pataugea dans l'eau trouble et tourbillonnante et se mit à nager en direction de la cape.

— Lady Victoria ! hurla-t-il avant de plonger.

Il remonta à la surface et cria à nouveau son nom, puis il aspira de l'air et replongea.

32

Tout le manoir était illuminé quand la berline de Jason s'arrêta devant le perron. Dans sa hâte d'embrasser Victoria, il gravit les marches quatre à quatre.

— Bonsoir, Northrup ! lança-t-il jovialement en assenant une tape sur le dos du brave majordome. (Il lui tendit son manteau.) Où donc est ma femme ? M'ont-ils attendu pour souper ? J'ai été retardé par une maudite roue qui s'est brisée.

Le visage de Northrup n'était qu'un masque figé. Dans un murmure, il souffla d'une voix enrouée :

— Le capitaine Farrell vous attend dans le salon, monsieur.

— Vous avez mal à la gorge ? s'enquit Jason avec sollicitude. Parlez-en à lady Victoria. Elle fait des merveilles avec ses onguents.

Northrup déglutit avec difficulté sans répondre.

Un peu étonné, Jason lui tourna le dos et se dirigea à grandes enjambées vers le salon. Il poussa la porte avec un grand sourire :

— Bonsoir, Mike. Où est ma femme ?

Un feu pétillait dans la cheminée et il chercha Victoria des yeux, mais tout ce qu'il vit fut la cape blanche qui ruisselait sur le dossier d'une chaise.

— Pardonne-moi, déclara-t-il à son ami, mais voilà une semaine que je n'ai pas vu ma femme. Je vais la chercher et je redescends tout de suite. Elle est sûrement dans sa...

— Jason, commença Mike, la gorge serrée. Il y a eu un accident...

Le souvenir d'une nuit similaire traversa alors

l'esprit de Jason — une nuit où il était rentré et où il avait voulu voir son fils. Northrup avait eu un comportement étrange. Mike Farrell l'avait attendu dans ce même salon. Comme pour chasser sa terreur, il secoua la tête et recula.

— Non, chuchota-t-il.

Puis sa voix enfla et se transforma en un hurlement de bête blessée.

— Non! C'est impossible... ne me dis pas qu'elle...

— Jason...

— Tais-toi! hurla-t-il.

Mike Farrell parla, mais il le fit en détournant les yeux pour ne pas voir le visage ravagé de son ami.

— Son cheval l'a désarçonnée et l'a jetée dans la rivière. O'Malley a plongé à plusieurs reprises mais... il...

— Laisse-moi seul, s'il te plaît.

— Oh, Jason. Les mots me manquent pour...

— Va-t'en!

Quand Mike fut sortit, Jason s'empara de la cape de Victoria. Ses doigts se refermèrent lentement sur le vêtement trempé. Les muscles de sa gorge se contractèrent tandis qu'il pressait la cape contre sa poitrine, la caressait amoureusement avant d'y enfouir son visage. Une souffrance intolérable déferla en lui et les larmes qu'il s'était cru incapable de verser jaillirent de ses yeux.

— Non, sanglota-t-il, se sentant peu à peu basculer dans la folie. NON!

33

— Calmez-vous, mon petit, dit la duchesse de Claremont à son arrière-petite-fille. Vous me fendez le cœur.

Victoria se mordit les lèvres et regarda par la fenêtre d'un air absent.

— J'ai peine à croire que votre mari ne soit pas encore venu vous présenter ses excuses, reprit la vieille dame avec irritation. Il a peut-être été retardé.

Appuyée sur sa canne, elle arpenta la pièce de long en large en jetant elle aussi de temps à autre un regard en direction des fenêtres, comme si elle s'attendait à voir débarquer Jason.

— Quand il daignera faire son apparition, j'espère bien que vous l'obligerez à implorer votre pardon à genoux !

Un sourire triste effleura les lèvres de Victoria.

— Vous risquez d'être déçue, grand-mère, car je puis vous assurer qu'il n'en fera rien. Il serait plutôt du genre à entrer d'un air dégagé et à m'embrasser pour...

— Vous séduire et vous ramener au bercail ? acheva brutalement la duchesse.

— Exactement.

— Cela marcherait-il ? s'enquit-elle, une lueur amusée dans les yeux.

Victoria soupira et lui tourna le dos sans répondre. Croisant les bras, elle appuya sa tête contre le montant de la fenêtre.

— Probablement, avoua-t-elle enfin.

— Qu'importe ! Il en met du temps, à venir, le

gredin ! Vous êtes sûre qu'il était au courant de ces lettres ? Ce serait d'une incorrection...

— Jason n'a aucun principe, commenta Victoria avec lassitude.

La duchesse reprit ses allées et venues puis s'immobilisa devant Wolf allongé devant le feu. Elle frissonna et s'écarta prudemment.

— Qu'ai-je fait au Seigneur pour avoir cette bête féroce sous mon toit !

Un petit rire triste échappa à Victoria.

— Voulez-vous que je l'attache dehors ?

— Grand Dieu, non ! Il s'est attaqué au fond de culotte de Michaelson qui voulait le nourrir ce matin !

— Il se méfie des hommes.

— Quand j'ai envoyé Dorothée en France, elle avait déjà apprivoisé deux chats et un moineau. Je ne raffolais pas de ces bestioles mais celles-là au moins ne me dévisageaient pas comme le fait cet animal. J'ai l'impression qu'il se délecte à la perspective de me croquer.

— Mais non, il croit qu'il est chargé de vous protéger, expliqua Victoria, amusée.

— Il surveille son repas, oui !

Victoria s'attarda devant la fenêtre avant de faire demi-tour et de reprendre distraitement le livre qu'elle avait laissé sur la table.

— Asseyez-vous, Victoria, et laissez-moi marcher. Inutile de nous bousculer au passage. Qu'est-ce que peut bien fabriquer votre beau ténébreux ?

— C'est aussi bien qu'il ne soit pas encore là, observa Victoria en se laissant tomber dans un fauteuil. Il m'aura fallu tout ce temps pour retrouver mon calme.

La duchesse avança d'un pas lourd vers la fenêtre et scruta l'allée.

— Vous aime-t-il ?

— Je le croyais.

— C'est évident ! Tout Londres en parle. Cet homme est follement épris de vous. C'est sans doute la raison pour laquelle il a marché dans la combine d'Atherton et qu'il vous a dissimulé la lettre d'Andrew. Atherton va m'entendre ! Même si, ajouta-t-elle sans quitter les jardins des yeux, je pense que j'aurais agi comme lui dans les mêmes circonstances.

— Je n'en crois rien.

— Mais si ! Si j'avais eu le choix entre un obscur Américain que je ne connaissais ni d'Eve ni d'Adam et le premier parti du royaume, j'aurais fait exactement comme Atherton.

Victoria ne put s'empêcher de lui faire observer que c'était exactement ce type de raisonnement qui avait causé le malheur de sa mère et de Charles Fielding.

La duchesse se raidit imperceptiblement.

— Vous êtes sûre de vouloir rentrer à Wakefield ?

— Je n'ai jamais eu l'intention d'en partir. Je crois que j'ai simplement voulu punir Jason. Oh grand-mère, si vous aviez vu le regard d'Andrew lorsqu'il a découvert que j'étais mariée. Vous me comprendriez. C'était mon meilleur ami. C'est lui qui m'a appris à nager, à tirer à la carabine, à jouer aux échecs... Et puis... j'étais révoltée que Charles et Jason se soient servis de moi comme d'une marionnette, d'un jouet, sans se soucier de mes sentiments. Si vous saviez comme je me suis sentie seule et misérable quand j'ai cru qu'Andrew m'avait froidement abandonnée.

— Eh bien, ma chère, vous n'allez plus être seule très longtemps. Wakefield vient d'arriver... Non...

Attendez... Il a envoyé quelqu'un! Qui est cet homme?

Victoria vola vers la fenêtre.

— Mais... c'est Mike Farrell! Le meilleur ami de Jason.

— Tiens donc! s'exclama la duchesse en frappant le sol de sa canne. Alors comme ça, il n'ose pas se montrer en personne. Ça m'étonne de Wakefield, mais voyons voir ce qu'il veut. (Elle poussa Victoria en direction du boudoir.) Allez vous cacher là-bas et ne montrez pas votre jolie frimousse avant que je vienne vous chercher.

— Pas question!

— Taratata! Si Wakefield désire traiter cette affaire comme un duel et nous envoyer un émissaire, soit! Moi, je serai le vôtre. Et je ne m'en laisserai pas conter, ajouta-t-elle avec un clin d'œil malicieux.

Victoria obéit à contrecœur. Mais elle décida que si sa grand-mère ne l'appelait pas au bout de cinq minutes, elle passerait outre ses recommandations et viendrait parler à Mike Farrell.

Trois minutes plus tard, la porte du boudoir s'ouvrit brutalement et sa grand-mère apparut. Sur son visage se lisait une stupeur mêlée d'amusement.

— Ma chère, vous avez involontairement réussi à mettre Wakefield à genoux, lui annonça-t-elle.

— Où est Mike? la pressa Victoria. Ne me dites pas qu'il est parti!

— Non, non, il est encore ici. Ce brigand attend dans mon salon le rafraîchissement que je viens généreusement de lui proposer. Il doit me prendre pour un être totalement dénué de cœur, car lorsqu'il m'a délivré son message, j'en suis restée tellement abasourdie que je lui ai proposé à boire au lieu de lui offrir ma sympathie.

— Grand-mère, de quoi parlez-vous ? Pourquoi Jason a-t-il envoyé le capitaine Farrell ? Est-ce pour me ramener à Wakefield ?

— Je n'en suis pas certaine, répondit Sa Grâce en arquant les sourcils. Charles Fielding l'a envoyé porter la triste nouvelle de votre récent décès.

— Mon quoi ?

— Vous vous êtes noyée, lui expliqua brièvement la duchesse. Dans la rivière. Votre cape blanche tout du moins. (Elle lança un coup d'œil à Wolf.) Et cet animal galeux se serait paraît-il enfui dans les bois qu'il hantait avant de vous connaître. Charles est alité — il l'a bien mérité soit dit en passant ! Quant à votre mari, il s'est enfermé dans son bureau et refuse d'ouvrir à quiconque.

Le choc fit chanceler Victoria. Quelle horreur ! Puis elle bondit.

— Victoria ! appela la douairière en essayant de suivre son arrière-petite-fille aussi vite que le lui permettaient ses vieilles jambes.

La jeune femme fit irruption dans le salon, Wolf sur ses talons.

— Capitaine !

Le brave marin sursauta et la regarda comme s'il voyait un fantôme. Puis son regard descendit sur la seconde apparition qui s'était mise à l'arrêt et retroussait méchamment les babines.

— Je ne me suis pas noyée ! balbutia Victoria, déconcertée par la stupeur qu'elle lisait dans ses yeux. Wolf, couché !

Le capitaine se redressa lentement et l'incrédulité laissa la place à la joie, puis à la fureur :

— Qu'est-ce que c'est que cette mauvaise plaisanterie ! siffla-t-il, outré. Jason est à moitié fou de chagrin...

— Capitaine ! intervint la duchesse avec autorité. Je vous prierai de ne pas vous adresser à mon arrière-petite-fille sur ce ton ! Elle apprend à l'instant — comme moi — que Wakefield ignorait qu'elle se trouvait chez moi, car elle avait bien précisé en partant sa destination.

— Mais sa cape...

— Quelqu'un m'a poursuivie dans les bois... J'ai cru qu'il s'agissait d'un de ces bandits dont vous m'aviez parlé... Alors j'ai accroché mon manteau à la selle de Matador et j'ai continué à pied.

La colère du capitaine retomba et il secoua tristement la tête :

— Ce n'était que ce malheureux O'Malley qui a manqué se noyer en tentant de vous retrouver dans la rivière. Car votre cape était tombée à l'eau.

Victoria ferma les yeux, torturée de remords. Puis ses longs cils se soulevèrent et elle fut prise d'une véritable frénésie. Elle serra sa grand-mère dans ses bras, bredouillant dans sa hâte :

— Grand-mère... merci pour tout. Je dois partir... Je rentre à la maison...

— Ah non ! Pas sans moi, répliqua la duchesse avec un sourire bourru. Pour rien au monde, je ne voudrais manquer ça.

— Alors suivez-moi en voiture. Moi j'irai à cheval, ce sera plus rapide...

— Vous viendrez avec moi, décréta Sa Grâce. Il ne vous est peut-être pas venu à l'idée que la réaction de votre mari risque d'être brutale, passé le premier mouvement de joie. Voyez celle de son émissaire si mal élevé. (Elle foudroya du regard le capitaine.) Après vous avoir embrassée, il voudra probablement vous tuer pour le chantage monstrueux dont il s'imaginera être l'objet. Voilà pourquoi ma présence à vos côtés est nécessaire. Norton ! appela-t-elle en frappant le sol de sa canne. Faites atteler la voiture, tout de suite !

Elle se tourna alors vers le capitaine et lui proposa avec une souveraine mansuétude :

— Vous pouvez nous accompagner... Je vous tiendrai ainsi à l'œil, précisa-t-elle promptement. Je ne veux pas que Wakefield soit averti de notre arrivée et qu'il nous attende sur le pas de sa porte avec son fusil.

Le cœur battant la chamade, Victoria arriva à Wakefield au crépuscule. Personne ne sortit à leur rencontre et seules quelques fenêtres de l'immense façade étaient éclairées. Toute la maison semblait déserte, enveloppée de désolation. Soudain Victoria s'aperçut avec horreur que les fenêtres du rez-de-chaussée étaient tendues de noir et qu'une couronne mortuaire était accrochée à la porte.

— Jason déteste le noir ! s'écria-t-elle en bondissant vers la portière et en s'escrimant sur la poignée. Dites à Northrup d'enlever tout ça !

Rompant pour la première fois le silence, Mike Farrell posa une main sur son bras.

— L'ordre est venu de Jason, Victoria. Il a presque perdu la tête. Votre grand-mère n'a pas tort... Je n'ai aucune idée de ce que sera sa réaction en vous voyant...

Mais Victoria s'en moquait : l'important était de le rassurer au plus vite. Elle vola vers la porte d'entrée qui était fermée à clé. Elle actionna violemment le marteau jusqu'à ce qu'on vînt lui ouvrir — au bout d'une éternité.

— Northrup ! cria-t-elle en s'engouffrant dans la maison. Où est Jason ?

Dans la pénombre, le majordome abasourdi cligna des yeux.

— Cessez de me dévisager comme ça ! Je ne suis pas une revenante ! C'est un affreux malentendu, s'écria la jeune femme, désespérée. Northrup !

— Il... il est... (Un sourire radieux éclaira soudain le visage de Northrup.) Dans son bureau, madame. Puis-je vous faire part de ma profonde...

Mais Victoria courait déjà vers le bureau de Jason.

— Victoria ? appela Charles d'une voix angoissée par-dessus la rampe. Victoria !

— Grand-mère va tout vous expliquer ! répondit-elle sans s'arrêter.

Devant la porte du bureau, elle s'immobilisa afin de reprendre son souffle, le cœur battant à une vitesse folle. Puis elle entra et referma la porte derrière elle.

Jason était prostré dans un fauteuil, près de la fenêtre, le visage enfoui dans ses mains. Sur la table se trouvaient deux bouteilles de whisky vides et la panthère en onyx qu'elle lui avait offerte.

Victoria avala sa salive et fit un pas en avant :

— Jason, commença-t-elle d'une voix très douce.

Il leva lentement vers elle un visage ravagé et dans ses yeux hagards, elle comprit qu'il la prenait pour une apparition.

— Tory, gémit-il douloureusement.

Victoria s'immobilisa et le vit replonger dans son hébétude et renverser la tête en arrière en fermant les yeux.

— Jason ! implora-t-elle, bouleversée. Regardez-moi !

— Je te vois, mon amour, chuchota-t-il, les paupières toujours closes. (Il se mit à caresser amoureusement le dos de la panthère.) Oh, parle-moi encore, supplia-t-il d'une voix brisée. Parle-moi encore, toujours... Oh Tory. Ça m'est égal d'être fou du moment que je peux entendre ta voix...

— Jason ! hurla Victoria en courant vers lui et en s'accrochant, affolée, à ses épaules. Ouvre les yeux ! Je ne suis pas morte ! Je ne me suis pas noyée ! Tu m'entends ? Je suis là !

Il ouvrit des yeux vitreux mais continua à lui parler comme si elle était un fantôme :

— Je ne savais rien de cette lettre, murmura-t-il d'une voix hachée. Tu le sais, n'est-ce pas ? Oui, tu le sais.

Soudain son regard se tourna vers le plafond et tout son corps se tendit de souffrance.

— Ô mon Dieu, gémit-il. Dites-le-lui, vous, que je l'ignorais. Dites-le-lui, bon sang !

Prise de panique, Victoria recula.

— Jason ! s'écria-t-elle. Réfléchis ! Je nage comme un poisson, tu te souviens ? Ma cape n'était qu'un leurre. Je me croyais poursuivie, je ne savais pas que c'était O'Malley ! Alors j'ai enlevé ma cape et je l'ai attachée à ma selle... Ensuite je suis allée chez grand-mère et...

Elle regarda autour d'elle, cherchant un moyen d'atteindre son cerveau affaibli. Elle courut allumer une lampe et tentait d'atteindre celles qui se trouvaient sur la cheminée quand deux mains de fer s'abattirent sur ses épaules et l'obligèrent à pivoter. Et elle se retrouva écrasée contre sa poitrine. Elle eut le temps d'apercevoir un éclair de lucidité dans les yeux de Jason avant qu'il s'emparât de sa bouche avec violence. Ses mains étaient partout, sur ses seins, sur ses hanches, et l'attiraient contre lui comme s'il avait voulu la faire disparaître en lui. Elle noua les bras autour de son cou et sentit un frisson parcourir son grand corps.

Longtemps, très longtemps après, Jason s'arracha brusquement à son étreinte, dénoua ses bras de son cou et la regarda. Victoria, effrayée, recula en voyant la colère briller dans ses beaux yeux verts.

— Et maintenant, déclara-t-il avec un air farouche, je vais vous ôter l'envie de recommencer.

Victoria émit un petit rire étranglé.

— Non, protesta-t-elle d'une voix tremblante tout en se réjouissant de le voir retrouver son état normal.

— Vous voulez parier? demanda-t-il en avançant, menaçant, tandis qu'elle reculait.

— Euh... je ne préfère pas, bredouilla-t-elle, s'abritant derrière son bureau.

— Et quand j'aurai terminé, je vous enchaînerai à ma table de travail!

— Avec plaisir, milord.

— Plus jamais, je ne vous quitterai des yeux.

— Je... je ne saurais vous en vouloir.

Victoria mesura d'un coup d'œil la distance qui la séparait de la porte.

— Attention, la prévint-il. Ne vous avisez pas...

Elle ignora la menace malgré la lueur de mauvais augure qui étincelait dans ses yeux. Avec un mélange de bonheur étourdissant et de folle excitation, elle ouvrit brusquement la porte et, sa jupe relevée d'une main, traversa l'entrée à toute allure. Jason la suivit de ses longues enjambées et la rattrapa presque en marchant.

Riant à gorge déployée, elle traversa le hall et le vestibule, dépassa Charles, le capitaine et son arrière-grand-mère qui tous se ruèrent hors du salon pour ne pas perdre une miette du spectacle.

A mi-chemin de l'escalier, Victoria se retourna

et monta à reculons, observant Jason qui la suivait d'un air résolu.

— Allons, Jason, fit-elle, incapable de réprimer son hilarité tandis qu'elle joignait les mains avec contrition. Soyez raisonnable...

— Ne vous arrêtez pas, c'est la bonne direction, gronda son mari en continuant sa progression. Vous avez le choix entre votre chambre et la mienne...

Victoria fit volte-face et franchit les dernières marches en volant presque, avant de se ruer dans ses appartements. Elle atteignait sa chambre à coucher quand la porte s'ouvrit derrière elle à toute volée. Jason la referma derrière lui et poussa le verrou.

Victoria pivota, prête à l'affronter, le cœur battant.

— A présent, ma chérie... déclara-t-il d'une voix sourde en guettant dans quelle direction elle comptait se réfugier.

Victoria regarda avec adoration son beau visage encore pâle de toutes ces émotions et courut se jeter dans ses bras, l'enlaçant avec fougue.

Jason resta immobile un moment, puis soudain toute sa tension se relâcha. Ses mains descendirent autour de la taille de la jeune femme et l'encerclèrent. Puis il l'attira à lui et la serra à lui briser les reins avant d'enfouir son visage dans ses cheveux.

— Je vous aime, chuchota-t-il, profondément ému. Si vous saviez à quel point je vous aime !

En bas de l'escalier, le capitaine Farrell, la duchesse et Charles sourirent avec soulagement lorsqu'un profond silence s'installa.

La duchesse fut la première à prendre la parole.

— Eh bien, Atherton, déclara-t-elle gravement, j'imagine que vous comprenez à présent ce que l'on peut éprouver après avoir gâché le bonheur d'autrui. Il faut en supporter les conséquences comme je l'ai fait pendant toutes ces années.

— Je dois parler à Victoria, dit-il, le regard fixé sur le palier déserté. Je veux lui expliquer pourquoi j'ai fait ça. C'est parce que je *savais* qu'elle serait plus heureuse avec Jason.

Il avançait déjà quand la canne de la duchesse lui barra le chemin.

— N'y songez pas! ordonna-t-elle avec arrogance. Je désire avoir un arrière-petit-fils et j'ai l'impression qu'ils se sont mis au travail.

Magnanime, elle ajouta:

— En revanche, je vous autorise à m'offrir un verre de cognac.

Charles arracha son regard de l'escalier et dévisagea la vieille dame qu'il haïssait depuis plus de vingt ans. Voilà deux jours qu'il vivait avec le remords de ce qu'il avait fait; mais elle endurait ce supplice depuis vingt-deux ans. Avec une hésitation, il lui offrit son bras. La duchesse étudia longuement son visage, sachant que c'était la paix qu'il lui offrait, puis elle posa une main émaciée sur son poignet.

— Atherton, reprit-elle alors qu'ils se dirigeaient vers le salon, Dorothée s'obstine à demeurer vieille fille et à vouloir embrasser une carrière de musicienne. J'ai décidé pour ma part qu'elle épouserait Winston, j'ai dans l'idée de...

Découvrez les prochaines nouveautés des différentes collections J'ai lu pour elle

Le 6 juin

Inédit **_Les secrets - 1 - L'art de la séduction_**

Anne Mallory

Comme chacun à Londres, Miranda Chase lit le best-seller du moment, *Les Septs Secrets de la Séduction*, quand un inconnu pénètre dans la librairie de son oncle. Ne serait-ce pas le vicomte Downing ? Lorsque ce dernier lui propose de l'embaucher pour organiser sa bibliothèque personnelle, remplie de livres précieux, Miranda accepte. Après tout, que risque-t-elle auprès d'un passionné de livres ?

Inédit **_Les carnets secrets de Miranda_** **Julia Quinn**

Depuis l'échec de son mariage, le vicomte Turner est déterminé à faire une croix sur l'amour. Y aurait-il une femme dans son entourage susceptible d'éveiller son intérêt? Miranda Cheever par exemple. La gamine fade et insignifiante à laquelle il a autrefois offert un journal intime n'est plus! Aujourd'hui, face à lui, se tient une jeune femme d'une beauté à couper le souffle.

Le mystère d'Alexandra **Leslie LaFoy**

Aiden Terrell mène une vie de débauche. Pour le remettre dans le droit chemin, son ami, le détective Stanbridge, le charge d'une mission : protéger le fils d'un rajah qui vit à Londres au côté de sa préceptrice. À contrecœur, Aiden s'installe sous leur toit mais la cohabitation est mouvementée : Alexandra Radford se montre odieuse. Il n'empêche que, à déjà vingt-cinq ans, elle possède un charme irrésistible, accentué par le mystère qui l'entoure…

Le 20 juin

Inédit *Les archanges du diable - 2 -*
La dame de mes tourments ☙ **Anne Gracie**
Harry Morant est célèbre pour sa bravoure sur les champs de bataille mais, après huit ans de loyaux services dans l'armée, il ne rêve que d'une chose, s'établir. Pour commencer, il s'achète un vieux manoir en ruines qu'il envisage de restaurer. Puis, il lui faut trouver une femme. Peu importent les mariages d'amour, ce qu'il recherche, c'est une femme respectable. Or, une rencontre inattendue peut parfois tout bouleverser...

Les Lockhart - 3 - Une histoire d'honneur ☙
Julia London
Depuis toujours, les Douglas et les Lockhart se vouent une haine féroce, dominée par la recherche d'une antique statuette en or. Contraints d'honorer une promesse qu'ils ont faite à leurs ennemis, les Lockhart doivent marier Mared, l'une des leurs, à Payton Douglas. Prête à tout pour éviter cette union, la jeune femme invoque une malédiction. Mais Payton n'est guère impressionné : rien ne l'empêchera de la faire sienne.

Le 6 juin

CRÉPUSCULE

Inédit **_Le cercle des Immortels - Les Dream-Hunters - 4 - Le prédateur de rêves_** ☙ **Sherrilyn Kenyon**

Alors qu'un démon sème le trouble sur Terre, s'insinuant dans les rêves des humains, Cratus se met en quête de le retrouver et de l'éliminer avant qu'il ne soit trop tard. Quand il rencontre Delphine Toussaint, il réalise qu'elle est la clé qui lui permettra de mener à bien sa mission. Mais cette humaine si innocente est opposée à toute forme de guerre et se dévoue avec acharnement à la paix dans le monde...

Les Highlanders - 5 - Le pacte de McKeltar ☙

Karen Marie Moning

En déposant un livre ancien dans un somptueux appartement de Manhattan, Chloé Zanders n'avait pas l'intention de fouiner, mais les lieux étaient déserts... Elle y trouve des recueils précieux, récemment dérobés à New York. À peine a-t-elle fait cette découverte qu'elle se retrouve ligotée par le propriétaire. De longs cheveux noirs, d'étranges yeux dorés... Dageus McKeltar est-il vraiment humain ?